APPRENDRE
À VIVRE
ET À AIMER

Couverture
- Aérographie:
  DANIEL JALBERT
- Maquette:
  GAÉTAN FORCILLO

Maquette intérieure
- Conception graphique:
  JEAN-GUY FOURNIER

DISTRIBUTEURS EXCLUSIFS:

- Pour le Canada:
  AGENCE DE DISTRIBUTION POPULAIRE INC.*
  955, rue Amherst, Montréal H2L 3K4 (tél.: 514-523-1182)
  *Filiale de Sogides Ltée

- Pour la France et l'Afrique:
  INTER-FORUM
  13, rue de la Glacière, 75013 Paris (tél.: 570-1180)

- Pour la Belgique, la Suisse, le Portugal, les pays de l'Est:
  S.A. VANDER
  Avenue des Volontaires 321, 1150 Bruxelles (tél.: 02-762-0662)

Leo Buscaglia

APPRENDRE À VIVRE ET À AIMER

traduit de l'américain
par
Jean-Paul Lapierre

 le jour,
éditeur

© 1983 LE JOUR, ÉDITEUR
DIVISION DE SOGIDES LTÉE

Ce livre a été publié en américain sous le titre:
Living, Loving & Learning
chez Charles B. Slack, Inc.

Bibliothèque nationale du Québec
Dépôt légal — 1er trimestre 1983

ISBN 2-89044-111-3

Avant-propos

Nikos Kazantzakis prétend que les meilleurs professeurs sont ceux qui savent se transformer en ponts qu'ils invitent leurs étudiants à franchir, et qui, après avoir facilité leur passage, disparaissent avec joie, en les encourageant à bâtir leurs propres ponts.

Les divers textes offerts dans ce volume représentent de tels ponts. Ce ne sont que des idées, des concepts et des sentiments que j'ai partagés dans la joie. Ils ont été donnés en sachant fort bien qu'on pouvait les accepter, les louer, les ignorer ou les rejeter. Et que cela n'avait pas d'importance.

Ils sont ici reformulés pour ceux qui pourraient les avoir manqués la première fois ou pour ceux qui pourraient vouloir en prendre connaissance à nouveau.

Je suis heureux d'avoir pu faire partager ces idées. Je suis encore plutôt stupéfait que des milliers de gens se soient sentis suffisamment concernés pour m'écouter. Ces textes représentent pour moi dix années stimulantes de développement et de partage. Au bout du compte, je n'ai aucun regret et je sais bien que, pour le meilleur ou pour le pire, il y en aura d'autres encore car j'ai bien l'intention de continuer à bâtir des ponts.

Leo Buscaglia

Introduction

Grands mercis à M. Webster qui définit ainsi le mot *introduction*: "ce qui prépare à un discours ou à un livre." Quelle joie pour moi d'avoir eu si souvent le privilège de travailler avec Leo Buscaglia.

J'ai écrit une fois, lors d'une de ces occasions: "C'est un homme à multiples facettes: professeur, étudiant, lecteur, conférencier, auditeur." De tout cela, ce qu'il fait encore le plus remarquablement c'est la profession qu'il a choisie: professeur. Leo enseigne avec un enthousiasme débordant, avec sincérité et, mieux encore, il prêche par l'exemple. "Si vous vous donnez la peine d'écouter, sous-entend son message, je vous montrerai combien la vie est riche et digne!"

Un immense auditorium, un espace dans son salon près du foyer ou encore un coin de plage, tout est pour Léo une salle de classe où il se voue à éduquer — à *guider* — ses étudiants de tous âges et de toutes expériences. À l'université de la Californie du Sud il lui est arrivé plus d'une fois d'être élu "le professeur le plus remarquable de l'année" par les jeunes du campus; et, bien sûr, les jeunes sont ceux qui *savent*.

Une fois, j'attendais Leo avec un ami à l'aéroport et comme Léo partait récupérer ses bagages, un vieux monsieur s'est approché de moi et m'a demandé: "Qui est ce monsieur? J'étais assis à côté de lui dans l'avion. Qui est-ce?" Après avoir entendu ma brève description de Leo, il soupira et dit: "Je savais bien que c'était quelqu'un de spécial. Pendant le voyage il me paraissait corriger des copies et sur chacune d'elles il écrivait des commentaires tels que

9

"Splendide!", "Fantastique!", "Merveilleux!" Personne n'a jamais écrit quelque chose comme ça sur une de mes copies. J'aurais bien aimé ça." Ce qu'avait vu ce charmant vieux monsieur, c'était, en action, le professionnel parfait, celui qui met de l'honneur dans l'art d'enseigner et qui, en retour, reçoit la considération de ses collègues et de ses étudiants.

Le même engagement profond, la même passion se retrouvent dans le corps de ses écrits. Le livre déterminant qu'il a écrit sur le travail de conseiller, *The Disabled and their Parents: a counseling challenge* (Les handicapés et leurs parents: un défi pour le conseiller), remua un étudiant au point de déclarer: "C'est le seul livre de classe qui m'ait jamais fait pleurer." À commencer par *Love* (Amour) en 1972 et jusqu'au plus récent *Personhood* (Être une personne) en 1978, ses livres sont des merveilles soigneusement ciselées de connaissances académiques serties de chaleur humaine et d'exubérance et sont aussi pleins d'impatience devant les paysages désolés qu'offrent les vies menées dans "un tranquille désespoir".

Plus d'une fois au long des années, depuis que je connais Leo, quelqu'un est venu me demander: "Est-ce qu'il est vraiment "comme ça" tout le temps?" C'est une véritable question — et c'est une question complexe. Je m'aperçois que la réponse que je donnais auparavant n'est plus la même maintenant. Avant c'était un "Oui!" retentissant et sans équivoque. Maintenant c'est devenu, de façon plus juste: "Oui — et non!"

Oui — il n'a pas besoin d'avoir un auditoire, petit ou grand, pour être exubérant, réfléchi, drôle et sage. Oui — ce souci du potentiel humain que son public perçoit en lui est profond et sincère. Oui — il éprouve autant de plaisir que n'importe lequel de ses auditeurs dans les salles de classe ou les auditoriums bondés. Oui — il supporte toujours assez mal les corps, les esprits et les buts laissés à l'abandon. Oui — il croit de tout son coeur que "Nous sommes tellement plus que ce que nous sommes". Et, oui, un des mots favoris de son vocabulaire est... OUI! (J'ai dans mes tiroirs une lettre à l'appui. On y lit: "Chère Betty Lou, oui, oui et encore *oui*! Affectueusement, Leo.")

Mais, non, il n'est pas tout le temps "comme ça", car s'il l'était, il ne serait rien de plus qu'un délicieux homme de spectacle — en demande, populaire et terriblement distrayant, mais avec un seul et unique message. Rien ne saurait être plus contraire aux faits. Le message de Leo, tout en se fondant sur des vérités universelles, change constamment, s'élargit, prend une nouvelle profondeur, nous offre à tous de nouveaux défis.

D'où vient ce développement continuel? Quelle en est la source? Les gens — les vieux et les nouveaux amis. Les livres — et les enchanteurs et enchanteresses qui les écrivent. La nature — notre premier exemple de changement, de développement, de beauté. Ses maîtres: les grands mystiques des cultures orientales — et les étudiants, et les enfants. La musique des sphères! Je vois Leo comme une grande feuille de papier buvard. Tout s'inscrit sur son oeil vif, dans sa remarquable intelligence et dans son coeur généreux.

Il est si convaincu de la richesse d'une vie qui accepte le changement qu'il s'assure avec entrain que les autres soient secoués dans leur confortable complaisance. Je me souviens d'une rencontre à Atlantic City, lors d'une de ces réunions informelles de fin d'après-midi qui semblent faire partie intégrante de tout congrès ou colloque. Je régalais Leo, avec fierté et, me semble-t-il, avec une certaine emphase, de tout ce que j'avais fait depuis la dernière fois que nous nous étions rencontrés. Il m'écouta patiemment, me fixa d'un oeil rond et dit: "Betty Lou, il faut que tu arrêtes de faire tout ce que tu sais pertinemment être capable de faire si bien et que tu t'essaies à quelque chose de nouveau." Sur quoi je rentrai chez moi et déclinai tout ce que j'avais en vue, me lançant presque immédiatement dans un certain nombre d'entreprises nouvelles (et plutôt effrayantes)... pour y trouver un plaisir sans bornes! Est-ce que j'écoute Leo? Et comment! C'est même devenu ma mission, depuis que dure notre amitié, d'inciter les autres à l'écouter attentivement eux aussi. Avec leurs esprits et avec leurs coeurs.

Et, non, il n'est pas tout le temps "comme ça" — ou l'on pourrait en déduire qu'il a besoin d'être constamment relancé par les foules qui semblent se former partout où il va. Je ne connais personne qui puisse disparaître aussi vite et aussi loin que Leo quand il éprouve le besoin de refaire ses énergies, de maintenir son esprit en éveil, de récupérer ses forces vives. Ce peut être une soirée dans la solitude de sa maison; ce peut être un été dans une cabane perdue au bord d'une rivière de l'Orégon; ce peut être une année sur une île, seul avec ses pensées et celles des sages dont il est avide d'apprendre. C'est un homme très retiré mais cette retraite ne semble pas tant une fuite ou un éloignement qu'un mouvement *en avant* — un temps consacré à réveiller et à aiguiser à nouveau ses sens, une façon de se préparer à la croissance et à l'essor spirituel et intellectuel.

En fin de compte, la question "Est-ce qu'il est "comme ça" tout le temps?" a une double connotation: humaine et mythique. Oh non, ce n'est pas un personnage mythique — mais pleinement un homme, pleinement un être humain, qui à l'occasion trébuche et trépigne, comme nous tous, qui souffre des complexités de la vie dans ce XXe siècle bureaucratique, comme nous tous, qui a des moments d'angoisse solitaire, comme nous tous, qui est capable de colère devant les manifestations (petites ou grandes) d'inhumanité comme nous tous. Mais *à la différence* de nous, il semble se faire une gloire de sa propre humanité, des faiblesses, des imperfections et de la part de comédie que comporte le fait d'être humain.

J'ai parlé de l'homme et non du contenu de ce livre important, même si je connais plus intimement l'oeuvre que l'homme. Bien sûr, connaître l'une c'est connaître aussi l'autre, du moins en partie. Je laisserai l'insigne qualité du contenu parler d'elle-même et me contenterai de "frayer le chemin" en vous disant : préparez-vous à embarquer dans une belle aventure en vous réjouissant avec Leo d'un festin de vie.

Betty Lou Kratoville

L'amour, modificateur du comportement

Je suis absolument ravi d'être présenté par quelqu'un qui sait prononcer mon nom. J'adore parler de mon nom parce que c'est un de ces magnifiques noms italiens qui font appel à presque toutes les lettres de l'alphabet. Il s'épelle B-u-s-c-a-g-l-i-a et on le prononce comme on prononce les autres. La meilleure chose qui, je pense, lui soit arrivée, en parlant de présentation, c'est quand, voulant un jour placer un appel interurbain et toutes les lignes se trouvant occupées, la standardiste me dit qu'elle allait me rappeler dès qu'elle aurait une ligne de libre. Lorsqu'elle me rappela, décrochant le téléphone, j'entendis ceci: "Voudriez-vous dire au Dr Broussaille que je peux maintenant acheminer son appel?" "Est-ce que ça ne serait pas plutôt Buscaglia?" lui dis-je. Sur quoi elle répondit: "Oh, Monsieur, ça pourrait bien être à peu près n'importe quoi."

Je suis ici devant vous aujourd'hui pour vous parler de l'amour et j'intitulerai cet exposé: "L'amour en classe." Je vous trouve vraiment courageux de me permettre de venir ici vous parler de l'amour en classe. Habituellement, on me demande de déguiser mon sujet ou au moins d'y ajouter quelque chose. Vous savez, des choses du genre: "L'amour, virgule, modificateur du comportement." Comme ça, ça sonne très scientifique et ça n'effarouche personne. C'est comme quand je donne à l'université mon cours sur l'amour. Tous les professeurs du département gloussent et me taquinent

13

quand je passe sur le campus: "Dis donc, est-ce que tu diriges des travaux pratiques samedi?" ricanent-ils. Je leur assure que je n'en fais pas.

J'aimerais d'abord vous donner un petit aperçu des raisons qui m'ont fait concevoir cette idée de cours sur l'amour. Il y a environ cinq ans, j'ai eu une entrevue avec le doyen de notre faculté des Sciences de l'Éducation. C'est un homme très officiel qui trône derrière un énorme bureau. Je venais juste de quitter mon emploi de directeur de l'Éducation spéciale dans une grande commission scolaire de Californie, après avoir décidé que je n'étais tout simplement pas un administrateur. J'étais un professeur et je voulais retourner à l'enseignement. Comme je m'asseyais, il me dit: "Buscaglia, qu'est-ce que vous voudriez faire dans cinq ans d'ici?" Je lui répondis aussitôt, sans hésiter: "J'aimerais bien donner un cours sur l'amour." Il y eut une pause, un silence, exactement comme celui que vous pouvez constater à ce moment précis. Puis, s'éclaircissant la gorge, il me dit: "Et quoi d'autre?"

Deux ans plus tard, je donnais effectivement un tel cours. J'avais vingt étudiants. J'en ai maintenant deux cents et une liste d'attente de six cents. La dernière fois que nous avons proposé ce cours, le groupe était complet vingt minutes après le début de la période d'inscription. Cela vous montre le genre d'enthousiasme et d'intérêt que suscite un cours sur l'amour.

Cela m'étonne toujours que chaque fois que la Commission nationale de l'éducation se réunit pour déterminer les objectifs de l'éducation américaine, le premier objectif soit toujours la réalisation de soi ou l'actualisation de son propre potentiel. Mais j'attends toujours de trouver, de l'école élémentaire à l'université, un seul cours se proposant de traiter: "Qui suis-je?" ou "Pour quoi suis-je sur cette terre?", ou encore "Quelle responsabilité ai-je envers l'humanité?" ou, si vous préférez: "L'amour". À ce que je sache, nous sommes la seule institution d'enseignement du pays, et peut-être même du monde, à offrir un cours intitulé: "L'amour" et je suis le seul professeur assez fou pour le donner.

En fait, je n'enseigne pas dans ce cours. J'apprends. Nous nous asseyons ensemble sur un grand tapis et nous discutons pendant deux heures. Cela dure habituellement jusqu'à la nuit mais nous travaillons au moins pendant les deux heures officielles, en échangeant nos expériences, l'hypothèse de départ étant que l'amour s'apprend. Les psychologues, les sociologues et les anthropologues nous répètent depuis des années que l'amour s'apprend. Ce n'est pas quelque chose qui vient tout seul. Je pense que nous en sommes restés à cette croyance fausse et c'est pour cela que nous avons autant de barrières à surmonter dans le domaine des relations humaines. Et puis, qui nous apprend l'amour? D'une part, la société où nous vivons et cela, sans l'ombre d'un doute, varie d'une société à l'autre. Nos parents aussi nous ont appris à aimer. Ce sont nos premiers maîtres, mais ce ne sont pas toujours les meilleurs. Peut-être attendons-nous de nos parents qu'ils soient parfaits. Les enfants grandissent toujours en pensant que leurs parents doivent être parfaits et ils finissent par être désappointés, désillusionnés et vraiment *furieux* quand ils découvrent que ces pauvres êtres humains ne sont pas parfaits. Peut-être que le début de l'âge adulte est ce moment où nous voyons cet homme et cette femme comme des êtres humains ordinaires, comme nous, avec leurs limites, leurs erreurs, leur tendresse, leurs joies, leurs peines, leurs larmes et que nous acceptons qu'ils ne soient que cela: des êtres humains. Et l'important est que si nous avons *effectivement* appris l'amour auprès de ces gens et dans cette société, alors nous pouvons le désapprendre et le réapprendre; alors, il reste beaucoup d'espoir. Il reste beaucoup d'espoir pour chacun d'entre nous, mais dans tout cela il faut bien quelque part apprendre à aimer. Je pense que toutes ces choses sont en nous et que rien de ce que je vais vous dire ne devrait vous paraître nouveau au point de vous surprendre. Ce que vous allez voir c'est quelqu'un qui va avoir le front de se tenir debout et de dire tout cela et peut-être qu'alors, à cause de cela, quelque chose en vous va se déclencher qui vous fera dire à *vous:* "C'est comme ça que je pense, moi aussi, et qu'est-ce qu'il y a de mal à ça?"

C'est très intéressant, mais il y a cinq ans, quand j'ai commencé à parler de l'amour, j'étais très seul, oh oui, je me souviens, et il y a des gens ici qui étaient là également le jour où je participais avec un collègue d'une autre université à une discussion sur les modifications du comportement par rapport à l'affect. Après que j'ai eu crié et pleuré au sujet de l'amour, ce professeur se tourna vers moi et dit: "Buscaglia, vous êtes tout à fait à côté du sujet." Je pense que j'ai le singulier mérite d'être le seul être humain que je connais qui soit à côté du sujet. Et c'est formidable! Mais je ne suis plus si seul maintenant, car de plus en plus de gens se tournent vers l'affect et l'étudient.

Une des étapes majeures de mon développement a été la découverte du livre de Leonard Silberman: *Crisis in the Classroom* (La salle de classe en crise). Si vous ne l'avez pas lu, faites-le, c'est un livre fantastique. Ce sera probablement un des livres les plus marquants dans le domaine de l'éducation. C'est déjà d'ailleurs un best-seller. Tous ceux qui s'intéressent aux enfants, y compris les parents, doivent lire le livre de Silberman. Tout le monde devrait pouvoir le trouver. Ce livre est le résultat d'une bourse de trois ans accordée par la fondation Carnegie à Leonard Silberman, un grand sociologue et un grand psychologue, pour découvrir quel est l'état actuel de l'éducation américaine. Il conclut que, considérant qu'en Amérique l'éducation est pour tout le monde, nous accomplissons un boulot remarquable dans les domaines de la lecture et de l'écriture, dans l'arithmétique et l'orthographe. Nous sommes très bons là-dedans. Mais nous échouons lamentablement quand il s'agit d'apprendre aux individus à être des êtres humains. Il suffit de regarder autour de soi pour le constater. On a incontestablement placé l'accent au mauvais endroit.

Je me souviens de ma première année d'enseignement à l'université de la Californie du Sud. C'est une chose étonnante — j'imagine que vous ressentez la même chose que moi — mais, quand vous enseignez, vous recevez des vibrations de votre public. Des choses se passent entre vous et votre auditoire si vous *lui* parlez au lieu de parler *devant lui*. Ce serait merveilleux de pouvoir un jour avoir un petit groupe avec qui s'asseoir et parler vraiment en s'impliquant au lieu d'avoir toujours affaire à ces énormes auditoires. Quoi qu'il en soit, vous savez que dans un public il y a certains visages qui ressortent, certains corps qui émettent des vibrations. Ils vous touchent et vous les touchez. Chaque fois qu'il vous arrive d'avoir besoin d'appui, vous les fixez et vous recevez un sourire qui veut dire: "Continue, mon vieux, ça marche bien." Alors vous pouvez risquer des tas de choses. Bon, j'avais une personne comme ça dans ma classe, une jeune fille très belle. Elle s'asseyait toujours vers la sixième rangée à partir du fond et opinait à ce que je disais. Quand je disais quelque chose, elle laissait échapper un "Oh oui!". On l'entendait s'exclamer: "Extra" et elle se mettait à écrire et je me disais: "Oh, je communique vraiment avec elle — quelque chose de merveilleux est en train de se produire entre nous; ça va donner des bons résultats; elle est en train d'apprendre, etc." Puis un jour elle a cessé de venir au cours. Je ne pouvais pas imaginer ce qui avait bien pu se passer et je n'arrêtais pas de la chercher dans la classe mais elle n'était pas là. Finalement, j'ai vérifié auprès de la responsable des étudiantes et elle me dit: "Comment, vous n'êtes pas au courant?..." Cette jeune femme dont les travaux étaient absolument brillants, dont l'esprit était très stimulant et qui avait une créativité comme on n'ose en rêver... cette jeune femme était allée à Pacific Palisades, un endroit où les rochers tombent directement dans la mer. Elle avait stationné sa voiture, en était descendue et s'était jetée par-dessus la falaise pour aller s'écraser en bas sur les rochers. J'y pense encore et je me suis dit alors: "Qu'est-ce qui nous prend de bourrer les gens de connaissances en oubliant qu'ils sont des personnes, qu'ils sont des êtres humains?"

Carl Rogers a récemment écrit à propos très précisément de cette façon de rater le bateau:

> Vous savez que je ne crois pas que qui que ce soit ait jamais appris quoi que ce soit à quiconque. Je remets en question l'efficacité de l'enseignement. La seule chose que je sais, c'est que celui qui veut apprendre apprendra. Tout professeur en puissance est un facilitateur, une personne qui met les choses sur la table, montre aux gens combien c'est excitant et merveilleux et leur dit de se servir.

C'est tout ce qu'on peut faire — on ne peut forcer qui que ce soit à manger. Aucun professeur n'a jamais appris quoi que ce soit à quiconque. Les gens apprennent par eux-mêmes. Si nous examinons le mot "éducateur", nous voyons qu'il vient du latin *educare* qui veut dire, "mener, guider". C'est ça que ça veut dire guider, être vous-même enthousiaste, vous comprendre et placer le tout devant les autres en leur disant: "Voyez comme c'est merveilleux. Allez, joignez-vous à moi pour ce festin." Rappelez-vous le mot de tante Mame: "La vie est un banquet dont la plupart des mets sont

17

laissés à pourrir." Alors je commence à m'interroger et c'est devenu plus facile, parce que davantage de gens comme Silberman émettent cette opinion et je n'apparais plus aussi bizarre.

Sorokin, un grand sociologue, émet l'opinion suivante dans l'introduction à son livre *The Ways and Power of Love* (Les voies et la puissance de l'amour):

Les esprits qui sentent, nos esprits, doutent à l'excès des pouvoirs de l'amour. Cela nous paraît quelque chose d'illusoire — nous l'appelons mirage complaisant, opium de l'esprit d'un peuple, pensée idéaliste et illusion non scientifique. Nous sommes prévenus contre toutes les théories qui tentent de prouver le pouvoir de l'amour dans les autres forces positives qui modèlent le comportement humain et la personnalité, influencent le cours de l'évolution biologique, sociale, morale et mentale, affectent les événements historiques et donnent leurs formes propres aux institutions sociales et aux cultures.

Après quoi, il entreprend de nous montrer, de façon scientifique, que *c'est* pourtant bien le cas.

Quelle honte de croire que seul n'existe que ce que l'on peut montrer par des statistiques. Vous me faites pitié si vous ne vous laissez mener que par ce que vous pouvez mesurer, parce que moi je suis intrigué par ce que justement l'on ne peut mesurer. Je suis intrigué par les rêves et pas seulement par ce qui est là sous mes yeux. Je me fiche royalement de ce qui est là. Je peux le voir. D'accord, mesurez-le si vous voulez passer votre vie à le mesurer, mais ce qui m'intéresse, moi, c'est ce qui est *ailleurs*. Il y a tant de choses que nous ne voyons pas, que nous ne touchons pas, que nous ne sentons pas, que nous ne comprenons pas.

Nous prenons pour acquis que la réalité est la boîte dans laquelle nous avons été mis. Ce n'est pas ça, je vous l'assure. Ouvrez la porte un beau jour, regardez dehors et voyez comme il y a de choses. Le rêve d'aujourd'hui sera la réalité de demain. Mais nous avons oublié l'art de rêver.

Buckminster Fuller était récemment sur notre campus et ce merveilleux vieil homme se tenait là devant nous avec juste un petit micro — pas de notes, pas de tableau, pas d'équipement audiovisuel — et il nous parlait, passionnant un auditoire de trois ou quatre mille personnes pendant trois heures et quinze minutes sans arrêt. Il disait des choses admirables sur l'espoir et sur le futur et son dernier mot fut: "J'ai de grands espoirs pour le futur. Et mes espoirs résident dans les trois choses suivantes: la Vérité, la Jeunesse et l'Amour." Puis il enleva son micro-cravate et quitta la scène. Vérité, Jeunesse et Amour. C'est ça notre espoir pour demain.

Je pense que les gens commencent à considérer cette chose qu'on appelle l'amour*. Et ils le font maintenant sans complexe. Ils se disent: "Peut-être faut-il que nous en revenions là." Silberman dit, pour sa part: "Ce qui manque, c'est l'affect. Les écoles sont des endroits sans joie et sans conscience qui étranglent les enfants et détruisent la créativité et la joie." Et pourtant elles devraient être les lieux les plus joyeux du monde car, vous savez, apprendre est la plus grande joie qui soit. C'est fantastique d'apprendre quelque chose parce que chaque fois qu'on apprend on devient quelque chose de nouveau. On ne peut apprendre quoi que ce soit sans devoir réajuster tout ce que l'on est en fonction de ces nouvelles connaissances que l'on vient d'acquérir. Aussi aimerais-je vous parler un petit peu de ce que je crois être l'être humain qui aime. Je pourrais dire le professeur qui aime, mais je n'aime pas cette formule. Vous savez, vous n'êtes pas seulement un professeur, vous êtes un être humain. Les enfants peuvent s'identifier aux gens, aux êtres humains. Ils ont au contraire beaucoup de difficultés à s'identifier aux professeurs. Quand vous vous mettez à vous conduire comme un professeur qui joue un rôle, vous vous retrouvez en train de dire des tas de choses que vous préféreriez n'avoir jamais dites.

Nous formons des professeurs. Nous formons des professeurs à longueur de temps et nous les renvoyons en tant qu'êtres humains accomplis. Puis nous les mettons dans une salle de classe et vous savez ce qu'ils reviennent nous dire? "Je me retrouve en train de dire toutes les choses horribles pour lesquelles je haïssais mes professeurs, des choses du genre: "Nous sommes en train d'attendre Mary", "Johnny, nous t'attendons", "Oh, j'adore la façon dont Johnny est assis." Vous voyez? Et l'on peut sans risque de se tromper supposer que Mary se dit: "Attends donc, vieille vache." C'est

---

* Allusion à la célèbre chanson de Cole Porter: *What is this thing called love?* (N.d.t.)

vrai, nous attendons Mary. Mais c'est le rôle dans lequel nous nous retrouvons malgré nous. Nous nous retrouvons marchant de long en large devant la classe et faisant tous les frais de la conversation parce que nous sommes les professeurs. Et nous croyons toujours, à tort, que nous sommes en train d'enseigner quelque chose. Les enfants vont apprendre, cela ne fait pas de doute. Mais tout ce que vous avez à faire c'est de les guider; c'est votre principale fonction.

Nous échouons, dans nos facultés des sciences de l'éducation, parce que nous n'aidons pas les futurs professeurs à quitter leur rôle de professeur pour devenir des êtres humains et réaliser qu'ils sont des guides. Or, c'est dans la mesure où ils reconnaissent cela qu'ils obtiendront le succès dans leur classe, parce qu'un enfant sait reconnaître un guide. Je vais lancer quelques idées sur ce qu'est une personne qui aime et si vous voulez les appliquer à ce qu'est un professeur qui aime, c'est votre affaire, voyez-vous. Mais je m'intéresse moi, avant tout, à ce qu'est une personne qui aime.

Tout d'abord, je crois que la chose la plus importante, c'est que cette personne qui aime soit une personne qui s'aime elle-même. Bon, alors là, les gens vont se coller dans leur siège et dire: "Oh, oh, qu'est-ce qu'il peut bien vouloir dire par là?" Je ne parle pas d'*ego trip*. Je ne parle pas de celui qui se plante devant son miroir et dit: "Miroir, miroir, là sur le mur, dis-moi qui est le plus beau? Tu ne te trompes jamais, ô miroir." Vous savez bien que ce n'est pas de ça que je parle quand j'évoque une personne qui s'aime elle-même. Je parle d'une personne qui s'aime elle-même comme de quelqu'un qui réalise que l'on ne peut donner que ce que l'on a et qu'il vaudrait donc fichtrement mieux travailler à acquérir quelque chose. Vouloir être l'individu le plus éduqué, le plus brillant, le plus stimulant, le plus polyvalent, le plus créateur du monde, parce qu'alors vous pourrez donner tout cela; et la seule raison pour laquelle on ait quoi que ce soit, c'est pour le donner.

"Je ne peux pas vous apprendre quelque chose que je ne sais pas" est une formule tellement facile, imbécile et stupide. Et pourtant, nous devons le dire. S'il me faut parler devant un groupe, il vaudrait mieux que je sache quelque chose ou que j'aie quelque chose à leur dire. Si je dois donner un cours sur les difficultés d'apprentissage, il vaudrait mieux que je sache quelque chose à ce sujet. Et je ne peux leur apprendre que ce que je sais. C'est pourquoi, si je veux être un bon professeur dans le domaine des difficultés d'apprentissage, il va me falloir connaître tout ce que je peux trouver sur le sujet. Et ce qu'il y a de merveilleux là-dedans c'est que j'aurais beau apprendre à toutes les personnes de cette salle tout ce que je sais, je n'aurai malgré tout absolument rien perdu — je saurai encore tout ce que je sais. Ce n'est donc pas une question de don et de perte de ce que l'on a donné, c'est une question de partage. Fuller disait l'autre soir: "Pour vous enseigner tout ce que je sais, il ne me faudrait que quinze heures." Imaginez un peu, cette intelligence aiguë, cet esprit fantastique — ce grand savant, ce grand philosophe. "Donnez-moi quinze heures et je vous apprends tout ce que je sais." Et pourtant, s'il le faisait, il n'aurait rien perdu de ce qu'il sait; il le saurait encore.

Avec l'amour c'est la même chose. J'aurais beau aimer toutes les personnes qui sont dans cette salle si j'avais la chance de vous connaître tous avec la même intensité, j'aurais encore malgré tout en moi la même quantité, le même potentiel d'amour que celui que j'ai en ce moment même. Je n'aurais rien perdu. Mais d'abord, cela, il faut que je l'aie. Si mon amour est névrotique, s'il est possessif, s'il est mauvais, tout ce que je pourrais vous apprendre c'est l'amour névrotique, possessif, mauvais. Si mes connaissances dans tous les domaines sont vastes et sans limites, je peux vous les donner. Alors, le devoir que j'ai vis-à-vis de moi-même, c'est de me faire immense, plein de savoir, plein d'amour, plein de compréhension, plein d'expérience, plein de tout, de façon à pouvoir vous le donner pour que vous le preniez et commenciez à bâtir à partir de ça.

Personne ne suit mon cours sur l'amour plus d'une année. C'est un cours d'une année. Vous y prenez ce que j'ai à vous donner. Vous le combinez à ce que vous avez et vous partez faire quelque chose de très beau. Je vois, pour ma part, la personnalité, par exemple, non seulement comme la conçoivent le psychologue ou le sociologue ou l'anthropologue, mais aussi comme quelque chose qui nous a depuis longtemps échappé. Et cette chose, c'est l'irréductible. Je conçois chacun comme un individu unique, irréductible, qui a en lui un facteur que j'appellerai x, par manque de terme approprié. Quelque chose à l'intérieur du plus profond de vous, qui n'est qu'à vous, qui est différent de tous les autres et qui vous fait voir, sentir, réagir différemment. Je crois que chacun d'entre nous possède ce facteur et j'espère seulement que vous aurez eu la chance de rencontrer quelque part en cours de route quelqu'un qui vous aura aidé à le développer. Parce que, en fin de compte, l'essence de l'éducation, ce n'est peut-être pas de vous bourrer de connaissances mais de vous aider à découvrir ce qui fait votre caractère unique, de vous apprendre à le développer, puis de vous montrer comment le donner aux autres.

Imaginez un peu ce que serait le monde si chacun dans cette salle avait la chance d'être encouragé à être un individu unique. Mais vous savez ce que je pense? Que l'essence de notre système d'éducation est au contraire de faire que chacun soit semblable aux autres. Et quand nous y sommes parvenus, nous nous considérons très chanceux, sans aucun doute. On voit ça tout le temps! "Je ne m'intéresse pas à ce qu'il y a d'unique en vous. Je suis intéressé à savoir si j'ai réussi à vous donner ce que je suis et, dans la mesure où vous pouvez me singer, j'aurai été un professeur efficace."

Je raconte toujours l'histoire de l'école des animaux, une histoire fantastique qui court depuis des années chez les éducateurs. Nous en rions mais nous ne faisons jamais rien pour y remédier. Un lapin, un oiseau, un poisson, un écureuil, un canard, etc., décidèrent tous ensemble de fonder une école. Ils se réunirent pour composer le programme. Le lapin insista pour que la course soit au programme. L'oiseau pour que le vol soit au programme. Le poisson pour que la nage y soit. L'écureuil pour que grimper aux arbres y soit. Et tous les autres animaux tenaient à ce que leur spécialité soit aussi au programme. Alors ils y mirent tout et commirent l'erreur glorieuse de vouloir que tous les animaux prennent tous les cours. Le lapin était magnifique à la course; personne ne pouvait courir comme le lapin. Mais ils affirmèrent mordicus que ce serait une bonne discipline intellectuelle et émotionnelle que d'apprendre au lapin à voler. Aussi insistèrent-ils pour que le lapin apprenne à voler. On le percha sur une branche et on lui dit: "Vole, lapin!" Et le pauvre vieux sauta, se cassa une jambe et se fractura le crâne. Il eut le cerveau atteint et ne put même plus très bien courir. Alors, au lieu d'un A, c'est un C qu'il obtint à la course. Et on lui mit D pour le cours de vol, parce qu'au moins il avait fait un effort. Et le comité de programme fut heureux. La même chose avec l'oiseau —

il pouvait voler tout partout comme un ange, faire looping sur looping et il s'acheminait vers un A. Mais ils insistèrent pour que l'oiseau creuse des trous dans le sol comme une taupe. Évidemment il s'y brisa les ailes, le bec et le reste au point de ne plus pouvoir voler. Mais ils furent très heureux de lui donner C pour le vol, et ainsi de suite. Et savez-vous qui fut le brillant sujet de la classe? Une anguille faible d'esprit, parce qu'elle pouvait faire presque tout assez bien. Le hibou abandonna l'école et depuis ce temps il vote "non" à tous les référendums qui concernent les taxes scolaires.

Nous savons que ce n'est pas bon et pourtant personne ne fait rien pour changer ça. Vous pouvez être un génie, être un des plus grands écrivains du monde, vous ne pourrez pas entrer à l'université si vous ne passez pas l'examen de trigonométrie. Pour quoi faire! Vous ne pouvez graduer du collège sans passer les examens de ci, de ça et d'autre chose encore! Vous ne pouvez sortir de l'élémentaire sans faire ci et ça! Peu importe ce que vous êtes. Regardez un peu la liste de ceux qui ont laissé tomber: William Faulkner, John F. Kennedy, Thomas Edison. Ils ne pouvaient supporter l'école. Ça les écoeurait. "Je ne veux pas apprendre à grimper aux arbres. Jamais je n'aurai à grimper aux arbres. Je suis un oiseau. Je peux voler jusqu'en haut de l'arbre sans avoir à grimper." "Peu importe, c'est une bonne discipline intellectuelle."

En tant qu'individus nous ne devons pas nous contenter de devenir semblables à tous les autres. Il faut combattre le système. Prenez par exemple les professeurs d'art (je n'ai rien contre les professeurs d'art; j'ai de la peine pour eux, les pauvres vieux). Je me souviens quand ils venaient dans ma classe, à l'école élémentaire, et je suis sûr que vous pouvez vous en souvenir vous aussi. On vous donnait du papier et le professeur titulaire plaçait la feuille devant vous et vous étiez tout excité. Cela allait être la période d'art. Vous aviez tous les crayons nécessaires devant vous et, les mains jointes, vous attendiez. Et voilà que bientôt cette pauvre femme hagarde s'engouffrait dans la salle, hagarde d'avoir dû visiter quatorze autres salles de classe le même jour pour y enseigner l'art. Elle arrivait en courant, le chapeau de travers, soufflait et grognait avant de vous dire "Bonjour les enfants. Aujourd'hui nous allons dessiner un arbre." Et tous les enfants se disaient, "chouette, on va dessiner un arbre!" Alors elle allait en avant avec un crayon vert et elle dessinait cette grande grosse chose verte. Puis elle lui faisait une base brune et quelques touffes d'herbe. Et elle disait: "Voilà notre arbre." Et tous les enfants le regardaient et disaient "c'est pas un arbre, ça, c'est un suçon". Mais elle disait que c'était un arbre et elle vous passait des feuilles de papier en disant: "Maintenant dessinez-moi un arbre." En fait, elle ne disait pas vraiment "dessinez un arbre", elle disait "dessinez *mon* arbre". Et plus vite vous compreniez que c'était ça qu'elle voulait, reproduisiez ce suçon et le lui tendiez, plus vite vous obteniez un A.

Mais il y avait le petit Junior qui savait bien que ça, ça n'était pas un arbre parce qu'il avait déjà vu un arbre, lui, d'une façon que ce professeur d'art n'avait jamais connue! Il était déjà tombé d'un arbre, il avait déjà mordillé l'écorce d'un arbre, il avait déjà reniflé un arbre, il s'était assis dans les branches, il avait écouté le vent souffler dans les branches d'un arbre et il savait bien, lui, que son arbre à elle c'était un suçon. Alors il prenait du magenta, de l'orange, du bleu, du mauve et du vert et il les étalait partout sur la feuille et joyeusement s'en allait lui porter son dessin. Elle le regardait et disait: "Oh, mon Dieu, un retardé — en classe spéciale!"

Combien cela prend-il de temps pour que quelqu'un s'aperçoive que ce qu'ils disent vraiment c'est: "Pour pouvoir passer, je veux que tu reproduises mon arbre." Et c'est ainsi que cela se passe tout au long de la première année, de la seconde, de la troisième, de la quatrième, de la cinquième et sans arrêt jusqu'aux séminaires de l'école des gradués. Je donne des séminaires à l'école des gradués. C'est stupéfiant de voir à quel point à ce niveau les gens ont appris à répéter comme des perroquets. Penser? Ne soyez pas ridicule. Ils peuvent vous donner les faits, textuellement, exactement comme vous les leur avez donnés. Et on ne peut blâmer ces étudiants, car c'est ça qu'on leur a appris. Vous leur dites: "Faites preuve de créativité" et ils ont peur. "Il ne pense pas vraiment à ce qu'il dit, n'est-ce pas?" Alors qu'advient-il de ce que nous avons d'unique, qu'advient-il de notre arbre? Tout cela s'est envolé. Tout le monde ressemble à tout le monde et tout le monde est content. R.D. Laing note: "Nous sommes satisfaits quand nous avons fait de nos enfants des gens comme nous: des gens frustrés, malades, aveugles et sourds mais avec des quotients intellectuels élevés."

La personne qui aime ne se contente pas d'être unique, de développer cette unicité et de se battre pour la garder. Elle veut être la meilleure parce qu'elle réalise que c'est quelque chose qu'elle pourra donner aux autres. Je ne sais combien d'entre vous connaissent les écrits de R.D. Laing. *The Politics of Experience* (La politique de l'expérience) est l'un des plus beaux cadeaux que je pourrais jamais vous faire. C'est un petit livre de poche et c'est un livre incroyable. Il parle du potentiel humain et du développement de ce potentiel. Laing y fait cette remarque qui est sans doute une des choses les plus magnifiques que j'aie jamais lues. Et ce n'est ni en italique ni souligné. Ce n'est qu'un exemple parmi d'autres de la façon dont il écrit. La voici:

Nous pensons bien moins que nous ne connaissons. Nous en connaissons bien moins que ce nous aimons. Nous aimons bien moins que ce qui se trouve autour de nous. Et c'est précisément dans cette mesure que nous sommes bien moins que ce que nous sommes.

Qu'est-ce que vous dites de ça?

Des choses extraordinaires se passent partout dans le pays. Il existe des instituts pour le développement de la personne humaine. Herbert Otto, Fitzgerald et Carl Rogers font tous cela, et bénévolement. Ils fondent des instituts et vivent de leurs droits d'auteurs pour trouver des moyens d'aider les gens à développer à nouveau leur potentiel parce que sans cela nous sommes perdus. C'est ce que crie Fuller: "Revenons-en à nous-mêmes." Nous avons un potentiel pour voir et sentir, pour toucher et entendre, un potentiel tel que nous n'avons jamais osé en rêver. Mais nous avons oublié comment nous en servir. C'est cela que nous voulons faire si nous nous soucions de nous-mêmes, si nous nous aimons nous-mêmes.

J'ai vécu une expérience unique, il y a environ sept ans. J'ai tout vendu. J'ai fait ce que tout le monde considérait comme une pure folie. J'ai vendu tout ce à quoi notre culture attache de la valeur... ma chaîne stéréo, mes disques, mes livres, ma police d'assurance, ma voiture et, avec l'argent amassé, j'ai passé deux ans à parcourir le monde. J'ai passé la majeure partie de ce temps en Asie parce que j'en savais moins sur l'Asie que sur toute autre partie du monde. Les deux tiers du monde ne sont pas l'Occident. Ces gens pensent différemment, sentent différemment, comprennent différemment et on en apprend beaucoup sur soi-même et sur la condition humaine quand on sort de notre environnement occidental et qu'on découvre qu'il existe des peuples et des pays où Jésus lui-même est inconnu. Il y a des endroits où l'on n'a pas la moindre idée de ce qui préoccupe notre culture occidentale, de ce qu'elle fait, de ce qu'elle sent; et ce sont pourtant ces mêmes gens auxquels nous nous affrontons parfois. Leurs mots ne sont pas nos mots. Leurs façons de sentir ne sont pas nos façons de sentir. Mais néanmoins j'ai appris beaucoup en voyageant dans ces pays.

J'ai appris quelque chose de vraiment unique quand j'étais au Cambodge. Je suis allé à Angkor Vat voir les merveilleuses ruines bouddhistes. Elles sont fantastiques — d'impressionnantes têtes de Bouddha dévorées par les banians, les singes qui se balancent dans les airs, tout est à l'état sauvage, libre et superbe, des ruines telles que vous n'en avez jamais rêvées — un univers tout à fait nouveau pour nous. Là j'ai rencontré une Française qui était restée après le départ des Français du Cambodge. Elle me dit: "Tu sais, Leo, si tu veux vraiment connaître le Cambodge, ne reste pas assis là dans les ruines. Elles sont très belles, c'est vrai, mais va plutôt voir les habitants. Découvre comment ils vivent. D'ailleurs tu es venu juste au bon moment; les moussons s'en viennent et le mode de vie change." Et elle ajouta: "Va donc au Tonle Sap" (si vous vous souvenez de vos cours de géographie, c'est un immense lac qui occupe presque tout le Cambodge) "parce que là, en ce moment, les gens sont occupés à une chose très intéressante. Quand les moussons viennent, les grandes pluies détruisent leurs maisons et emportent tout ce qu'ils possèdent. Alors ces gens s'embarquent sur des radeaux communaux, à plusieurs familles ensemble. Les pluies viennent, les radeaux flottent et ils continuent à vivre, mais cette fois en commune." Je me suis dit, est-ce que ce ne serait pas merveilleux si six mois par an certains d'entre nous se mettaient à vivre ensemble? J'imagine que vous pensez! Qui diable accepterait de vivre avec mon voisin?" Mais peut-être est-ce au contraire une chose merveilleuse de vivre avec un voisin et de découvrir une fois de plus ce que c'est de dépendre des autres, et combien c'est formidable de pouvoir dire à quelqu'un: "J'ai besoin de toi." Nous pensons que pour être adultes nous devons être indépendants et n'avoir besoin de personne *et c'est précisément pour cela que nous crevons tous de solitude.* Comme c'est merveilleux d'être utile à quelqu'un! Et comme c'est beau d'avoir besoin de quelqu'un et d'être capable de le lui dire. Je n'éprouve aucune gêne à vous dire que j'ai besoin de vous tous, de tous et chacun d'entre vous. L'ennui, c'est que nos vies ne se rencontrent qu'à l'occasion. Mais les expériences les plus enrichissantes que j'ai vécues dans ma vie, c'est quand des vies se croisent et que deux êtres humains sont capables de communiquer.

Les Cambodgiens, eux, apprennent cela de bonne heure; c'est la nature qui le leur enseigne. La nature est un grand maître. Nous n'avons qu'à relire *Walden*. La merveilleuse phrase de Thoreau: "Oh mon Dieu, toucher à la mort pour s'apercevoir seulement qu'on n'a pas vécu du tout." Pensez-y un peu. Quoi qu'il en soit, je suis allé à ce lac en bicyclette et je les ai vus. Et je me suis dit que j'aimerais aider ces gens à déménager pour pouvoir devenir un membre de leur communauté. La Française à qui j'en avais parlé m'avait dit en riant: "Mais oui, vas-y, aide les à déménager." Et qu'avaient-ils donc à déménager? La nature leur a appris que la seule chose qu'ils possèdent s'étend du sommet de leur tête à la pointe de leurs pieds et c'est... eux-mêmes. Pas des choses. Ils ne peuvent pas accumuler de choses car chaque année vient la mousson et il n'y a aucun endroit où ils pourraient emmener ces choses. Et je ne pouvais m'empêcher de penser: "Qu'est-ce que tu ferais, Buscaglia, si la semaine prochaine la mousson s'abattait sur Los Angeles? Qu'est-ce que tu emporterais? Ton poste de télé couleur? Ta voiture? Le crachoir qui te vient de tante Mathilde? La seule chose que tu dois emporter, c'est toi." À Los Angeles, comme vous le savez certainement, nous avons des tremblements de terre. C'est une sensation unique, je vous le garantis, que de découvrir que vous n'avez aucun contrôle sur ce qui va vous arriver ou sur ce qui va arriver à votre maison.

Très récemment, nous avons eu un très fort tremblement de terre à Los Angeles et ma maison a été très touchée. Le plafond du salon s'est effondré, le foyer aussi. Nous n'avions plus d'eau, et ainsi de suite. Cela nous a appris brusquement la valeur des choses; cela nous a montré une fois de plus que *les choses* n'avaient pas d'intérêt, que tout ce que nous possédions c'était nous-même. Je suis sorti de la maison, pendant que tout dégringolait autour de moi. C'était l'aube, il y avait un rayon de lumière dans le ciel. J'ai un grand pêcher en fleurs dans mon jardin. Et bien il était là, tout fleuri, comme si de rien n'était. Et brusquement, l'espace d'une seconde, cela m'est venu: "Tu sais, mon vieux, ce monde merveilleux va continuer, avec ou sans toi." Et pour moi, le tremblement de terre valait le coup, rien que pour m'avoir rappelé ça.

Les philosophes et les psychologues nous le répètent depuis des années: "Tout ce que vous possédez, c'est vous-même. Alors faites de vous-même l'être le plus merveilleux, le plus tendre, le plus fantastique du monde. Alors vous vivrez à jamais." Vous vous souvenez de Médée dans la tragédie grecque? Rappelez-vous, dans cette admirable pièce, le passage où tout a été emporté et l'oracle vient vers elle et lui dit: "Médée, que reste-t-il? Tout est détruit, tout est emporté." Et elle répond: "Ce qu'il reste? Moi." Ça, c'est une femme! "Qu'est-ce que ça veut dire: que reste-t-il? Il reste tout puisque *je* reste!" Lorsque l'on reconnaît l'importance de ce moi, en revenant au respect de soi, à l'amour de soi, et que l'on réalise que toutes choses viennent de ce moi, alors on peut le donner aux autres. Alors vous êtes parvenu à une étape très importante parce que si vous ne vous aimez pas, vous pouvez toujours réapprendre à vous aimer. Vous pouvez vous créer un nouveau moi. Vous le pouvez. Si vous n'aimez pas le cadre dans lequel vous fonctionnez, brisez-le et faites-en un autre. Si vous n'aimez pas les personnages que vous êtes, débarrassez-vous en et formez une autre distribution. Mais *c'est vous* qui devez le faire. Et c'est votre affaire. OK, ça, c'est la règle numéro un. Et si je n'avais rien dit d'autre que ça, je croirais quand même de tout mon coeur que je vous ai laissé quelque chose. Un retour à soi-même.

Saint-Exupéry, le philosophe français, a une magnifique formule dans un de ses livres, et il en a écrit plusieurs d'admirables. Il écrit: "Peut-être que l'amour (et vous pouvez remplacer ça par "l'éducation", si vous voulez) c'est ce mouvement par lequel je te ramène doucement à toi-même." Je n'ai, pour ma part, aucune définition de l'amour mais celle-là n'est pas loin d'être la plus saine que j'aie jamais entendue. "Peut-être que l'amour c'est ce mouvement par lequel je te ramène doucement à toi-même." Non pas à ce que je veux que tu sois, mais à ce que tu es.

28

Je ne sais combien d'entre vous connaissent la librairie "City Lights" (Les lumières de la ville) à San Francisco. C'est un endroit incroyable et si jamais vous passez par San Francisco, il faut que vous y alliez. Il y a trois étages de livres de poche. On ne peut imaginer qu'il y ait autant de livres de poche dans le monde mais, dans cette librairie, il y a une section qui est vraiment unique. C'est une section consacrée aux manuscrits des gens comme vous et moi, poètes et écrivains frustrés. Il y a une partie consacrée à la poésie. Tout ce que vous avez à faire c'est reproduire votre texte sur des feuilles de papier, les agrafer ensemble, placer le tout sur un rayon avec inscrit dans un coin: "SVP cinq cents", pour couvrir le coût du papier. Et les gens viennent les acheter et les lisent vraiment.

Un jour que je me promenais dans cette section, je vis un livre dont le titre m'accrocha vraiment. Il n'avait été publié qu'à cinq cents exemplaires, j'expliquerai pourquoi tout à l'heure. Le titre était: *I am neither a sacrilege or a privilege, I may not be competent or excellent, but I am present* (Je ne suis ni un sacrilège ni un privilège, je ne suis peut-être ni compétente ni excellente, mais au moins je suis présente). Ce titre m'a sauté en pleine face. Et je me suis dit: Ça, c'est bon pour toi!" J'ai ouvert le livre et je découvris qu'il était écrit par une jeune femme qui signait simplement Michelle. Elle avait fait les dessins et les poèmes et je le feuilletai comme je fais d'habitude, en sautant la préface et le reste pour plonger en plein dans le coeur du texte. Et j'y trouvai un poème qui m'accrocha l'oeil et que je lus! Le voici:

> *My happiness is me, not you.*
> *Not only because you may be temporary,*
> *But also because you want me to be what I am not.**
> Pensez à ça en tant qu'éducateur.
> *I cannot be happy when I change*
> *Merely to satisfy your selfishness.*

---

* Mon bonheur c'est moi-même, pas toi.
  Pas seulement parce que tu ne fais peut-être que passer,
  Mais aussi parce que tu veux que je sois ce que je ne
    suis pas.

Nor can I feel content when you criticise me for not
Thinking your thoughts,
Or for seeing like you do.
You call me a rebel.
And yet each time I have rejected your beliefs
You have rebelled against mine.
I do not try to mold your mind.
I know you are trying hard enough to be just you.
And I cannot allow you to tell me what to be —
For I am concentrating on being me.**
Et écoutez bien ce passage:
You said that I was transparent
And easily forgotten.
But why then did you try to use my lifetime,
To prove to yourself who you are?***

Pensez à ça en tant que professeurs. Pensez à ça en tant que personnes qui aiment. Pensez à ça en tant que citoyens. Pensez à ça en tant que pères et mères. Cela s'applique à tous. "Tu m'as dit transparente, facilement oubliée. Mais alors pourquoi essayer de prendre toute ma vie à moi pour te prouver à toi-même qui tu es?"

  ** Je ne puis être heureuse de changer
      Que pour satisfaire ton égoïsme.
      Ni accepter avec plaisir que tu me critiques parce que
      Je ne pense pas tes pensées,
      Ou parce que je ne vois pas les choses comme toi.
      C'est moi que tu appelles rebelle.
      Et pourtant chaque fois que j'ai rejeté tes idées
      C'est toi qui t'es rebellé contre les miennes.
      Je n'essaie pas de modeler ton esprit.
      Je sais bien que tu fais tout ce que tu peux pour n'être
         que toi-même.
      Et moi je ne puis te permettre de me dire qui je dois être
      Car je consacre toutes mes énergies à être moi-même.
 *** Tu m'as dit transparente,
      Facilement oubliée.
      Mais alors pourquoi essayer de prendre toute ma vie à moi
      Pour te prouver à toi-même qui tu es?

Je suis revenu en arrière pour essayer de trouver qui était Michelle et j'ai trouvé dans l'introduction le passage suivant:

Michelle! Tu es restée si peu de temps avec nous avant de choisir de continuer ta route sur cette plage noyée dans le brouillard. C'était en juillet 1967 et tu n'avais que vingt ans. Elle nous a laissé vingt-cinq poèmes. Elle trouvait cela trop difficile d'être "simplement soi-même".

Nous espérons que ces poèmes sont présentés comme tu l'aurais souhaité, Michelle. Tu es présente, nous t'aimons, nous avons besoin de toi et nous promettons de nous souvenir de toi.

À bientôt Michelle... San Francisco, juillet 1969.

Je crois que ce qu'il y a aussi de fondamental dans une personne qui aime, c'est qu'elle se libère des étiquettes. Vous savez, l'homme est une créature incroyable. Il fait des choses merveilleuses. Il possède un esprit prodigieusement créateur. Il a créé le temps et puis il s'est laissé mener par le temps. Je ne dois pas arrêter de regarder la pendule parce qu'à un certain moment on va servir le café dans le hall, à un certain moment vous êtes censés y aller, à un certain moment nous sommes censés aller dîner. Et voilà qu'il est midi et vous n'avez pas faim mais vous mangez, parce qu'il est midi. Vous voilà assis en classe — comme cela se passe à l'élémentaire et au secondaire — vous êtes en train de prendre beaucoup de plaisir à une leçon particulière, quelque chose de fantastique est en train de se produire. Et voilà que la cloche sonne et tout le monde s'échappe. "Il est sept heures. Oh, je suis désolé, mais il faut que je parte." Si une mère est assise dans votre bureau, en train de pleurer et de grincer des dents mais que vous ayiez quelqu'un qui attend dehors, il vous faut dire à cette mère "Je suis désolé, mais il faut interrompre votre histoire. Je vous verrai demain à 8 h 04."

Nos salles de classe sont gouvernées par ça — l'éducation est gouvernée par l'horloge. De 9 h 00 à 9 h 05: échanges et conversation; de 9 h 05 à 9 h 30: cours de lecture pour le groupe 1; de 9 h 30 à 9 h 45: cours de lecture pour le groupe 2. Et le groupe 1 peut fort bien être passionné par quelque chose, le professeur va quand même s'écrier: "Oh mon Dieu, il est la demie passée. OK, lecture pour le groupe 2." Personne n'apprend grâce à l'horloge. Personne n'apprend dans des blocs horaires. Il n'est pas de temps pour l'arithmétique, pour l'orthographe. On apprend tout en même temps. Mais nous continuons comme ça. Maintenant vous devez consacrer votre esprit à l'orthographe et tout à l'heure à la ruée vers l'Ouest ! *Allons-y* pour la ruée vers l'Ouest! Ou plutôt *Au diable* la ruée vers l'Ouest! Nous faisons encore ce genre de chose! Nous créons le temps puis nous devenons les esclaves du temps.

Nous créons aussi des mots et les mots sont censés nous libérer. Les mots sont censés nous rendre capables de communiquer. Mais les mots deviennent des boîtes et des sacs dans lesquels nous sommes pris. J'ai trouvé ça fantastique quand Buckminster Fuller nous a dit: "J'étais tellement pris par les mots qu'on m'avait appris que je me suis exilé pendant deux ans dans un ghetto de Chicago, loin de ma famille et de mes amis, pour débarrasser mon esprit de ces mots-là et pour trouver les mots qui me convenaient à moi. De sorte que lorsque je les employais, je savais que c'était les miens et pas ceux d'un autre." Quelle idée fantastique. Et maintenant il adore les mots mais, nous, nous sommes pris dedans.

Quand Timothy Leary abattait un boulot fantastique en psycholinguistique à Harvard, il fit un jour une remarque que je n'oublierai jamais. Il dit ceci: "Les mots sont de la réalité gelée." Nous apprenons aux enfants le sens des mots avant qu'ils ne soient capables de vraiment les comprendre, alors ils se révoltent. Et dans les mots nous enseignons la peur, nous enseignons les préjugés, nous enseignons toute sorte de choses. Et, en parlant des mots comme distance, tout ce qu'il suffirait à quelqu'un de faire, c'est de vous pousser du coude et vous dire: "Fais gaffe à ce Buscaglia, il est sur la liste: c'est un communiste." Hop là! mon compte serait bon. Tout ce que je dis serait vu à travers le filtre de ce mot: communiste. Et pourtant, une université de l'Est a fait une étude sur ce que signifie le communisme aux États-Unis. Des enquêteurs sont allés rencontrer l'homme de la rue pour lui demander: "Comment définiriez-vous le communisme?" Et certaines personnes avaient une peur bleue. Vous devriez lire cette étude — elle est hilarante. Une femme répondit: "Ouais, j'sais pas trop ce que ça veut dire mais vaut mieux qu'il n'y en ait pas à Washington." Voilà une bonne définition du communisme. Et toutes étaient à peu près du même acabit. Soyez donc un communiste et on vous flanquera dehors. Et vous ne saurez même pas ce que ça veut dire. Et c'est pareil avec les "Noirs", les "Chicanos", les "protestants", les "catholiques", les "juifs". Il vous suffit d'entendre une étiquette et vous pensez que vous savez tout de ceux à qui on l'applique. Personne ne se donne la peine de demander: "Est-ce qu'il pleure? Est-ce qu'il ressent quelque chose? Est-ce qu'il comprend? Est-ce qu'il a de l'espoir? Est-ce qu'il aime ses enfants?" Des *mots*.

Vous, si vous êtes quelqu'un qui aime, vous commanderez aux mots, vous ne vous laisserez pas commander par eux. Vous vous direz à vous-même ce que veut dire ce mot, seulement après avoir appris d'expérience ce qu'il veut dire, pas en croyant ce que les gens vous ont dit qu'il voulait dire.

J'ai eu dans mon enfance une expérience très intéressante. Je suis né à Los Angeles, mes parents étaient des immigrants, italiens bien sûr, et nous habitions dans la ville, en plein ghetto, avec tous les autres Italiens. C'était pas mal fantastique. Quand j'ai eu un an, mes parents ont dû rentrer en Italie, alors ils m'ont emmené avec eux. Ils sont retournés s'installer dans leur petite ville d'origine, au pied des Alpes italo-suisses, un petit bled nommé Aosta. Beaucoup de trains passent par là pour aller à Milan et Turin mais ils ne s'arrêtent pas à Aosta. Il n'y en a qu'un qui s'arrête à Aosta. Je me souviens que nous allions, avec les autres enfants, à la gare pour voir filer tous ces trains. Mais tout le monde connaît tout le monde dans ce petit village. Le vin est la grande affaire du village et tout le monde est un peu parti à peu près tout le temps. C'était fantastique. Ce qu'il y avait de fantastique, surtout, c'est la façon dont chacun se préoccupait des autres, s'en sentait proche. Si jamais Maria tombait malade, tout le village le savait et lui apportait des poulets et des courges, s'occupait de ses enfants et ainsi de suite, parce que c'était une véritable communauté, une communauté d'êtres humains. Puis, quand j'eus cinq ans, mes parents décidèrent de retourner à Los Angeles. Et ils le firent. Vous parlez d'un choc culturel! Je me retrouvais brusquement jeté au coeur d'une ville où personne ne se souciait de ma vie ou de ma mort. Une chose intéressante, à propos des étiquettes: dans ce temps là, la Mafia était déchaînée et tout Italien était considéré comme en faisant partie. On me traitait de "rital", de "spaghetti". Vous savez, les enfants disaient: "Fous le camp, rital, tu pues." Je me souviens que j'allais voir mon père pour lui demander: "Papa, qu'est-ce que c'est qu'un rital?" Il répondait: "Peu importe, Felice.

33

Ne t'inquiète pas. Les gens ont des noms. Et ils te donnent des noms mais ça ne veut rien dire."

Mais cela m'inquiétait *quand même* parce que c'était une distance et qu'ils n'apprenaient jamais rien de moi, ceux qui m'appelaient "rital" et "spaghetti". Ils ne savaient pas, par exemple, que dans les vieux pays, maman était une chanteuse d'opéra et papa un garçon de table. Nous avions une énorme famille, assez pour tenir tous les rôles d'un opéra. Maman s'asseyait au piano, jouait l'opéra au complet et chacun y tenait son rôle. Tout le monde chantait, c'était merveilleux. À huit ans, je connaissais cinq opéras en entier. Je pouvais tenir n'importe quel rôle. Mais ils ne le savaient pas ceux qui m'appelaient "rital" et "spaghetti".

Et ils ne savaient pas non plus que maman croyait que l'ail guérissait toutes les maladies. Chaque matin, elle nous faisait tous mettre en ligne et elle frottait d'ail un petit foulard qu'elle nous mettait au cou. Nous lui disions "Ne fais pas ça maman" et elle répondait "Taisez-vous" (c'était une femme très aimante). Elle nous envoyait à l'école avec tout cet ail autour du cou; on puait le diable! Mais je vais vous dire un secret: je n'ai jamais été malade, ne fût-ce qu'une journée. Ma théorie à ce sujet, c'est que personne n'a osé m'approcher d'assez près pour me passer ses microbes. C'était incroyable, je me souviens même d'avoir reçu un prix à la fin de l'élémentaire parce que je n'avais pas manqué un seul jour de classe. Maintenant je suis devenu très sophistiqué, je ne me promène plus avec de l'ail sur moi et j'attrape un rhume chaque hiver. Ils ne savaient pas ça, ceux qui m'appelaient "rital" et "spaghetti".

Ils ne savaient pas non plus que papa était un grand patriarche. Les dimanches, quand il était à la maison, nous nous asseyions tous autour d'une grande table et il ne nous permettait pas de nous lever tant que nous ne lui avions pas parlé de ce que nous avions appris de nouveau ce jour-là. Alors, quand nous nous lavions les mains avant la cérémonie, je demandais à mes soeurs: "Qu'est-ce que vous avez appris aujourd'hui?" Elles répondaient: "Rien". Et je leur disais: "Bon, alors on ferait mieux d'apprendre quelque chose!" Alors, on se précipitait sur l'encyclopédie et on grapillait quelque chose, par exemple, le fait que la population du Népal s'élève à un million de personnes, puis on prenait place à table et on pensait à ça en mangeant. Et, mon vieux, ça c'était des repas!

Jamais de sa vie ma mère n'a fait de plat tout prêt. Je me souviens de plats de haricots verts qui montaient si haut que je ne voyais pas ma soeur de l'autre côté de la table. Quand nous avions fini de manger, papa repoussait le plat et se tournait vers moi: "Felice, qu'est-ce que tu as appris aujourd'hui?" Et je répondais: "La population du Népal compte..." Et rien n'était insignifiant pour cet homme! Il se tournait vers ma mère et disait: "Maman, savais-tu que la population..." Et nous les regardions en nous disant "Tu parles d'une bande de cinglés!" Nous demandions à nos amis: "Est-ce que tes parents veulent que tu leur parles du Népal?" Et ils répondaient: "Mes parents se fichent bien de savoir si je connais quelque chose ou non." Mais je vais vous confier un secret. Même maintenant, quand Felice va au lit, peut-être qu'il a fait vingt-neuf heures de travail dans sa journée et qu'il est crevé, mais au moment où il se glisse sous les draps, à cet instant fantastique avant de s'endormir, il se demande à lui-même: "Felice, qu'as-tu appris aujourd'hui?" Et si je suis incapable de répondre, il faut que je me relève, que j'empoigne l'encyclopédie et grapille quelque chose de nouveau à apprendre.

Peut-être que c'est ça l'éducation. Qui sait? Mais ils ne le savaient pas ceux qui m'appelaient "rital" et "spaghetti". Si vous voulez apprendre quelque chose de moi, il faut que vous entriez dans ma tête et si moi je veux apprendre quelque chose de vous, je ne puis me contenter de dire: "Elle est grosse. Elle est mince. Elle est juive. Elle est catholique." Parce qu'elle est plus que cela. Et ceux d'entre nous qui s'intéressent à l'éducation spéciale connaissent bien ces fichues étiquettes. Nous appelons certains enfants des déficients mentaux. Qu'est-ce que ça nous dit? Je n'ai jamais rencontré un enfant déficient mental. Je n'ai rencontré que des enfants, tous différents. Nous les appelons des élèves et nous pensons que nous pouvons venir en avant d'une classe et leur enseigner à tous de la même façon. *Étiquettes*. L'individu qui aime se libère des étiquettes. Il dit: "Plus d'étiquettes."

Je pense aussi que cet individu qui aime est une personne qui déteste le gâchis et ne supporte pas l'hypocrisie. Rosten dit: "Ce sont les faibles qui sont cruels. Il n'y a que des forts que l'on peut attendre la douceur." C'est vrai. Nous avons besoin, dans le domaine de l'éducation, de personnes fortes, prêtes à se lever pour oser dire: "Ça c'est de l'hypocrisie et nous ne l'acceptons plus." Des personnes prêtes à se tenir debout pour dire: "Non, il faut qu'il y ait des changements ou nous allons finir par nous détruire nous-mêmes." C'est comme une course à l'abîme. Nous enseignons pour aujourd'hui alors que nous sommes déjà à demain. Pas étonnant que nous participions à une sorte d'autodestruction.

Je vais vous raconter une petite histoire à propos de l'hypocrisie. À l'époque où je supervisais des stagiaires, je travaillais avec une jeune femme qui n'était pas seulement un professeur mais l'être humain le plus admirable que j'aie jamais rencontré, si enthousiasmée par l'idée de se retrouver dans une salle de classe qu'elle ne pouvait supporter d'attendre. Finalement, elle l'eut sa classe à elle un beau jour, ce jour de rêve que nous pouvons tous revoir dans nos têtes. Elle entra dans sa classe de première année et se cassa le nez sur cette chose admirable que l'on appelle un programme. Vous savez, pour moi les livres sont sacrés, mais je n'hésiterais pas un seul instant à m'offrir le plus grand feu de programmes du monde. Quoi qu'il en soit, elle se plongea dans ce fichu programme et elle y vit qu'en première année, dans cette commission scolaire de Californie (et c'était seulement il y a deux ans), on devait enseigner ce qu'est un centre commercial. Oui, M'sieurs-dames, le centre commercial. Elle se dit: "C'est impossible. Je ne peux pas le croire. Je ne peux pas croire qu'ils enseignent ça." Ces enfants avaient pratiquement été élevés dans les centres commerciaux. On les avait promenés dans des chariots à provision alors qu'ils avaient deux ou trois ans. Ils avaient fait dégringoler des rangées de boîtes de soupe Campbell. Ils avaient fait des tas de folies dans les supermarchés. Ils y vont tous les jours avec maman. Et au bout du compte le grand bazar scolaire les envoie au supermarché!

Bon, elle se dit: "C'est impossible." Mais c'était écrit là, noir sur blanc. Il était écrit qu'il fallait faire toutes sortes de choses. Construire un magasin et faire des petites bananes en pâte à modeler. Les enfants avaient mangé des vraies bananes et glissé sur des peaux de bananes toute leur vie, mais il fallait passer six semaines à faire des bananes en pâte à modeler. Un gaspillage de potentiel humain. Mais, comme c'était un bon professeur, elle s'assit là avec ses élèves et leur dit: "Les enfants (elle pensait pouvoir soulever leur enthousiasme), ça vous dirait d'étudier ce qu'est un centre commercial?" Et ils répondirent: "Beurk!" Et vous savez, la morale de tout ça, c'est que les enfants d'aujourd'hui ne sont pas si stupides que nous l'étions. MacLuhan nous a montré qu'en moyenne les enfants ont cinq mille heures de télévision derrière eux quand ils arrivent au jardin d'enfants. Ils ont vu des gens mourir en technicolor. Ils ont vu des désastres. Ils ont vu des guerres et des massacres. Et voilà que nous les amenons à l'école et que nous essayons de les intéresser, de les motiver en leur faisant lire des choses du genre: "Spot dit: "Oh, oh."

Alors cette jeune femme fit une chose merveilleuse. Elle leur dit: "O.K., alors, qu'est-ce que vous aimeriez faire?" Et un enfant répondit: "Moi, mon père travaille dans l'aéronautique. Il pourrait nous amener une fusée, on la monterait en classe, on la ferait marcher et on partirait tous pour la lune." Et tous les enfants trouvèrent ça "extra!" Alors elle réfléchit un instant et dit: "O.K., demande à ton père de nous amener une fusée." Et le lendemain, le père apporta une fusée miniature et la monta devant eux. Il leur expliqua ce qu'était cette fusée, ce qu'on tentait de faire avec, qu'elles en étaient les différentes parties. Et il écrivit au tableau le vocabulaire des fusées. Et c'était en première année! On n'est pourtant pas censé étudier les fusées avant l'université. Que diable vont-ils bien pouvoir étudier à l'université s'ils peuvent apprendre ça dès la première année? Non, on ne peut sûrement pas permettre ça! C'est terrible. Il faut absolument les amener au supermarché! Mais vous auriez dû voir ce qui se passait. Ils apprenaient des concepts mathématiques incroyables. Un samedi, ils sont même allés en groupe visiter la compagnie de cet homme et on leur a montré de vraies fusées. On les leur a même fait visiter: leur esprit était sur orbite!

J'éprouve également beaucoup de pitié pour les inspecteurs qui doivent veiller sur ce programme parce que c'est leur boulot, les pauvres. Ils voudraient bien faire mieux mais voilà, votre boulot c'est d'enseigner ça et leur boulot c'est de trimbaler ce programme avec eux et de le faire respecter. Voilà donc qu'une inspectrice arrive et regarde dans la classe. Il y avait là une fusée, des choses incroyables sur les murs, une liste de mots dont elle-même ne connaissait pas la moitié, des formules mathématiques partout, toutes sortes de choses folles que les enfants comprenaient et qu'ils étaient ravis d'apprendre. Et l'inspectrice demanda à Mme W... "Où est votre centre commercial?" Alors Mme W... répondit: "Et bien, voyez-vous, les enfants voulaient partir pour la lune, alors nous avons monté une fu..." L'inspectrice l'interrompit: "Je ne veux pas le savoir, Mme W..., avez-vous lu le programme? Il y est dit que la première leçon, dans cette commission scolaire, c'est le centre commercial." Puis elle fit un grand sourire parce que c'était une petite dame absolument charmante, et dit: "Vous *allez* vous en faire un, n'est-ce pas mon amie?"

Alors, Mme W... demanda aux enfants: "Est-ce que vous voulez que Mme W... soit encore là l'an prochain?" Et ils répondirent: "Oh, oui." "Bon alors, il faut absolument que nous fassions un centre commercial." Et vous savez, les enfants ont été formidables (comme ils le sont toujours avec ceux qui sont vraiment des êtres humains). Ils lui ont dit: "Extra. Mais faisons-le vite." Et ils passèrent à travers une leçon de six semaines en deux jours! Ils assemblèrent ces fichues boîtes, fabriquèrent les bananes en pâte à modeler et, hypocrisie pour hypocrisie, chaque fois que l'inspectrice passait, l'un d'entre eux allait à la caisse et lui demandait: "Voulez-vous nous acheter des bananes en pâte à modeler?" Et après qu'elle était partie satisfaite, ils se remettaient à leur objectif lune. Nous ne pouvons permettre que de telles choses continuent plus longtemps. Il faut qu'un professeur se lève et dise: "Je refuse de les emmener dans un autre centre commercial. Si vous le voulez absolument, amenez-y les *vous-même*."

Je pense aussi qu'un individu qui aime est spontané. Ce que je voudrais voir plus que tout au monde c'est un retour à votre spontanéité initiale, la spontanéité de l'enfant que vous avez été et qui disait ce qu'il ressentait et ce qu'il pensait, qui s'adaptait facilement à ce que pensaient et ressentaient les autres. Recommencer à nous regarder les uns les autres. Nous sommes tellement embrigadés par ce que les autres nous disent d'être que nous en avons oublié qui nous sommes.

Emily Post nous dit: "Une jeune fille comme il faut ne rit pas bruyamment, elle étouffe un petit rire." Et bien, si vous avez envie de rire à en tomber de votre chaise et à trépigner par terre, faites-le donc. Il n'y a rien de mal à cela. "Il ne faut pas se mettre en colère: les gens comme il faut ne se mettent pas en colère." D'accord, refoulez vos colères et vous vous retrouverez à l'asile! Il vaut bien mieux, si vous n'êtes pas bien lunée, entrer dans la classe et, plutôt que de passer la journée entière avec le cou raidi et les yeux exorbités à dire: "Les enfants, restez assis", affirmer franchement dès le départ: "Écoutez les enfants, soyez très gentils aujourd'hui parce que la maîtresse n'est pas de bonne humeur." Si vous faites ça, vous allez pouvoir constater que les enfants peuvent très bien comprendre et vous allez voir qu'ils vont marcher sur la pointe des pieds, parce qu'ils peuvent s'identifier à un être humain. Et ils se donneront des coups de coude les uns aux autres en disant à ceux qui font du bruit: "Arrête. La maîtresse n'est pas de bonne humeur." Mais il faut pour cela que la maîtresse se montre un être humain. Si vous avez envie de rire à la plaisanterie d'un enfant, riez donc. Cela m'étonne toujours quand je suis dans les écoles de voir les professeurs morts de rire, dans la salle des professeurs, de ce qu'a dit Johnny. Mais ils n'ont pas laissé voir à Johnny qu'ils étaient morts de rire. Ils lui ont dit, plutôt: "Ça suffit maintenant, Johnny!" Pourquoi ne pourraient-ils pas rire devant Johnny? C'est drôle. "Johnny, tu es un vrai clown. Mais maintenant tu t'assieds et tu te tais." Pourquoi ne peut-on simplement être soi-même? Être spontanés? Au lieu de cela, il nous faut demander la permission pour tout parce que nous ne faisons plus confiance à nos propres sentiments.

Cela m'amuse toujours, quand je dois parler en public, de constater qu'avant même d'entrer dans la salle je peux toujours deviner ce qui va se passer. J'adore toucher les gens. La spontanéité, vous savez, j'y crois. Quand vous touchez quelqu'un, vous savez qu'il existe. Le mouvement existentialiste a atteint son zénith quand il a dit: "Pour devenir toi, tu dois tuer quelqu'un ou te tuer toi-même parce qu'ainsi tu sais que tu étais." Si vous avez été capable de vous lancer par la fenêtre c'est que vous auriez dû vivre. Parce que nous sommes si aliénés que personne ne vous regarde, personne ne vous touche, personne ne vous distingue de l'environnement. Vous êtes l'homme invisible. Il ne faut pas en arriver là. Touchez seulement quelqu'un. C'est bon. Vous savez, en Europe, tout le monde s'étreint et s'embrasse. Dans ma famille, à Noël et à chaque période de vacances, ceux qui arrivent embrassent tout le monde. C'est la première chose que fait tout le monde, du petit bambino au grand-papa. Nous échangeons nos microbes et c'est merveilleux. Mais Emily nous a dit qu'une dame devait se contenter de tendre la main à un homme si elle veut. *Phénomène de distanciation...!*

Si vous voulez constater à quel point nous sommes devenus aliénés, regardez un peu ce qui se produit quand la porte d'un ascenseur s'ouvre. Tout le monde se tient comme un zombie, regardant droit devant, les bras le long du corps. "Ne t'avise pas d'étendre le bras de ce côté, tu pourrais toucher quelqu'un." Dieu nous en préserve! Alors nous nous tenons tous au garde-à-vous, et la porte s'ouvre, quelqu'un sort, quelqu'un d'autre entre et se retourne immédiatement pour regarder droit devant. Qui vous a dit qu'il fallait regarder droit devant? Vous savez, moi, j'adore entrer dans un ascenseur et tourner le dos à la porte! Et je regarde tout le monde en disant: "Bonjour! Ne serait-ce pas fantastique que l'ascenseur tombe en panne et que nous puissions tous faire connaissance?" Alors il se passe une chose incroyable: à l'étage suivant, la porte s'ouvre et tout le monde descend! "Il y a un fou dans l'ascenseur. Il veut nous connaître!"

Remettons-nous donc à être humains et à aimer cette condition humaine. Quand on se remet à dire que tu es humain et que je suis humain, on fait des choses folles. Mais on est fantastiques. Nous sommes les créatures les plus fantastiques de la terre. C'est bon d'être humain. Quand je vais parler en public, il y a toujours une Mme Unetelle qui m'attend à la porte. Et elle dit: "Oh, Dr Buscaglia. Quel plaisir." C'est comme ça que se passent les présentations, avec ses bras qui restent le long du corps. Alors j'essaie de lui attraper la main. Et elle pense: "Qu'est-ce qui lui prend?" Je vais chercher sa main et je mets la mienne par-dessus et, avec une certaine nervosité, elle m'emmène dans le salon où toutes les autres dames sont assises en demi-cercle. Et elles ont toutes la position no 1: une jambe croisée par dessus l'autre, les mains jointes sur le ventre et un sourire aux lèvres. On leur apprend ça, vous voyez. Ce serait bien plus confortable de s'étendre par terre sur un coude. Mais je n'ai jamais vu ça; ça me renverserait si je voyais ça un jour. Mais non. Position no 1. *Tout le monde.*

Qu'est-ce qui nous arrive, qu'est-ce qui arrive à notre spontanéité? Vous vous sentez heureux, vous dites aux gens que vous êtes heureux. Vous entrez dans votre classe et vous dites: "Je me sens si joyeux aujourd'hui que nous allons tous prendre un plaisir terrible tout au long de cette journée." Pourquoi ne pas le leur faire savoir? Riez! Pleurez! Autre chose, tenez: les hommes ne pleurent pas. Mais *qui* a décrété ça? Moi je pleure sans arrêt. Mes étudiants savent toujours que j'ai vraiment lu leurs travaux, parce que quand je trouve quelque chose qui m'émeut, ils voient sur leur copie des petites traces de larmes. Je m'identifie beaucoup à Don Quichotte de La Mancha. Ce type fantastique s'attaquait à des moulins à vent! Évidemment qu'on ne peut pas vaincre des moulins à vent, mais il ne le savait pas, lui. Il attaquait le moulin à vent et se retrouvait sur les fesses. Mais il se relevait, attaquait encore et se retrouvait sur les fesses. En finissant ce livre, j'avais le sentiment qu'il devait sûrement avoir les fesses caleuses mais bon dieu, quelle vie fantastique il avait mené. Il savait qu'il était en vie. "Oh mon Dieu, toucher à la mort pour s'apercevoir seulement qu'on n'a pas vécu du tout." Cela n'était pas vrai de Don Quichotte. Et il le savait. Dans cette merveilleuse comédie musicale qu'on en a tiré, *L'homme de la Manche*, quand il meurt à la fin, tous ceux qu'il avait aimés sont autour de lui et pleurent sur sa mort. Lui ne pleure pas sur sa mort, parce qu'il a vraiment vécu. Finalement il se lève et du fond de la scène descend un grand escalier plein de lumières. Il ramasse sa lance, regarde tous ceux qu'il a aimés, sourit et monte dans la lumière. Et l'orchestre et les choeurs entonnent à pleine puissance *Le rêve impossible*. J'étais là dans la salle, les joues baignées de larmes. Une femme qui était assise à côté de moi a poussé son mari du coude. Elle lui a dit: "Regarde, chéri, cet homme est en train de pleurer." Et j'ai pensé: "Espèce d'imbécile... je vais te donner quelque chose à raconter à tes amis." Alors j'ai sorti mon mouchoir et j'ai vraiment fondu en larmes. Ça l'a sciée! Peut-être qu'elle oubliera Don Quichotte, mais moi elle ne m'oubliera jamais!

Je pense que la personne aimante doit revenir à la spontanéité — se remettre à toucher les autres, à les étreindre, à leur sourire, à penser à eux, à se soucier d'eux. Vous savez, tous ceux qui dans cette salle ont envie de m'ouvrir les bras, sentez-vous libre, je ne me désintégrerai pas. Je resterai là toute la journée si cela peut faire que nous revenions à nous-même, que nous nous rappro-

41

chions à nouveau les uns des autres. C'est bon de s'étreindre, ça fait du bien et si vous ne me croyez pas, essayez donc pour voir.

Je pense, enfin, que la personne aimante est quelqu'un qui n'a pas oublié ses propres besoins. C'est étonnant à dire, mais nous avons vraiment des besoins. Physiquement, nous n'avons pas besoin de grand-chose, même si nous croyons le contraire, mais nous passons le plus clair de notre temps à satisfaire nos besoins physiques et ceux de nos enfants. Nous mangeons bien, nous habitons généralement dans des maisons agréables. Nous veillons à tout cela. Si nous ne nous sentons pas bien, nous allons chez le médecin. Mais les besoins les plus importants de tous, ce sont nos besoins intérieurs: le besoin d'être vu, d'être connu, d'être reconnu, le besoin d'accomplissement, le besoin d'aimer notre univers, le besoin de percevoir cette perpétuelle merveille qu'est la vie, le besoin d'être capable de voir comme c'est formidable d'être en vie. Mais nous avons oublié comment regarder les autres. Nous ne nous regardons plus les uns les autres. Nous ne nous écoutons plus les uns les autres; nous ne nous touchons plus les uns les autres. Dieu nous en préserve! Même plus nos propres enfants. Vous savez que dans notre culture, quand un enfant a trois ans, nous l'enlevons de sur nos genoux en lui disant: "Il ne faut pas faire ça: c'est bébé. Il ne faut pas faire ça avec ton père. Descends de mes genoux, qu'est-ce qui te prend d'embrasser encore ton père à trois ans? Tu dois être un homme. Les hommes ne s'embrassent pas entre eux." Peut-être ne le saviez-vous pas, mais il y a à Los Angeles une ordonnance municipale qui interdit à deux hommes de s'embrasser. Qu'est-ce que vous dites de ça? Voilà où nous en sommes. Un de ces jours vous allez apprendre par les journaux qu'on m'a mis en prison parce que j'avais embrassé quelqu'un. J'étreins notre doyen. Ça le perturbe à mort. Personne ne fait jamais le tour de son bureau pour aller le toucher; il a deux milles de long, son bureau. Moi, je le rencontre dans l'ascenseur et je lui dis: "Salut, doyen" et je l'entoure de mes bras.

Il est fort compréhensible qu'une philosophie comme le premier existentialisme ait pu venir de cette génération, de notre temps. C'est à cause de notre incroyable aliénation. Suis-je réel? Est-ce que j'existe? Parce que personne ne me regarde. Personne ne me touche. Je parle aux gens et ils ne m'entendent pas. Ils regardent par-dessus mon épaule pour voir qui d'autre est là. Personne ne me regarde plus dans les yeux. Je suis seul et je crève de solitude. Comme le dit Schweitzer: "Nous vivons tellement les uns sur les autres et pourtant nous crevons tous de solitude."

Il y a bien des années, Thornton Wilder a écrit une pièce merveilleuse intitulée *Our Town* (Notre ville). Et dans cette pièce, il dit une chose incroyable. Vous vous souvenez de la scène où la petite Emily meurt? Elle va au cimetière et on lui dit: "Emily, tu peux revenir sur la terre pour une seule journée de ta vie. Quel jour aimerais-tu prendre?" Et elle dit: "Oh, je me souviens comme j'ai été heureuse le jour de mon douzième anniversaire. J'aimerais revenir le jour de mon douzième anniversaire." Et tous les gens du cimetière lui disent: "Emily, ne fais pas ça. Ne fais pas ça, Emily." Mais elle y tient. Elle veut revoir maman et papa. Alors la scène change, et la voilà, à douze ans, remontée dans le temps jusqu'à ce jour merveilleux dont elle se souvient. Elle descend l'escalier dans une jolie robe, avec ses boucles qui dansent. Mais sa mère est tellement occupée à faire son gâteau d'anniversaire qu'elle ne peut s'interrompre pour prendre le temps de la regarder. Emily dit: "Maman, regarde-moi, je suis la fille qu'on fête." Et maman dit: "C'est bien, ma fêtée, assieds-toi et déjeune." Et Emily reste debout là et dit: "Maman, regarde-moi." Mais maman ne la regarde pas. Papa arrive et il est si occupé à gagner de l'argent pour elle que lui non plus ne l'a jamais regardée et son frère non plus parce qu'il est tellement pris par ses propres affaires qu'il ne peut s'arrêter pour la regarder. La scène se termine sur Emily debout au milieu de la scène qui dit: "S'il vous plaît, regardez-moi, quelqu'un. Je n'ai pas besoin du gâteau ou de l'argent. S'il vous plaît regardez-moi." Et comme personne ne le fait, elle se tourne une fois de plus vers sa mère et dit: "S'il te plaît, maman?" Enfin, elle se détourne et finit par dire: "Emportez-moi. J'avais oublié ce que c'était que d'être humain. Personne ne regarde personne. Tout le monde s'en fiche, pas vrai?" On en est là! Vos enfants grandissent si vite que vous ne les voyez pas. Brusquement vous levez les yeux et il y a devant vous un adolescent ou quelqu'un qui est prêt à se marier. Et vous avez laissé passer la joie de regarder leurs visages parce que vous étiez si occupés à courir partout pour faire des choses pour eux que vous avez laissé passer la joie. Vous savez, nous sommes une culture d'obsédés du but. Mais j'ai des p'tites nouvelles pour vous: ce n'est pas le but c'est *le chemin* qui est la vie. La vie c'est le chemin; la vie c'est le processus; la vie c'est le parcours. Voilà, vous êtes rendu à votre but et qu'est-ce que vous avez? Des gens qui vous regardent avec envie. Vous avez une Cadillac. Une Cadillac, c'est une compagne de lit plutôt froide... Les portes et le volant vous empêchent de bouger. Mais nous avons oublié ce que c'est que de se regarder les uns les autres, de se confier les uns aux autres, de se soucier les uns des autres. Ce n'est pas étonnant que nous soyions tous en train de crever de solitude.

J'utilise toujours cette petite chose qu'est la période où l'on doit faire parler les élèves. Ce pourrait être une des façons les plus merveilleuses de voir les enfants de votre classe. Mais on s'en sert si mal. La maîtresse fait l'appel parce que le directeur a dit qu'elle devait faire l'appel vers 9 h 15 et c'est le moment qu'elle choisit pour faire parler les élèves. La petite Sally entre avec un caillou dans la main et dit: "J'ai trouvé un caillou en venant à l'école." La maîtresse dit: "C'est bien. Mets-le sur la table de science." Mais elle pourrait prendre le caillou, le regarder et dire: "Qu'est-ce que c'est qu'un caillou? Sally, d'où vient un caillou? Qui a fait ce caillou?" Elle pourrait tout arrêter pour la journée et tout faire tourner autour de ce caillou, parce que toutes les choses qui existent sont dans toutes les choses. Pas besoin d'inventer des histoires. C'est là tout entier, pas ailleurs. Tout est là. Tout ce qu'il y a à connaître peut se trouver dans un arbre. Tout ce qu'il y a à connaître peut se trouver dans un être humain. Le petit enfant se tient devant la classe et dit: "Hier mon papa a donné des coups de marteau à ma maman pis on a appelé l'ambulance pis ils l'ont emmenée et elle est à l'hôpital." Et la maîtresse dit: "C'est bien, au suivant." C'est pourtant le moment rêvé pour regarder les enfants et savez-vous ce qu'il suffit de faire? Il suffit de baisser les yeux sur l'enfant et de dire: "Oui" ou "Qu'elle est jolie ta robe!" Et la petite Sally va mettre cette robe tous les jours de l'année parce que vous avez su la voir.

Ellis Page a mené une remarquable recherche sur l'affect, en divisant sa classe en trois groupes, A, B et C. Sur toutes les copies du groupe A, il s'est contenté de mettre une note. Vous vous souvenez de ces merveilleux devoirs où vous aviez mis un peu de vous-même et qui vous revenaient avec seulement une note dessus? Un A, un B, ou un C, un D, un E? Ça n'a pas de sens. Vous cherchez bien pour essayer de trouver une tache de spaghetti ou de café qui vous prouverait que peut-être le prof l'a lu. Pour le groupe B, Ellis a mis une note et un mot, comme: bien, assez bien, excellent, bon travail. Pour le groupe C, il a pris le temps d'écrire une lettre à chacun, une lettre où il disait: "Mon cher Johnny, ta syntaxe est atroce, ta grammaire incroyable, ton orthographe inexistante. Quant à ta ponctuation, on dirait du James Joyce. Mais tu sais, la nuit dernière, assis dans mon lit, je disais à ma femme: "Sally, il a mis dans cette copie des idées magnifiques. Je vais vraiment essayer de l'aider à mieux les exprimer." Bien à toi. Ton *prof*." Et si quelqu'un avait fait quelque chose de vraiment magnifique, il écrivait: "Merci. Tu me stimules sans cesse. Quelle bonne copie avec plein de bonnes idées! Continue. J'ai hâte de voir ce que tu vas dire la prochaine fois!" Puis il fit une étude statistique. Le groupe A ne changeait pas. Le groupe B restait stationnaire. Mais le groupe C se développait et progressait sans cesse.

Prenez l'étude intitulée: *Pygmalion in the Classroom* (Pygmalion en classe). C'est en livre de poche également. Tout éducateur devrait le lire. Parlez-moi, après ça, des attentes que l'on a à l'endroit des enfants! Ces gens d'Harvard sont arrivés et ont dit à tous les professeurs comme vous: "Nous allons passer dans vos classes et nous donnerons un test (ce n'est pas les mots exacts qu'ils ont employés mais c'est la substance que je vous donne) qu'on appellera le "test Harvard des bonds intellectuels". Ce que ce test va nous dire c'est lesquels parmi les enfants de cette classe vont se développer intellectuellement au cours de l'année qu'ils vont passer ici. Ce test va les identifier. Il ne rate jamais. Nous pourrons vous nommer ces enfants. Pensez un peu à l'aide que ça va vous apporter!" Et ils sont allés dans les classes faire passer de vieux tests d'intelligence complètement démodés. Après quoi, ils ont mis les résultats au panier. Puis ils ont pris cinq noms au hasard dans la liste des élèves et ils ont fait venir les professeurs. Ils disaient à un professeur: "Voilà les enfants qui vont faire un bond ce semestre-ci: Juanita Rodriguez." "Juanita Rodriguez serait incapable de faire un bond même si vous la placiez dans la bouche d'un canon", protestait son professeur. Les grosses têtes répliquaient: "Dites ce que vous voulez, le "test Harvard des bonds intellectuels" ne se trompe jamais." Et savez-vous ce qui s'est passé? Tous les enfants dont ils avaient mis les noms sur leur liste ont fait des bonds tous azimuts. Ce qui vous prouve que l'on reçoit ce qu'on s'attend à avoir. Si vous entrez dans une classe en vous disant: "Ces enfants sont bornés, ils n'apprendront jamais rien", vous n'obtiendrez pas la même chose que si vous vous dites: "Ces enfants sont capables d'apprendre et ils vont le faire; c'est à moi de les conduire à la table du festin et de leur montrer à quel point c'est fantastique." Nous avons tous besoin d'accomplissement, nous avons tous besoin que l'on reconnaisse nos accomplissements. Il faut que nous soyons capables de faire quelque chose et la chose la plus importante c'est la joie qu'on peut éprouver dans le travail.

C'est trop terrible d'aller au travail quand on n'aime pas ça, et tout particulièrement dans notre profession. Si vous n'êtes pas chaque matin tout excité à la pensée d'entrer dans cette classe avec tous ces petits enfants aux yeux brillants qui attendent que vous les aidiez à s'approcher de ce festin, alors *fichez le camp de l'enseignement!* Faites quelque chose où vous ne serez pas amené à entrer en contact avec des petits enfants que vous risquez de tuer en bas âge. Il y a sûrement d'autres choses que vous pourriez faire... mais laissez les enfants tranquilles. Nous avons tous besoin d'être reconnus pour ce que nous faisons, pour notre travail. De temps en temps nous avons besoin que quelqu'un vienne à nous et nous dise: "T'es formidable, mon p'tit. C'était très bien. Au poil!" Et n'oubliez pas: si, *vous*, vous en avez besoin, vos enfants aussi. Pourquoi ne pas abandonner toute cette absurdité à propos de la ronde des "faux"? Faux. Faux. Faux. Faux. Faux. Rendre des copies pleines de "faux". Pourquoi ne pas relever plutôt les choses qui sont justes? "Tu as deux réponses justes, Johnny. C'est bon pour toi. Wow!" Pourquoi ne pas leur faire savoir qu'ils peuvent faire quelque chose de bien et partir de là plutôt que de toujours insister sur ce qui est mauvais? Ce n'est pas plus difficile de faire porter l'accent sur ce qui est juste et ce qui est bien. En fait, cela exige même moins de mouvements du poignet.

Nous avons tous besoin de liberté également. Thoreau dit: "Jamais les oiseaux ne chantent en cage." Et nous non plus. Pour pouvoir apprendre, il faut être libre. Il faut être libre d'expérimenter, d'essayer, libre de faire des erreurs. C'est comme ça qu'on apprend. Je peux comprendre vos erreurs et je tire grand profit des miennes. Le secret, c'est de ne pas faire deux fois la même. Mais j'ai besoin d'être libre pour expérimenter et pour *tenter*. Donnez-moi cette chance. Accordez-moi la liberté d'être, et d'être moi-même, et de trouver de la joie dans mes besoins. Ne me donnez pas vos complexes. Laissez-moi trouver comment surmonter les miens!

J'aimerais terminer par une citation de Léo Rosten qui, à sa façon bien particulière, dit tout:

Dans une certaine mesure, même si elle est petite et secrète, chacun d'entre nous est un petit peu fou... Chacun se sent seul, tout au fond de lui, et pleure pour être compris; mais nous ne parvenons jamais à comprendre complètement quelqu'un d'autre, et chacun d'entre nous reste en partie un étranger même pour ceux qui l'aiment... Ce sont les faibles qui sont cruels. Il n'y a que des forts que l'on peut attendre la douceur... Ceux qui ne connaissent pas la peur ne sont pas vraiment braves, car le courage c'est la capacité d'affronter ce que l'on peut imaginer... On comprend mieux les gens si on les regarde, peu importe qu'ils soient vieux ou impressionnants, comme si c'était des enfants. Car la plupart d'entre nous ne mûrissent jamais; nous devenons simplement plus grands... Le bonheur ne vient que lorsque l'on pousse son esprit et son coeur jusqu'aux extrêmes limites de ce dont on est capable... Le but de la vie, c'est d'être quelqu'un qui compte — de compter, de représenter quelque chose, que cela fasse une différence que nous ayions vécu.

Devenir soi-même

Je vais vous parler ce soir de quelques-unes de mes idées concernant le travail de conseiller; nous pourrions intituler cela: "Devenir soi-même." Il fut un temps où le groupe était petit; je pouvais alors m'approcher de vous, nous pouvions échanger des idées et je pouvais recevoir certaines réactions de vous. De ne pas pouvoir faire cela est pour moi une grande frustration. Quoi qu'il en soit, j'ai demandé qu'on laisse les lumières allumées parce que j'aime vous regarder dans le blanc des yeux! De cette façon, avec une si nombreuse assistance, je dois compter sur vos vibrations. Alors, voudriez-vous vous secouer un peu de temps en temps?

Bon, maintenant, "devenons" un peu.

La façon dont je conçois le travail de conseiller peut se résumer brièvement en une simple formule. Je ne sais combien d'entre vous ont lu le livre de Saint-Exupéry qui s'intitule *Terre des hommes*. Si vous ne l'avez pas lu, puis-je vous l'offrir, de tout mon coeur? C'est un livre magnifique et qui devient encore plus fantastique avec les années. Il y a, dans *Terre des hommes* un chapitre dans lequel, sans le définir, Saint-Exupéry parle de l'amour comme on n'en avait jamais parlé avant — en termes simples, enfantins. Il écrit: "Peut-être que l'amour c'est ce mouvement par lequel je te ramène doucement vers toi-même." J'ai toujours, pour ma part, hésité à définir l'amour parce que je vois l'amour comme étant sans limites et à mesure que vous devenez plus grand, plus beau et plus riche, l'amour le devient aussi. Et c'est pourquoi le limiter par une définition m'a toujours paru mauvais. Mais j'aime la définition de Saint-Exupéry et je crois que c'est peut-être ça l'enseignement et qu'en tout cas le travail de conseiller c'est ça — non pas de vouloir vous faire à mon image mais de vouloir vous ramener à vous-même, à ce que vous êtes, à ce qui fait que vous êtes unique, à votre beauté originelle.

Tant de gens essaient de nous faire être ce qu'ils veulent que nous soyons et après un certain temps nous cédons en décidant que c'est peut-être ça qu'on appelle l'"ajustement". *Dieu nous en préserve!* De temps en temps, quelqu'un se révolte et dit: "Non! Je ne deviendrai pas ce que vous voulez que je sois. Je veux rester moi-même. Je veux devenir moi-même."

Je me demande parfois ceci: que nous nous révoltions ou non, sommes-nous vraiment ce que nous sommes ou ne sommes-nous en fin de compte que ce qu'on nous a dit que nous étions? Nous savons, en tant que professeurs et que psychologues qu'être humain ça s'apprend — et qui sont nos professeurs? D'abord et avant tout nos parents, notre famille. Nous ne pouvons plus, à moins d'être encore nous-mêmes des enfants, blâmer nos parents et notre famille, parce que les parents et la famille ne sont que des êtres humains comme tout le monde. Ils ont leurs propres problèmes. Ils ont leurs propres défauts. Ils ont leurs propres forces et leurs propres faiblesses. Ils ne nous ont appris que ce qu'ils savaient. Vous serez devenu un adulte le jour où vous pourrez aller vers l'homme qui est votre père ou vers la femme qui est votre mère et lui dire: "Tu sais, avec toutes tes limites, je t'aime."

Un père est venu vers moi une fois après une classe sur l'amour pour me dire: "Je voudrais vous parler." Il m'a emmené sur le terrain de stationnement, en arrière, à mis ses bras sur mes épaules et me serrant dans ses bras s'est mis à pleurer. Il m'a dit: "L'autre jour, mon fils est venu vers moi et au bout de vingt et un ans m'a dit: "Tu sais, papa, je t'aime vraiment", et je sais qu'il était sincère. Je sais bien que c'était en lui, mais c'est vous qui lui avez appris à le dire." Nous ne pouvons donc plus regretter qu'on ne nous ait pas appris ou que peut-être on ne nous ait pas toujours appris convenablement. Car il nous est toujours possible d'apprendre!

Je suis passionné par le changement. En tant que professeur nous devons croire au changement, nous devons savoir qu'il est possible ou nous ne serions pas des professeurs — parce que l'éducation est un processus perpétuel de changement. Chaque fois que vous "enseignez" quelque chose à quelqu'un, c'est avalé, quelque chose en est fait et un nouvel être humain émerge. Je n'arrive pas à comprendre pourquoi les gens ne sont pas tout simplement fous d'apprendre, pourquoi ce n'est pas pour eux la plus grande aventure au monde — parce qu'il s'agit là, en fait, de l'action de devenir. Chaque fois que nous apprenons quelque chose de nouveau, nous devenons quelque chose de nouveau. Je suis différent ce soir parce que j'ai passé ma journée ici. Je suis renversé par l'hospitalité texane et je ne dis pas ça pour faire des compliments, ce n'est pas mon genre. Cet après-midi, j'ai réécrit ma conférence en entier. J'ai jeté au panier celle que j'avais préparée et j'ai recommencé à travailler sur un nouveau texte à votre intention, parce que l'autre n'était pas bon. Et pendant que je faisais ça, le téléphone n'arrêtait pas de sonner, les gens au bout du fil n'arrêtaient pas de me dire: "Nous nous réunissons ce soir, soyez des nôtres", "Nous sommes là, à tel ou tel endroit, viendrez-vous nous voir? Nous aimerions parler avec vous." On me glissait des petits mots sous la porte. C'est passionnant! Des êtres humains se rapprochent de d'autres êtres humains et c'est en plein de ça qu'il s'agit.

Et c'est comme ça que j'ai changé. Je ne suis plus celui qui entrait ici ce matin. Je suis quelque chose de nouveau parce que j'ai expérimenté quelque chose de nouveau avec vous. C'est pour cela qu'apprendre est une chose terriblement excitante, c'est pour cela que ça ne devrait pas être une corvée. Chaque livre vous conduit vers de nouveaux livres. Chaque fois que vous entendez un morceau de musique, il vous amène à dix mille autres nouveaux morceaux — vous écoutez une seule sonate de Beethoven et vous voilà perdu! Vous lisez un seul recueil de poèmes, il vous touche vraiment et vous voilà perdu! Et il y a des milliers de choses à lire, à voir, à faire, à toucher, à ressentir. Et chacune d'entre elles fait de vous un être humain différent. Alors, êtes-vous vraiment ce que vous êtes ou n'êtes-vous pas plutôt ce que vous apprenez et ce que les gens vous ont dit que vous étiez, tout au long de votre vie?

La formule de Saint-Exupéry qui parle de vous ramener à vous-même est une chose magnifique mais, pour que vous puissiez être ramené à vous-même il faut que vous décidiez, dans une certaine mesure, qui il vous serait agréable de devenir. Je vous jure que si vous vous consacrez à découvrir qui vous êtes, ce sera la quête la

51

plus stimulante de votre vie. Vous n'êtes pas mauvais. Vous n'êtes pas méchant. Vous êtes très bien. Pensez un peu à ce que j'ai dit ce matin — qu'y avait-il de nouveau? Allez, n'ayez pas peur. Je n'ai rien dit de nouveau. Je me suis contenté de suggérer quelque chose qui était déjà en vous et le résultat c'est que les gens s'ouvrent et disent: "C'est vrai. Pourquoi est-ce que j'ai gardé ça au fond de moi? Je vais me laisser aller et les serrer dans mes bras." Cela se résume à ça. Un déclenchement de ce qui est déjà là. Cela dit que c'est très bien pour vous d'être vous-même. Cela vous donne la permission d'être et de croître. N'est-ce pas incroyable qu'il nous faille attendre que quelqu'un vienne nous dire que c'est très bien d'être nous-même?

Nous savons qu'il est vrai qu'avec des mots on peut dire aux petits enfants ce qu'ils sont et qui ils sont. Wendell Johnson a suggéré qu'avec des mots on pouvait faire d'un enfant un bégayeur; par exemple, quand un enfant arrive tout excité en disant: "Oh, M-M-Maman, il y a un marchand de c-c-crème glacée dans la rue." Sa mère l'arrête et lui dit: "Arrête-toi et redis-moi cela plus lentement — tu bégaies." Si l'enfant entend cela suffisamment de fois, il va finir par croire qu'il bégaie vraiment et très bientôt il va intérioriser le bégaiement et se dire: "Je suis un bégayeur." Et nous aurons fabriqué un bégayeur. On peut faire la même chose en répétant sans arrêt à quelqu'un: "Tu es merveilleux, tu es merveilleux, tu es merveilleux." Si suffisamment de gens vous disent cela, vous allez commencer à vous comporter comme un être merveilleux. Vous vous redresserez, vous serez plus fier de vous-même. Mais "Tu es laid, tu es laid, tu es laid" vous fera courber la tête, devenir de plus en plus petit, jusqu'à devenir laid. "Tu as tort! Tu es stupide!" vous fera avoir tort et être stupide.

Ce matin, j'ai dit: "L'amour s'apprend" et c'est vrai. L'amour s'apprend, la peur s'apprend, les préjugés s'apprennent, la haine s'apprend, le souci des autres s'apprend, la responsabilité s'apprend, l'engagement s'apprend, le respect s'apprend, la bonté et la gentillesse s'apprennent. Tout cela s'apprend dans la société, à la maison, dans une relation personnelle. On commence l'apprentissage du langage à un et deux ans, quand les mots commencent à apparaître et à prendre un contenu émotionnel et intellectuel. Et ces mots-là sont ceux avec lesquels vous allez structurer votre environnement, avec lesquels vous allez vivre pour le reste de votre vie, ceux qui vont vous emprisonner ou vous libérer. C'est terriblement important.

De même, la conscience de soi — qui nous sommes —, c'est principalement de notre famille que nous l'apprenons. C'est pourquoi la famille a une énorme responsabilité. Mais personne n'apprend jamais aux gens comment être des parents. Soudain, vous avez un bébé et vous voilà parents. Vous pouvez bien prendre conscience de la responsabilité que cela implique, mais ce sera toujours à travers le filtre de ce que vous êtes. C'est pour cela que je disais ce matin que la chose la plus importante au monde c'est de faire de soi-même la personne aimante la plus riche, la plus formidable, la plus merveilleuse du monde parce que c'est ça que vous allez donner à vos enfants et à tous ceux que vous rencontrez.

Je pense qu'on contrôle son destin, qu'on peut être ce qu'on veut bien être. On peut aussi s'arrêter et dire: "Non, je ne ferai pas ça. Je ne me comporterai plus comme ça. Je me sens seul et j'ai besoin de gens autour de moi. Peut-être qu'il faut que je change de comportement." Et on le fait, volontairement. On essaie. Je me suis livré à une expérience intéressante avec un petit groupe d'étudiants dans un cours de psycholinguistique. Je leur ai demandé de dresser deux listes de mots. D'un côté ce que nous appelions les "mots odieux". Il s'agissait de mots que nous n'emploierions plus jamais, des mots comme "haine", "désespoir", "non". Nous avons fait un dictionnaire de mots odieux, tous les mots vraiment moches. De l'autre côté, nous avons fait un autre dictionnaire où nous avons inscrit des mots positifs comme "amour". Et nous avons décidé que c'étaient là les mots dont nous allions nous servir pour parler des gens, pour parler et réfléchir sur nous-même et pour parler du monde. Nous avons commencé à fonctionner comme ça et des choses étonnantes se sont produites, dans la façon dont nous sentions, dans la façon dont nous faisions se sentir les autres et dans nos relations à l'intérieur du groupe. Et tout cela simplement par l'utilisation de mots positifs!

Aucune famille n'est libre d'oeillères. Aucune famille n'est débarrassée de la peur. Aucune famille n'est dépourvue de préjugés. Examinons un peu la famille dite "normale", avec tous ses pro-

blèmes et voyons ce qui se passe quand arrive un enfant qui est différent, infirme, handicapé. Des choses étranges se produisent, et ce
dès le début. On est en train actuellement de faire une étude très
intéressante à ce sujet et j'ai hâte de voir les résultats finals. Au
Centre médical de l'université de Californie à Los Angeles,
quand naît un enfant infirme, on envoie immédiatement — pas la
semaine d'après, pas au début de l'année suivante, mais l'instant
d'après — un conseiller auprès des parents, pour parler avec eux,
pour leur dire de ne pas avoir peur, pour leur dire qu'il existe malgré
tout des possibilités d'éducation, pour leur donner de l'espoir, pour
rallumer la flamme qui vacille, cet équilibre difficile à trouver
quand quelque chose comme ça se produit.

Nous appartenons à une culture qui met l'accent sur la perfection. Nous sommes formés à l'école Doris Day/Rock Hudson.
C'est Metro Goldwyn Mayer qui nous a donné notre conception du
beau et du bon et cela m'effraie terriblement parce que MGM nous
a également donné la conception que nous nous faisons de l'amour.
C'est vrai, et les gens s'imaginent que l'amour consiste à poursuivre une femme pendant six bobines de film. Vous avez tous vu ça:
Rock est toujours en train de courir après Doris et Doris est toujours en train de courir çà et là, en poussant des cris aigus, en s'ef-
forçant de préserver quelque chose, je n'ai jamais réussi à deviner
quoi au juste. Finalement, dans la dernière bobine, il finit par la
gagner et il la prend dans ses bras et lui fait franchir le seuil. Et le
mot "Fin" apparaît. Et, mon vieux, ça c'est vraiment une fin! Ce
que j'aimerais bien voir, moi, c'est ce qui se passe après le mot
"Fin", parce que je suis absolument formel: quelqu'un qui se sauve
pendant six bobines ne peut être que frigide et quelqu'un qui est
assez fou pour la poursuivre doit bien être impuissant.

Dans cette étude, à U.C.L.A., ils comptent le temps, y compris les minutes. Par exemple, combien cela prend-il de temps
après la naissance pour qu'un enfant "normal" soit amené à sa
mère. On a trouvé qu'il y avait un laps de temps nettement plus
considérable pour un enfant handicapé. Aucune des infirmières ne
veut amener l'enfant. Mais quand c'est un parfait petit bébé, elles
volent: "Regardez, madame Jones, le beau bébé que vous avez eu"
et tout le monde est heureux. En revanche, quand naît un enfant
handicapé, une atmosphère sombre envahit l'hôpital. Et qu'est-ce

que ça dit à la maman, avant même qu'elle ait vu l'enfant? Cela lui dit qu'on la rejette, que quelque chose ne va pas. Il n'existe pas une femme au monde qui, une fois seule avec son petit paquet de joie, n'ouvre la couverture pour compter les doigts des pieds et des mains du bébé. Les mères ont toujours affirmé très fortement que la naissance est un don: "Je donne quelque chose au monde, je donne quelque chose à mon mari, à ma famille." Mais pour un enfant handicapé, aussitôt c'est la peur. "Qu'est-ce qui ne va pas avec cet enfant?" C'est un sentiment de culpabilité. "Est-ce que c'est de ma faute?" Nous sommes humains, voyez-vous.

Cette idée de perfection m'effraie. Nous avons presque peur de faire quoi que ce soit parce que nous ne pouvons pas le faire à la perfection. Maslow dit qu'il existe de merveilleuses expériences d'achèvement que nous devrions tous tenter, par exemple faire un pot en céramique ou peindre un tableau et l'accrocher en disant: "C'est une extension de moi-même." Une autre théorie existentialiste dit: "Je suis parce que j'ai fait quelque chose. J'ai créé quelque chose, donc je suis." Et pourtant nous ne voulons pas le faire parce que nous avons peur que ce ne soit pas bien, que ce ne soit pas approuvé par les autres. Si vous avez envie d'étaler de l'encre sur les murs, faites-le donc! C'est vous, et c'est là que vous en êtes à ce moment-là, soyez-en fier. Dites-vous: "C'est sorti de moi, c'est ma création, c'est moi qui l'ai fait et c'est bien." Mais nous avons peur parce que nous voulons que les choses soient parfaites. Nous voulons que nos enfants soient parfaits.

En me basant sur mes expériences personnelles, ce qui est bien la seule chose que je puisse faire, je me souviens des cours d'éducation physique au collège. S'il y a dans cette salle des professeurs d'éducation physique, j'espère qu'ils vont m'entendre haut et clair. Je ne renierai rien de ce que je vais dire, parce que je le pense. Je me souviens de cette obsession de la perfection. Les cours d'éducation physique devraient être un endroit où chacun a sa chance. Si nous ne savons pas lancer une balle, alors nous apprenons à lancer une balle du mieux que nous pouvons. Mais ce n'était pas ça du tout: nous visions la perfection de toutes nos forces. Il y avait toujours là ces grands gars qui étaient des vedettes. Et puis il y avait moi, la peau sur les os, mon petit sac d'ail autour du cou, avec des shorts qui ne m'allaient pas, et mes petites jambes maigres. J'attendais là qu'on me choisisse dans une équipe et je mourais de honte tous les jours de ma vie. Souvenez-vous, on se mettait tous en ligne et il y avait ces grands gars avec leur poitrine en avant qui disaient: "Je te prends" et "Je te prends", vous voyiez la ligne diminuer et vous, vous étiez encore là. Finalement, il ne restait plus que deux personnes, un autre petit gars et vous. Et alors ils disaient: "D'accord, je prends Buscaglia" ou "Je prends ce vieux rital", et vous sortiez du rang, mort de honte, parce que vous n'étiez pas l'image de l'athlète, vous n'étiez pas l'image de la perfection qu'ils recherchaient désespérément. Et cela vous poursuit tout au long de votre vie. Il y a actuellement à l'école un étudiant qui est un gymnaste. Il a presque fait l'équipe olympique l'an dernier. Mais il a un pied bot. Sur tous les autres plans imaginables, il est aussi parfait qu'on peut le rêver, un corps qui ferait l'envie de n'importe qui, un esprit magnifique, une fantastique touffe de cheveux, des yeux vifs, étincelants. Mais il ne se perçoit pas lui-même comme un magnifique garçon: c'est un pied bot. Quelque part en cours de route, quelqu'un a raté le coche et tout ce qu'il entend quand il marche dans la rue c'est le bruit de son pied, même si presque personne d'autre ne le remarque. Mais il suffit que *lui* le voie et c'est ce qu'il est: un pied bot. Alors, voyez-vous, cette idée de perfection me rend vraiment malade.

Aussitôt que l'enfant imparfait est né ou aussitôt que la famille découvre qu'elle a un enfant imparfait, toutes sortes de choses font surface. La perte de l'image idéale, la peur du futur. Qu'est-ce qui attend cet enfant? Est-ce qu'il se trouvera un emploi, est-ce qu'il parviendra à apprendre jamais, est-ce qu'il apprendra à lire? Ce sont des peurs réelles. Et la culpabilité: "Qu'est-ce que j'ai fait? — Qu'est-ce que j'ai eu à voir là-dedans? — Est-ce que c'est le régime que j'ai suivi? — Est-ce que je n'ai pas pris soin de moi?" La confusion, et c'en est une grande: *"Qu'est-ce que je vais faire?"*

J'ai passé six ans à conseiller les parents d'enfants exceptionnels et tout ce que j'entendais encore et encore de ces gens perturbés, c'est le nombre de spécialistes qu'ils étaient allés consulter. Ils étaient allés voir celui-ci, celui-là, et ils n'en savaient toujours pas plus sur leur enfant. C'est effrayant. Personne au monde n'aura plus de contacts avec l'enfant que ses parents. Ce sont eux qui devraient en savoir le plus. Mais il y a comme une sorte de secret que gardent les spécialistes: "Nous ne devons pas leur faire savoir.

Je sais ce qu'il en est de Johnny mais ne le disons pas à sa maman." Oui, mais c'est maman qui va faire quelque chose pour Johnny et elle peut faire tout aussi bien que mal. Il est à peu près temps que nous reconnaissions ça et que nous laissions les parents savoir. Ma théorie à propos du travail de conseiller, c'est qu'il nous faut garder la bouche fermée mais *faire voir* aux parents. Ayons par exemple une glace sans tain derrière laquelle une maman peut s'asseoir et regarder ce que le professeur fait avec l'enfant. Puis que le professeur vienne dire à la mère: "Voilà, c'est ça que j'ai fait, c'est comme ça que je l'ai aidé; peut-être pourriez-vous continuer ça à la maison." Un travail d'équipe, c'est la seule façon de s'en sortir. Plus de mystère. Nous travaillons ensemble pour le plus grand bien de Johnny. Johnny a besoin de l'aide de tout le monde, alors faisons cela ensemble. Et non plus ce sentiment de confusion à chaque fois. Le docteur A m'a dit ceci, le neurologue B cela, le professeur C encore ceci.

Je connais beaucoup de mères auxquelles on a effectivement dit: "Laissez-le tranquille, il va s'en tirer, ça va aller très bien, vous vous faites trop de soucis, madame Jones." Mais, Dieu tout puissant! personne ne voit l'enfant comme le voit Mme Jones! "Il tombe sans arrêt, il n'a pas de coordination, il ne se comporte pas comme les autres enfants, quelque chose ne va pas, aidez-moi, quelqu'un!" Et ainsi les parents se cognent d'un mur à l'autre.

Je ne sais combien d'entre vous ont lu le livre que Pearl Buck a consacré à sa petite fille, mais c'est un livre très très important que tout éducateur devrait lire. Voilà une femme instruite et sensible qui a montré son enfant à des centaines de gens différents. Elle a parcouru le monde à la recherche d'aide jusqu'à ce qu'elle finisse par tomber sur quelqu'un qui lui a parlé tout net: "Écoute, Pearlie, ma vieille, ton enfant est gravement retardé, mais nous allons faire tout ce que nous pouvons pour elle. Essayons de l'aider à apprendre tout ce qu'elle peut, mais arrête de penser qu'elle va devenir un génie. Laisse tomber et mettons-nous au travail pour faire ce que nous pouvons de mieux pour cet enfant. Ne lui fixons aucune limite. Ne décrétons pas qu'elle ne peut pas apprendre, c'est une stupidité sans nom. Mais concentrons toutes nos énergies à faire tout ce que nous pouvons et arrête de courir aux quatre coins du monde." Et elle a dit: "D'accord", et à partir de là, tout est arrivé. Mais il faut que quelqu'un parle net aux parents.

Outre toutes les barrières et les problèmes d'une famille moyenne "normale", la famille d'un enfant handicapé doit affronter des tas d'autres choses. L'an dernier j'ai pu constater cela d'une façon tragique quand une mère est venue me dire: "J'ai un enfant atteint de paralysie cérébrale et savez-vous que je n'ai jamais quitté la maison plus de cinq minutes depuis qu'il est né? Partout où nous allons je dois l'amener avec moi. Je ne puis trouver une gardienne pour s'occuper de lui: elles ont peur de lui." Quelle sorte de vie est-ce là? Les parents sont des humains eux aussi, ils ont besoin de sortir; nous oublions cela parfois. J'ai raconté cette histoire à mes étudiants et j'étais furieux. Je frappais le tableau du poing et je hurlais et l'un des étudiants s'est écrié: "Pourquoi ne pas partir un service de gardiennes?" Et ils ont mis sur pied un service de garde pour les parents d'enfants handicapés. Les étudiants n'avaient pas peur de ces enfants, ils s'installaient là avec les enfants et permettaient aux parents de s'offrir de temps en temps un souper en ville pour pouvoir se rappeler ce que c'est que d'être humain, de sortir de la maison et de pouvoir être seuls tous les deux. C'est très important, tout ça parce qu'un jour viendra où tous les enfants auront quitté la maison, maman va s'asseoir en face de papa et ils vont se regarder et j'ai bien peur qu'elle ne doive lui dire: "Mais, au nom du ciel, qui es-tu donc, toi?" Parce qu'elle fut si occupée, parce qu'il fut si occupé.

Rien d'étonnant dès lors à ce que les parents supplient qu'on les aide. Bon, mais quelqu'un qui se prépare à aider quelqu'un d'autre — et peu importe qui vous êtes — doit se souvenir d'un certain nombre de choses essentielles. Avant tout, nous devons toujours nous souvenir que l'homme n'est pas une chose et arrêter de traiter les gens comme s'ils étaient des objets. Nous sommes fragiles, nous sommes vulnérables, nous sommes tendres, nous sommes facilement démontés. C'est si facile, parce que nous sommes très fragiles, de faire un trou dans quelqu'un et de le faire souffrir. Mais c'est presque aussi facile de boucher le trou du doigt même qui l'a fait. Cela dépend seulement du côté où l'on se place vis-à-vis de la personne concernée.

L'homme est si incroyable. Les mécanismes de défense que nous développons pour nous protéger, la théorie psychanalytique du symptôme qui dit à l'homme d'affaires surmené que ses ulcères font souffrir: "Ralentis, mon vieux." Incroyable, tout ça! Le symptôme qui, lorsque vous vous retrouvez si anxieux que vous ne pouvez même pas parler aux gens, vous dit: "Attention, mon gars, tu vas trop loin. Vas donc t'asseoir un peu sous un pommier." J'ai entendu parler de mécanismes de défense incroyables et malheur à vous si, voulant aider quelqu'un, vous lui dites: "Ben voyons, tu sais bien que c'est pas vrai." Je me souviens d'une mère assise en face de moi qui me déclarait en toute honnêteté: "J'ai enfin fini par comprendre. J'ai enfin deviné pourquoi j'ai un enfant handicapé, pourquoi je suis enfermée dans la maison, pourquoi mon mari et moi ne pouvons rien faire ensemble et pourquoi tout ce qu'il m'arrive: c'est parce que Dieu m'a choisie entre toutes parce qu'il savait que je saurais prendre soin de cet enfant." Parlez-moi d'un mécanisme de défense! Et vous seriez un être humain plutôt moche si vous alliez lui dire: "Ben voyons donc, madame Jones!"

Parfois nous nous sentons supportés et parfois non — Albee appelle ça le délicat équilibre, et j'aime cette expression; parfois nous parvenons à peine à obtenir ce délicat équilibre, et que personne n'ose se sentir assez grand pour croire qu'il peut faire perdre cet équilibre, faire crouler un mécanisme de défense. Je me souviens qu'une fois un conseiller avait dit à une mère: "Vous devez accepter votre enfant handicapé, il le faut" et qu'elle avait répliqué: "Et pourquoi diable le faut-il?" Et c'est la meilleure réponse que j'aie jamais entendue. Qu'est-ce que ça veut dire: "Vous devez"? L'homme n'est pas une chose, c'est une merveille et il faut le traiter délicatement.

La deuxième chose dont il faut toujours se souvenir, c'est que l'homme est capable de changement et si vous ne le croyez pas c'est que vous avez choisi la mauvaise profession. Chaque jour vous devriez voir le monde d'une façon neuve et personnelle. L'arbre qui est derrière votre maison n'est jamais le même, alors *regardez-le* donc! Depuis que le monde est monde, il n'y a jamais eu de couchers de soleil semblables, alors *regardez-le* donc! Tout est toujours en train de changer, y compris vous-même. L'autre jour j'étais à la plage avec quelques-uns de mes étudiants et l'un d'eux avait ramassé une vieille étoile de mer toute desséchée et avec grand soin il l'avait remise à l'eau, en disant: "Oh, elle est toute desséchée mais quand elle aura retrouvé de l'humidité, elle va revenir à la vie." Puis il a réfléchi un instant et se tournant vers moi, il m'a dit: "Tu vois, Leo, tout le processus du devenir se résume peut-être à cela; peut-être que nous en arrivons au point où nous sommes, en quelque sorte, complètement desséchés et tout ce qu'il nous faut alors c'est rien qu'un peu plus d'humidité pour nous faire repartir à nouveau." Quand j'ai eu réussi à m'arracher au sable, j'ai fait: "Wow!" Peut-être qu'effectivement il ne s'agit que de ça.

Investir dans la vie, c'est investir dans le changement et je n'arrive pas à me soucier de la mort parce que je suis bien trop occupé à vivre! Que la mort se débrouille. N'allez pas croire que vous serez jamais en paix, la vie n'est pas comme ça. Quand vous changez sans cesse, il vous faut continuer à vous adapter au changement, ce qui veut dire que vous allez avoir constamment de nouveaux obstacles à affronter. C'est ça la joie de la vie. Et une fois que vous êtes aux prises avec le processus du devenir, il n'y a pas moyen d'arrêter. Vous êtes condamné! Vous êtes parti! Mais quel voyage extraordinaire! Chaque jour est nouveau. Chaque fleur est nouvelle. Chaque visage est nouveau. Tout au monde est nouveau, chaque matin de votre vie. Arrêtez de prendre ça comme une corvée. Au Japon, faire couler de l'eau est une cérémonie. Pour la cérémonie du thé, nous avions l'habitude de nous asseoir dans une petite hutte et notre hôte prenait un peu d'eau qu'il versait dans la théière et tout le monde tendait l'oreille. Le bruit de l'eau qui coule était presque intenable tellement c'était excitant. Je pense au nombre de gens qui se font couler des douches ou remplissent leurs éviers chaque jour sans jamais entendre le bruit que ça fait. Quand avez-vous écouté de l'eau couler pour la dernière fois? C'est magnifique! En rentrant chez vous ce soir, ouvrez donc le robinet et écoutez.

Herbert Otto écrit: "Le changement et la croissance surviennent quand quelqu'un s'est risqué tout entier et ose s'impliquer à fond dans une expérience où c'est sa vie qui est en jeu." N'est-ce pas extraordinaire? Quelqu'un s'est risqué tout entier et a osé s'impliquer à fond dans une expérience où c'est sa vie qui est en jeu, quelqu'un a cru en lui-même. Faire cela, expérimenter avec sa propre vie, c'est très réjouissant, plein de joie, de bonheur et d'émerveillement mais c'est aussi perturbant. C'est aussi effrayant parce que vous allez avoir affaire à l'inconnu et que vous êtes bien dans la complaisance. Vous pouvez vous installer confortablement et vous dire: "Tout va bien pour moi, j'ai un bon boulot, j'ai une voiture" mais vous décidez qu'il vous faudrait changer, que vos valeurs ne sont plus ces choses-là et alors, vous secouez votre complaisance.

J'ai la très forte impression que le contraire de l'amour n'est pas la haine, c'est l'indifférence. C'est s'en ficher complètement. Si quelqu'un me hait c'est qu'il ressent quelque chose à mon sujet, sinon il ne pourrait même pas me haïr. Et donc, il y a sûrement moyen pour moi de communiquer avec lui. Mais si quelqu'un ne me voit même pas, je suis fichu, il n'y a aucun moyen pour moi d'entrer en contact avec lui. Si vous n'aimez pas le rôle que vous tenez, si vous êtes malheureux, si vous êtes seul, si vous n'avez pas l'impression que quelque chose se passe, changez de rôle. Installez-vous un nouveau décor. Entourez-vous de nouveaux acteurs. Écrivez une nouvelle pièce, et si la pièce n'est pas bonne, sortez donc de scène et écrivez-en une autre. Il y a des millions de pièces possibles, autant que d'individus.

Et puis l'homme a besoin d'un guide. Un professeur — et j'inclus là-dedans les parents — est un guide. J'aime que l'on m'appelle un éducateur. Je hais que l'on m'appelle un professeur. Un professeur professe et il y a par les temps qui courent déjà fichtrement trop de professorage. Éducation vient du latin *educare* qui veut dire mener, guider et c'est comme ça que ça devrait être. Il y a une table pleine de merveilles. L'éducation consiste à guider les gens vers cette table. Vous aurez beau décorer la table, y placer tous les mets du monde, vous ne pourrez forcer personne à manger. Carl Rogers dit: "Personne n'a jamais appris quoi que ce soit à personne" et c'est vrai, on ne s'apprend qu'à soi-même. Le professeur qui pense qu'il a toutes les réponses est le plus grand jean-foutre de l'univers! Comme c'est merveilleux que Junior pose une question brillante et que le professeur dise: "Wow! Je ne connais pas la réponse mais nous allons la chercher ensemble." C'est peut-être une façon de dire à quelqu'un: "C'est excitant d'apprendre. Il n'est pas nécessaire de tout *savoir*. Nous allons nous guider l'un l'autre."

J'ai une autre théorie. Nos institutions psychiatriques sont de plus en plus pleines. J'ai fait de la prévention de suicide à Los Angeles et mon téléphone sonnait jour et nuit, ce qui veut dire que quelque part il y a quelque chose qui cloche. Nous ratons le coche et je pense qu'une des raisons, c'est cette idée que nous nous faisons: "Je vais t'aimer si." Si chacun rencontrait dans sa vie ne fût-ce qu'une personne qui lui dise: "je vais t'aimer quoi qu'il advienne. Je vais t'aimer si tu es stupide, si tu glisses et te casses la figure, si tu fais ce qu'il ne fallait pas faire, si tu fais des erreurs, si tu te conduis comme un être humain — je vais t'aimer de toute façon", si chacun rencontrait une personne comme ça, nous ne nous ramasserions pas dans des institutions psychiatriques. Et le mariage, ça devrait être ça, précisément. Mais est-ce le cas? Et la famille, ça devrait être ça aussi. Mais est-ce le cas? Évidemment la société ne peut jamais dire ça, elle a une responsabilité trop grande à l'égard de trop de gens. Mais rien qu'une seule personne dans votre vie que vous puissiez appeler. J'adore la définition que donne Robert Frost de la famille: "La maison, c'est l'endroit où quand vous vous présentez on doit vous faire entrer." Cela devrait être ça, une maison, un endroit où on dit: "Entre donc. C'est vrai, tu as été stupide, mais je ne te le dirai pas; je t'aime et je te prends comme tu es." C'est de ce genre de guide que je parle.

L'homme a besoin de quelqu'un qui se soucie de lui. Encore une fois, il suffit d'une seule personne, mais quelqu'un qui se soucie vraiment de vous, et je ne parle pas de faire tout un cinéma. Seulement des petites choses, des petites façons de montrer que l'on se soucie de vous. Je vous ai déjà dit qu'un rien nous suffit — un seul petit doigt peut boucher le trou.

Et l'homme a besoin d'un sentiment d'accomplissement. Nous en avons tous besoin. Il nous faut absolument être reconnu comme quelqu'un qui peut faire quelque chose de bien. Et il faut que quelqu'un nous fasse remarquer ce que nous faisons de bien. Quelqu'un doit venir de temps en temps qui nous tape sur l'épaule et nous dise: "C'est bien. J'aime vraiment ça."

Et puis, pour apprendre, pour changer et pour devenir, l'homme a aussi besoin de liberté. Il faut être libre pour pouvoir apprendre. Il faut que vous ayiez des gens qui s'intéressent à votre arbre, pas à l'arbre-suçon et il faut que vous vous intéressiez à leur arbre à eux. "Montre-moi ton arbre, Johnny. Montre-moi qui tu es, Johnny, que je sache où commencer." Nous avons besoin d'être libre pour *créer*.

J'ai vécu récemment une expérience incroyable. Je parlais devant un groupe d'enfants surdoués d'une commission scolaire californienne et je dérivais et devisais, comme j'en ai l'habitude et ils étaient assis là, comme collés à leurs chaises — les vibrations entre nous étaient incroyables. Après la rencontre du matin, je suis allé dîner avec les professeurs. Quand je suis revenu, les enfants m'attendaient pour me dire: "Oh, Dr B., il s'est passé une chose terrible. Vous vous souvenez du garçon qui était assis juste en face de vous?" Et j'ai dit: "Oh oui. Je ne l'oublierai jamais, il était tellement pris par ce que je disais." "Et bien, on l'a renvoyé de l'école pour deux semaines." J'ai demandé pourquoi. Il semblerait que pendant ma conférence j'avais parlé de la façon dont on connaît quelque chose, dont on la connaît vraiment et c'est d'en faire l'expérience. Et j'avais dit: "Si vous voulez vraiment connaître un arbre, il faut y grimper, le sentir, s'asseoir dans ses branches et écouter le vent souffler dans ses feuilles. Alors seulement vous pourrez dire: "Je connais cet arbre." Et le garçon s'était dit: "Ouais, j'me souviendrai de ça, c'est ça qu'il faut faire." Alors pendant l'heure du repas, ce garçon avait repéré un arbre et y était grimpé. Mais le surveillant général était passé par là, l'avait vu, l'avait tiré en bas de l'arbre et expulsé de l'école.

Je me suis dit: "Oh, il y a sûrement une erreur; on s'est mal compris. Je vais aller parler au surveillant général." Je ne sais pas pourquoi mais les surveillants généraux sont toujours d'anciens professeurs d'éducation physique. Je suis allé à son bureau. Il était là, tous ses muscles sortis, et je lui ai dit: "Je suis le Dr Buscaglia." Il a levé les yeux sur moi, il était furieux. Il a dit: "C'est vous l'homme qui vient dans cette école pour dire aux enfants de grimper aux arbres? Vous êtes un danger public!" Et j'ai dit: "Voyons, vous ne comprenez pas. Je pense qu'il y a eu un petit malenten..." Il m'a coupé en hurlant: "Vous êtes un danger public! Aller dire aux enfants de grimper aux arbres! Ils se révoltent déjà assez comme ça!" Et bien, je n'ai jamais réussi à lui expliquer, c'était impossible, je ne parvenais pas à prendre contact avec lui. Alors je suis allé à la maison de ce garçon qui maintenant disposait de deux semaines de libre pour grimper aux arbres. Et il m'a dit: "Je crois que ce que je viens d'apprendre là, c'est de savoir quand monter aux arbres et quand ne pas le faire. Parce que nous sommes dans une société qui nous le dit, qui met même des pancartes pour nous dire quand on peut le faire et quand on ne peut pas. Mon vieux, je sais que c'est vrai. J'ai l'impression que j'ai seulement manqué de discernement, pas vrai?" Il avait bien écouté et maintenant il va lui falloir s'adapter à l'homme du bureau — mais il grimpe encore aux arbres! Il existe des façons de satisfaire aux exigences de la société et des façons de se faire plaisir à soi-même.

Et puis je pense que les gens ont besoin d'être nourris. Je le dis en toute honnêteté. Nous avons besoin d'être aimés. Nous avons besoin d'être sentis, touchés, nous avons besoin d'une manifestation d'amour, quelle qu'elle soit. Ceux d'entre nous qui travaillent dans le domaine de l'éducation spéciale connaissent certainement les études qu'a faites Skeels, le merveilleux travail qu'il a fait en allant dans un foyer pour enfants abandonnés. Il avait remarqué que les enfants laissés seuls dans un orphelinat devenaient progressivement de plus en plus apathiques jusqu'à finir par rester assis là, sans rien faire. Au point de vue quotient intellectuel, quand ils arrivaient, ils étaient normaux mais après un an et demi, leur quotient intellectuel tombait au niveau des retardés graves. Il se demanda: "Qu'est-ce qui se passe?" Alors il a pris douze enfants — après bien des histoires parce qu'on ne voulait pas le laisser faire — et a laissé les autres où ils étaient. Il les emmena à l'autre bout de la ville dans un foyer pour adolescentes retardées et confia chacun de ces enfants à une petite fille. Ces filles n'étaient pas des lumières, sur le plan intellectuel, mais elles se souciaient vraiment des enfants. Vous connaissez tous beaucoup d'enfants qui sont remarquablement intelligents mais qui n'iront nulle part — parce qu'ils n'ont rien d'autre que leur intelligence. Et je connais moi beaucoup d'autres enfants qui sont de bons enfants solides, très moyens mais qui ont un affect fabuleux et peuvent stimuler les gens; ceux-là vont atteindre les nuages! Skeels confia chacun des enfants abandonnés à chacune des filles qui se mirent à les aimer à la folie, au point d'en pleurer quand on a remis les enfants dans l'autobus à la fin de la journée, de pleurer parce qu'il leur fallait les rendre. La seule variable de l'expérience, c'était l'affect, rien d'autre n'avait changé, simplement le fait que ces enfants, quelqu'un les avait pris et aimés, avait joué avec eux et les avait vus chacun individuellement. Il vient d'écrire un article intitulé: "À propos de longueurs d'avance" que chacun d'entre vous devrait lire. Dans cet article, il fait un suivi sur ces douze enfants. Tous les enfants du groupe témoin laissés à l'orphelinat sont maintenant dans un état psychotique dans un asile ou, très retardés mentalement, dans un hôpital public. Mais du groupe dont s'étaient occupées les adolescentes retardées, tous sauf un ont terminé leurs études collégiales, tous sont mariés, il n'y a qu'un seul divorce, aucun ne vit de l'assistance sociale, chacun subvient à ses besoins. La variable indépendante, c'était: *"Quelqu'un m'a vu, quelqu'un m'a touché, quelqu'un m'a senti, quelqu'un s'est diablement soucié de moi!"*

Mon point suivant, c'est que chacun a son propre chemin. Il existe des milliers de chemins qui conduisent à la découverte de soi, qui mènent au devenir. Chacun d'entre vous trouvera son propre chemin. Ne laissez pas quiconque vous imposer le sien. Il y a un livre merveilleux qui s'intitule *Teachings according to Don Juan* (Les enseignements de Don Juan) écrit par un anthropologue nommé Castaneda. C'est à propos des indiens Yaqui qu'il a étudiés. Il y a dans ce livre un homme, nommé Don Juan, qui dit:

Tout chemin n'est qu'un chemin parmi des millions d'autres. C'est pourquoi tu dois te souvenir qu'un chemin n'est jamais qu'un chemin. Si tu sens que tu ne dois pas le suivre, tu ne dois en aucun cas y rester. Tout chemin n'est jamais qu'un chemin. Tu ne fais d'affront ni à toi-même ni aux autres si tu l'abandonnes parce que ton coeur te dis de le faire. Mais ta décision de rester sur le chemin ou de le quitter doit être dépourvue de peur et d'ambition. Je te recommande ceci: examine chaque chemin précautionneusement et avec soin. Essaie-le autant de fois que tu le juges nécessaire. Puis pose-toi à toi-même et à toi seul une seule question. Celle-ci: ce chemin a-t-il un coeur? Tous les chemins sont semblables. Ils ne mènent nulle part. Ce sont des chemins qui courent dans les buissons ou à travers les buissons ou sous les buissons. Ce chemin a-t-il un coeur est la seule question. S'il en a un, alors ce chemin est bon. S'il n'en a pas, il n'est d'aucune utilité.

Si vous devez vous mettre à aider les gens, il va vous falloir commencer à faire les choses suivantes. D'abord il vous faut arrêter de vous imposer aux autres et de leur imposer vos systèmes de valeurs, il vous faut être vrai et apprendre à écouter. Il existe toutes sortes de symboles. Le langage verbal n'en est qu'un parmi d'autres. Parfois, rien qu'en ouvrant la bouche, nous commettons des erreurs terribles. C'est souvent bien meilleur de se contenter de regarder quelqu'un et de vibrer. Je suis résolu à me libérer un de ces jours de toute responsabilité pour pouvoir étudier les vibrations humaines parce que je suis sûr qu'elles existent tout autant que les vibrations qui vous apportent le son de ma voix. Lorsque nous aurons découvert leur secret, peut-être trouverons-nous des moyens de communication qui soient un peu plus adéquats que les mots. Je pense qu'il est extrêmement important d'écouter et pourtant nous haïssons le silence, nous en avons peur. Les choses les plus fantastiques pourraient se passer si nous restions silencieux. Si vous êtes un conseiller, si jamais vous voulez que les gens parlent, contentez-vous de rester tranquille. Une minute plus tard, ils vous diront tout.

Vous devez être vrai. Ne soyez pas un simulateur. Présentez-vous comme vous êtes. La chose la plus difficile au monde, c'est d'être ce que l'on n'est pas. À mesure que vous vous approchez de plus en plus près de ce que vous êtes, soyez-le et présentez-vous toujours comme ça. Vous découvrirez que c'est une façon facile de vivre. La chose la plus facile au monde, c'est d'être soi-même. La chose la plus difficile, c'est d'être ce que les autres veulent que vous soyez. Ne les laissez pas vous mettre dans cette situation. Trouvez votre "moi", trouvez qui vous êtes, présentez-vous comme vous êtes. Alors vous pourrez vivre en toute simplicité. Car vous pourrez utiliser pour ça toute l'énergie consacrée à "retenir ses fantômes", comme dit Richard Alpert. Vous n'aurez plus de fantômes à retenir en vous. Vous ne jouerez plus de rôles. Balayez donc tout ça et dites: "Me voici. Prenez-moi comme je suis avec toutes mes faiblesses, toute ma stupidité, tout. Et si vous ne pouvez pas, alors laissez-moi tranquille."

Autre chose: n'ordonnez jamais à quelqu'un de faire quelque chose. Vous n'êtes pas Dieu. Vous ne savez pas ce qu'il y a dans la tête de l'autre. Vous pouvez guider mais vous ne pouvez pas ordonner. Et essayez de communiquer, essayez de comprendre. Très souvent, le spécialiste est assis derrière son bureau tandis que devant lui une petite maman, manifestement troublée à mort, tripote son sac à main. Et il dit: "Nous avons procédé à un examen diagnostique complet de votre enfant et nous avons trouvé qu'il souffre de dyslexie due à une dysfonction cérébrale mineure. Vous comprenez?" Que peut dire la mère? Elle sourit et dit: "Mmm". Je peux très bien l'imaginer rentrant chez elle et son mari qui lui demande: "Alors, chérie, qu'a dit le spécialiste? Tu sais que nous avons payé cent quatre-vingt-dix dollars." "Et bien, il souffre d'une sorte de lexie et ça vient de quelque chose qui ne va pas dans sa tête." Et le mari s'exclame: "Et c'est pour ça que nous avons payé cent quatre-vingt-dix dollars?" Vous savez, c'est incroyable qu'il n'y ait pas plus de parents d'enfants exceptionnels qui craquent. Il nous faut donc communiquer.

Enfin, souvenez-vous que vous formez équipe. Vous aurez du succès avec les gens seulement si vous êtes avec eux. Vous voudrez planifier ensemble ce que vous allez faire parce que deux personnes ont plus de ressources et de forces qu'une seule. Parfois il suffit d'un tout petit rien pour vous rapprocher. Mais il faut que vous fassiez plusieurs choses si vous voulez vraiment faire équipe: vous devrez dire l'affaire tout net aux parents, au moins de la façon que vous la percevez à ce moment, ne rien cacher, leur faire savoir tout. Voilà où en est Johnny et voilà où nous aimerions l'amener, voilà ce que nous souhaitons pour lui. Puis faites-vous un programme que vous suivrez pas à pas pour atteindre le but fixé.

Tout d'abord, vous déterminez où en est Johnny en ce moment. C'est à partir de ça qu'il nous faut travailler. Cela ne vous aidera pas de savoir qu'il a une dysfonction cérébrale mineure. Vous ne pouvez rien faire pour son cerveau — vous êtes parent ou professeur. De toute façon, c'est irréparable. Ensuite, déterminez l'étape immédiatement suivante, non ce qu'il va faire dans dix mille années d'ici mais le pas le plus immédiatement prochain que nous voulons lui voir faire. Est-ce de s'asseoir? Est-ce de se montrer attentif? De faire bouger un crayon? De lire un mot? Puis, troisièmement, planifiez la façon d'atteindre cet objectif. "Voilà votre travail, en tant que parent, et voici le mien en tant que professeur ou conseiller; nous allons travailler ensemble. Faites votre part, je ferai la mienne." Ensuite, vous examinez ensemble le succès obtenu et vous dites: "Est-ce qu'on a atteint l'objectif? Oui, on l'a atteint. Il réussit à faire ça à chaque fois. Bon, qu'est-ce qu'on veut faire maintenant?" Et ainsi de suite. C'est ça le travail de conseiller en éducation, ce n'est pas de pénétrer dans la psyché de quelqu'un pour essayer de trouver quelle sorte de complexe sexuel il peut bien avoir. C'est un cheminement pas à pas. Si vous faites ça et si vous le faites ensemble, vous n'entendrez pas des parents vous dire: "Aidez-moi". Car vous les aurez aidés. J'ai une autre chose à partager avec vous. Cela a été écrit par un homme merveilleux nommé Zinker qui travaille à l'institut gestaltiste de Cleveland. Il l'a écrit à la fin d'un article intitulé: "Du savoir commun et de la révélation personnelle." Voici:

Si un homme dans la rue devait partir à la recherche de son moi, quelle sorte de pensées devrait-il formuler pour se guider dans le changement qu'il veut introduire dans sa vie? Il découvrirait peut-être que son cerveau n'est pas encore mort, que son corps n'est pas complètement vidé et que, quel que soit l'endroit où il en est rendu, il demeure le créateur de son propre destin. Il peut changer ce destin en prenant très sérieusement cette décision unique de changer, en combattant ses mesquines résistances devant le changement et la peur, en en apprenant davantage sur son esprit, en essayant un comportement qui comble ses besoins véritables, en effectuant des actes concrets plutôt qu'en ruminant dans sa tête à leur propos —

Je suis tout à fait d'accord avec ça. Arrêtons de parler et mettons-nous à agir.

En s'exerçant à voir, à entendre, à toucher et à sentir comme il n'avait jamais auparavant utilisé ses sens, en créant quelque chose de ses propres mains sans chercher la perfection, en évacuant de son esprit les diverses façons dont il se détruit lui-même, en écoutant les mots qu'il dit à sa femme, à ses enfants et à ses amis, en s'écoutant lui-même, en écoutant les mots et en regardant dans les yeux de ceux qui lui parlent, en apprenant à respecter le processus de ses propres trouvailles créatrices et en ayant foi que bientôt elles vont le conduire quelque part.

Mais nous devons nous rappeler qu'aucun changement ne s'obtient sans travailler fort et sans se salir les mains. Il n'existe aucune formule toute faite, aucun livre à apprendre par coeur, au sujet du devenir. Je sais seulement ceci: j'existe, je suis, je suis ici, je deviens, c'est moi qui fais ma propre vie et personne d'autre ne la fait pour moi. Je dois affronter mes propres impasses, mes erreurs, mes transgressions. Personne ne peut souffrir de mon inexistence comme moi j'en souffre, mais demain est un jour nouveau et je dois décider de quitter mon lit et de vivre à nouveau. Et si j'échoue, je ne me donnerai pas la satisfaction d'en rendre responsable autrui, la vie ou Dieu.

C'est là qu'est la lumière
(la recherche de soi)

Il y a quelque chose que je ne veux pas voir se produire ce soir et j'aimerais vous expliquer ce que c'est, ensuite on pourra commencer. Il y a bien des façons d'apprendre et j'en ai appris une quand j'ai passé un an dans un monastère zen, en Asie. J'avais un merveilleux professeur japonais. Il était si doux, si fantastique, si rempli de choses admirables à partager — sa vie toute entière était partage, comme j'aimerais que ma vie entière le soit et comme, j'espère, vous voudriez que votre vie entière le soit — et c'est pour cela que je me préoccupe de devenir de plus en plus riche, de façon que chaque fois que je suis avec vous j'aie encore plus et plus de choses à partager.

Je me rappelle un jour en particulier où nous nous promenions dans un jardin de bambous géants. Ceux d'entre vous qui sont allés au Japon savent combien cela peut être beau. Nous nous promenions dans ce jardin et c'est moi qui, pour une raison ou pour une autre, faisais les frais de la conversation. Je laissais aller ma bouche à propos de toutes les choses merveilleuses que je connaissais, de toute la sagesse que je possédais et j'essayais vraiment d'impressionner cet homme, de lui dire: "Voilà ce que je sais", quand soudain cette personne absolument non-violente se tourna vers moi et me frappa sur la bouche! Parlez-moi d'une bonne technique d'apprentissage! Je le regardai, tenant ma lèvre en sang et lui demandai: "Pourquoi avez-vous fait ça?" Et avec une véhémence terrible, telle que je ne lui en avais jamais vue, il me dit: "Ne marche pas dans ma tête avec tes pieds sales!" Et je vous promets bien qu'avant de venir ici ce soir je me suis soigneusement lavé les pieds. Je n'ai aucunement l'intention de marcher dans la tête de qui que ce soit. Tout ce que je veux voir se produire entre nous ce soir, c'est un partage très doux. Prenez de ce que je vais vous offrir en partage ce qui est bon pour vous. Et ce qui n'est pas bon pour vous, laissez-le passer. Je n'ai pas de hache pour couper. Je n'ai rien à vendre. Mais j'ai beaucoup à partager et je suis fou du partage. Et ce que je souhaite, c'est que nous puissions partager ensemble, et peut-être que, d'une façon ou d'une autre, nous en aurons la chance, avant de nous séparer.

J'imagine que la plupart d'entre vous savent bien, par des enregistrements ou des livres que j'ai faits, que je suis très impliqué dans l'étude de l'amour comme quelque chose qui s'apprend. Je crois sincèrement que chacun d'entre nous possède ce grand potentiel incroyable d'amour, mais ce n'est qu'un potentiel et, comme tous les potentiels, à moins qu'il ne se réalise, à moins que vous ne fassiez quelque chose à ce sujet, il va rester lettre morte. J'ai été, il y a des années, un de ces malades qui ont parti un cours que j'ai intitulé *L'amour*, un cours sur l'amour. Au début il n'y avait que quinze à vingt personnes dans le cours. Et maintenant, si nous en acceptions quatre cent ou cinq cent, nous les aurions. Mais j'essaie de limiter le groupe à environ cinquante, de façon que nous puissions vraiment être ensemble. Je *n'enseigne* pas ce cours. Je le facilite. Je le rends possible. Je m'assieds avec les gens et j'apprends d'eux. Nous apprenons ensemble. Comme l'amour *s'apprend*, chacun d'entre vous l'a appris de façon différente et vous en avez autant à m'apprendre à *moi* que j'en ai à *vous* apprendre. C'est pourquoi, vraiment, du fond du coeur, l'amour est un partage.

J'ai pensé que peut-être, d'une certaine façon, les gens qui ont besoin de quelque chose pourraient venir nous dire ce dont ils ont besoin — et ce n'est pas de la psychothérapie. Je suis un éducateur, je ne suis pas un psychothérapeute. Je crois que, où que vous en soyiez dans votre vie, et quelle que soit la façon dont vous l'avez appris, si vous voulez l'apprendre *différemment*, tout ce qui peut s'apprendre peut être désappris et réappris. Alors il y a toujours de l'espoir et il y a toujours de l'émerveillement, et il n'est pas nécessaire de rester là à pleurer parce que quelqu'un vous a fait du mal dans le passé ou parce que vous avez appris l'amour de travers ou parce que vous crevez de solitude.

J'ai vécu récemment une expérience intéressante. Je voyage beaucoup à travers tout le pays et quand je suis en voyage, j'emmène des montagnes et des montagnes d'ouvrage parce que c'est le seul temps vraiment tranquille dont je peux disposer. Voyez-vous, ma règle a toujours été: les gens d'abord, les choses après. Alors, quand je suis à mon bureau, je n'ai jamais la paix. Et quand je suis à la maison, le téléphone sonne sans arrêt, il y a toujours des gens autour de moi, et c'est ce que je demande, ce que je veux, ce que j'aime. Mais quand je suis dans l'avion, c'est comme si j'avais mon bureau privé: on disparaît dans les nuages et personne ne sait où vous êtes. Alors je demande toujours: "Est-ce que le siège à côté du mien pourrait rester inoccupé? J'ai beaucoup de travail à faire." Et si l'avion n'est pas trop plein, on me dit oui et la plupart du temps j'obtiens ce que je demande. J'étale mes affaires, je travaille et je réfléchis. Et quand j'ai fini, je regarde les nuages et je pense aux merveilles et à la magie de l'univers.

Ce jour-là, donc, il y avait un siège vide entre moi et une très jolie dame dans la quarantaine, pleine de bijoux et très bien habillée. Elle m'a regardé étaler toutes mes affaires mais je sentais par ses vibrations qu'elle *voulait parler*. Et je pensais: "Oh mon Dieu! Je l'adore mais j'ai des examens à corriger et des copies à lire!"

Elle a dit: "Je parie que je peux deviner ce que *vous* êtes!
— Et qu'est-ce que je suis?
— Je parie que vous êtes un avocat.
J'ai dit non, je n'étais pas un avocat.
— Alors vous êtes un professeur.
— Oui, c'est ce que je suis. Je suis un professeur.
Sur quoi, elle a dit:
— Oh! comme c'est bien."

Et je me suis remis à mon travail. Mais elle s'était mise à parler et brusquement j'ai réalisé: "Qu'est-ce qui te prend? Tu dis toujours les gens passent avant tout. Si tu le crois vraiment, et bien cette dame *a besoin de toi*. Elle veut manifestement parler, parle-lui donc un peu, peut-être pourras-tu alors lui expliquer qu'il faut que tu travailles."

Et bien, ça n'a pas du tout marché comme ça... mais ce fut magique parce que, comme une *avalanche*, elle s'est mise à me dire toutes sortes de choses. Parfois vous dites à un étranger ce que vous ne diriez pas à la personne qui vous est la plus proche. Elle savait bien qu'en arrivant à Los Angeles nous allions nous séparer. Il n'y avait peut-être aucun danger que je la revoie jamais. Alors elle s'est mise à me raconter qu'elle avait quatre enfants et qu'elle revenait des Bahamas. Je lui ai demandé:

"Avez-vous eu du bon temps?
— Non, c'était horrible.
— Vous étiez seule?
— Oui.
— Oh!

Je me disais que c'était plutôt intéressant mais que je n'allais pas poursuivre la conversation. Mais il a fallu qu'elle me le dise tout de suite. Elle était partie en vacances toute seule:

"J'essaie de me remettre un peu.
— Oh! vraiment?
— Oui, dit-elle, mon mari m'a quittée il y a deux mois.
— Oh, je suis désolé."

Alors elle s'est laissée aller. Et elle m'a raconté sa vie!

"Pensez un peu. Je *lui* ai donné les meilleures (vraiment?) années de ma vie!"

Je ne croyais pas que les gens pouvaient encore dire ça!

"Je lui ai donné les meilleures années de ma vie. Je lui ai donné de beaux enfants! Je lui ai donné une magnifique maison et je l'ai toujours bien entretenue. Il n'y avait aucune poussière nulle part!"

Cela, je voulais bien le croire.

"Mes enfants arrivaient toujours à l'heure à l'école! continuait-elle, j'étais une cuisinière hors pair, je recevais toujours *ses* amis, j'étais toujours prête à aller où *il* voulait. Je...", et elle continuait *encore* et *encore* et *encore*! J'avais vraiment pitié de cette dame! Parce que toutes les choses qu'elle avait considérées comme *essentielles* étaient des choses pour lesquelles il aurait très bien pu payer.

Ce qu'*elle* avait *perdu*, c'était *elle-même*! Elle n'avait pas donné à son mari ce qu'il y avait d'essentiel en *elle-même*... son moi secret, sa magie, ses merveilles... Elle lui avait donné de bons petits plats mais il aurait pu aller au restaurant. Elle avait lavé ses draps mais il aurait pu aller à la blanchisserie! C'est vraiment effrayant!

Je lui ai demandé:

"Et qu'avez-vous fait pour *vous-même*?

— Que voulez-vous dire?... Que voulez-vous dire: *pour moi-même*?

— Je veux dire: qu'avez-vous fait pour *vous-même*?

— Je n'avais pas le *temps* de faire quoi que ce soit pour moi!"

Il y eut un silence, puis je lui ai demandé:

"Et qu'est-ce que vous auriez *aimé* faire?

— Oh! j'ai toujours rêvé de casser des pots."

Cela aurait été merveilleux si elle avait cassé quelques pots... Elle ne savait pas que c'était essentiel. J'avais pitié d'elle parce qu'elle avait fait, c'est ce qu'elle *considérait* comme l'essentiel. C'est ça que la culture lui avait *dit* être essentiel! Elle avait rempli un rôle! Et elle s'était perdue elle-même dans son rôle! Et la suite de l'histoire se résumait ainsi: le mari rencontre au bureau une intéressante jeune femme, qui ne s'intéresse pas à la poussière et se fiche royalement des draps propres.

Nous avons, ce jour-là, parlé longtemps de ce qui est essentiel. Elle a pleuré un peu, j'ai pleuré un peu. Nous nous sommes embrassés et elle est partie de son côté et moi du mien. Mais savez-vous, elle n'avait jamais pris la peine de se poser ces questions: "Qu'est-ce qu'il y a d'essentiel en *moi*? Qu'est-ce que *je* veux? Quels sont mes besoins à *moi*?"

Et si, en tant que personne qui aime, vous n'avez pas encore répondu à ces questions, pensez-y un petit peu. Si vous êtes vraiment quelqu'un qui aime, vous voulez donner votre meilleur *vous-même*. Et cela veut dire développer la merveille qui est vous, en tant qu'être humain unique. Et, sans nul doute, même si on vous a appris le contraire, tout le monde ici est unique. C'est ça qui est merveilleux. Il n'existe pas deux personnes semblables parmi nous. Chacun est différent. Comme cela aurait été merveilleux de pouvoir d'une façon ou d'une autre apprendre plus tôt à cette femme ce qu'elle avait d'unique, ou lui apprendre à le développer. Et lui apprendre *cette merveille* qu'il y a à le partager avec tous les autres.

Parce que votre moi n'a pas de limites, vous serez toujours une aventure. Vous aurez toujours quelque chose à partager. Mais elle ne s'était pas donné la peine de chercher son moi et elle avait assumé le rôle que les gens lui avaient dit être essentiel et, en cours de route, elle avait perdu son moi.

Mais ce qu'il y a de merveilleux, c'est qu'on ne se perd jamais vraiment. Seulement de façon temporaire. Et si vous voulez vous trouver, vous êtes encore là! Vous ne perdez rien de ce que vous avez déjà eu. Et si parfois vous sentez un grand vide en vous, une morsure au ventre, quelque chose qui crie pour sortir, c'est précisément ce *merveilleux* caractère unique qui est en train de vous dire: "Je suis toujours là! Je suis toujours là! À l'intérieur! Trouve-moi! Développe-moi! Partage-moi!" Et alors vous commencez à trouver un petit peu de ce qui est essentiel. Mais nous sommes sûrs que ce qui est essentiel doit se trouver "au dehors". Cela *ne peut pas* être "en dedans"!

Je ne sais combien d'entre vous sont familiers avec les petits livres des Soufis, mais ce sont de magnifiques petits livres qui viennent de la secte religieuse des Soufis. Ce sont de fabuleuses petites paraboles qui sont délicieuses à lire. Les histoires racontent les aventures qui arrivent à un petit homme un peu fou qui s'appelle "Mullah". Il y en a une qui est vraiment poignante. Elle parle du jour où Mullah se trouvait à quatre pattes dans la rue, en train de chercher quelque chose. Passe un de ses amis qui lui dit:

"Qu'est-ce que tu cherches, Mullah?

Et Mullah répond:

— J'ai perdu mes clés.

— Oh! Mullah, c'est terrible. Je vais t'aider à les retrouver.

Et le voilà à quatre pattes lui aussi, demandant:

— Mullah, tu les a perdues dans quel coin?

— Je les ai perdues à la maison.

— Mais alors, pourquoi les cherches-tu *ici?*

— Parce qu'ici il y a plus de lumière."

Vous savez, c'est très drôle, mais c'est précisément ce que nous faisons avec nos vies! Nous croyons que tout ce qu'il y a à trouver se trouve au dehors, dans la lumière, où c'est facile à trouver, alors que les seules réponses qui comptent pour *vous* sont *en vous!* Allez-y, cherchez, cherchez encore, vous ne trouverez rien au dehors! Personne n'a vos réponses, il n'y a que *vous* qui ayez vos réponses. Et si vous pensez que vous pouvez ramasser vos affaires et vous échapper de *vous-même*, vous vous préparez une jolie petite surprise. Grimpez au sommet d'une montagne du Népal et une fois épuisé l'émerveillement d'être au Népal, qui voyez-vous donc en face de vous dans le miroir? Vous! Avec tous vos complexes, avec toutes vos peurs, avec toute votre confusion, avec toute votre solitude, avec tout ce que *vous êtes*. Alors il est temps de commencer à chercher où cela a de l'allure de chercher. Ce qui est essentiel n'est pas au dehors. Ce qui est essentiel est sans conteste en vous. Mais c'est effrayant là-dedans, c'est sombre et ce n'est pas facile de chercher dans le noir. Et personne ne nous l'apprend. Combien avez-vous suivi, dans toutes vos études, de cours qui vous apprennent quelque chose sur vous? On vous apprend plutôt les mathématiques, et je ne dis pas que ce n'est pas essentiel, mais on peut *vivre* sans elles. Le saviez-vous? D'accord, c'est bien d'avoir ça! C'est bien de savoir lire, mais on peut aussi vivre très heureux sans savoir lire. Attention, je ne vous encourage pas à ne pas apprendre à lire, même si beaucoup d'entre vous ont passé des années à apprendre ça et maintenant ne lisent plus de toute façon. Les statistiques montrent que le diplômé universitaire moyen — ça va vous faire un choc — lit peut-être au maximum un livre par an après l'obtention de son diplôme.

Il n'existe pas de cours sur la vie, sur l'amour, il n'y a pas de cours intitulé: *Je suis seul. Que faire?* Et quand vous essayez de donner ce genre de cours, vous pouvez me croire, on vous traite comme une espèce de fou. Les médias m'ont baptisé "le docteur d'amour". Dieu du ciel! Et apparemment un des plus grands honneurs que l'on m'ait fait c'est une lettre dans laquelle on me demandait de participer à une de ces émissions de télévision où il s'agit de deviner la profession de l'invité! C'est vrai! Je le jure! Et la personne ajoutait: "Ils ne devineront jamais!"

Allez dans une bibliothèque et rassemblez tous les livres sacrés, asseyez-vous et lisez pour trouver les points communs. Extraordinaire! Il y a tellement de points communs! Jésus a dit: "Si tu veux trouver la vie, il faut que tu cherches en toi-même." Bouddha l'a dit aussi. Les Livres saints hébraïques le disent. Le Coran. La Gita, le Livre des morts tibétain, le Tao: tous vous rappellent ce précepte. Les voyages hors de vous-même n'ont pas de valeur. Ils mènent au bois où vous allez vous perdre. Si vous voulez des réponses pour vous, elles sont en vous, pas au dehors.

Mais qu'est-ce que nous considérons comme essentiel? Et bien, tout d'abord, une des choses que nous considérons comme essentielle — et nous y travaillons toute notre vie — c'est *ce corps*. Nous pensons que c'est essentiel. Nous y consacrons tellement de temps que nous entretenons la richesse de Madison Avenue*! Mon Dieu, les milliers de sortes de dentifrices! Et les millions de types de shampoings! Je me souviens quand j'étais enfant, nous nous lavions avec du bon vieux savon Ivory ordinaire. Et maintenant il y a quelque chose pour les cheveux doux, pour les cheveux épais, pour les cheveux fins, pour les cheveux qui tombent, pour faire tenir les cheveux dressés et même pour l'absence de cheveux! Il existe une lotion capillaire pour les enfants, pour les bébés, pour les adultes et pour les personnes âgées! Nous ne sommes même plus capables de partager nos lotions capillaires! C'est vraiment un phénomène de distanciation, quand on y réfléchit bien.

N'êtes-vous pas fatigué de toutes ces niaiseries? On fait ça et ça et puis ça et encore ça. Puis on met ses vêtements et on sort, prêt à affronter la journée. Puis on revient à la maison et on refait les mêmes choses à l'envers. On enlève tout et on va au lit. Le matin, on remet tout une fois de plus! Mais nous faisons tout ça, parce que nous avons peur que les gens qui nous entourent ne nous laissent tomber si nous n'utilisons pas tel type de déodorant. Et le bateau va revenir nous prendre si nous l'utilisons. Alors nous l'utilisons!

Le corps n'est rien qu'un véhicule. C'est un véhicule splendide parce qu'il transporte ce qui est essentiel, mais en lui-même il n'est pas *essentiel*.

Alors qu'est-ce qui *est* essentiel? Nous pensons qu'apprendre ce que nous apprenons est essentiel et nous sommes devenus des drogués de ce que nous apprenons. Nous oublions que les faits ne

---

* À New York, avenue où sont concentrées les maisons de haute couture et de produits de beauté. (N.d.t.)

78

sont pas la sagesse. Nous apprenons des faits et nous passons nos vies à remplir nos esprits de faits que nous considérons essentiels. Mais ces faits sont pour la plupart de la statique sans utilité. Et nous devenons des drogués de cette statique. Puis, tout ce qui essaie d'entrer, tout ce qui est nouveau, doit d'abord passer par le filtre de cette statique, à travers ces vieilles choses apprises, dépassées et sans valeur. Et c'est pour cela qu'il est si difficile pour certains d'entre nous de changer.

Je demande souvent aux gens: "Êtes-vous vraiment votre vous à *vous*? Ou êtes-vous celui que les autres vous on dit que vous étiez?" Les gens passent leur vie entière à nous dire qui nous sommes. Certains en font un métier, d'autres pratiquent cela de façon inconsciente! La mère, par exemple, qui au marché, son enfant à la main, dit à une amie: "Celui-ci n'est pas très brillant. Son frère est intelligent, lui. Mais il faut bien qu'il y en ait qui le soit moins et, après tout, ce n'est pas un mauvais garçon. Il ne me donne aucun problème." Qu'est-elle en train de dire à cet enfant? Croit-elle qu'il est sourd? Tout le monde enseigne à tout le monde, tout le temps, ce qu'ils sont et qui ils sont. C'est pourquoi tout le monde est professeur. En tant que personne qui aime, vous feriez mieux d'être très très prudent avec les étiquettes que vous collez aux autres.

Peu importe où vous en êtes dans vos études, vous n'êtes encore nulle part. Nous sommes très impressionnés par les gens qui ont des titres impressionnants. Nous pensons qu'un doctorat fait sans nul doute de quelqu'un un sage. Mais j'ai des p'tites nouvelles pour vous! Certains des gens les plus stupides que je connaisse ont un doctorat et certains des plus sages ne savent même pas ce que c'est qu'un doctorat!

Souvenez-vous que ce que vous avez appris peut très bien vous embarrasser si vous croyez que ce que vous savez est la réalité et qu'en conséquence vous fassiez passer par ce filtre tout ce qui se présente. Derrière cette sorte de statique vous ne vous développerez jamais, vous ne changerez jamais. Je connais des gens qui donnent encore les mêmes cours qu'il y a vingt ans, et exactement de la même façon. J'ai vu des professeurs qui enseignaient en quatrième année depuis neuf ans. Chaque fois que venait le temps de faire un cours sur, mettons, la ruée vers l'Ouest — c'est très important, ça — ils allaient à leur classeur, l'ouvraient et en sortaient leur vieux dossier tout usé sur la ruée vers l'Ouest et on pouvait voir qu'ils avaient donné ce cours pendant neuf ans parce qu'il y avait neuf trous d'épingle dans les images.

Le savoir n'est pas la sagesse! L'apprentissage seul ne fait pas la sagesse. La sagesse c'est l'*application* du savoir et des faits. La sagesse, c'est la prise de conscience que l'on ne sait rien. La sagesse, c'est dire: "Mon esprit reste ouvert. Où que j'en sois, je ne fais que commencer. Il y a *cent fois* plus à réaliser que ce que je sais." C'est ça le commencement de la sagesse.

Nous ne sommes sûrement pas ce que nous apprenons dans nos études. Nous considérons souvent, dans notre culture, qu'une *joie* constante est essentielle. Je ne connais pas d'autre culture aussi tournée vers le plaisir. Nous sommes perdus dans la poursuite continuelle du plaisir, tellement que nous en oublions qu'il existe autre chose. La minute où nous nous sentons légèrement malheureux, nous prenons une pilule ou avalons quelque drogue de joie. Qui veut souffrir? Nous appartenons à une culture qui hait et craint la souffrance. Attention, je ne suis pas en train de dire, oh que non, "prenons plaisir à la souffrance". Ne me comprenez pas de travers! Je préfère nettement enseigner et apprendre dans la joie. La joie est un grand professeur. Mais le désespoir aussi. L'émerveillement est un grand professeur, mais la confusion aussi! L'espoir est un grand professeur, mais la désillusion aussi. Et la vie est un grand professeur, mais la mort aussi. Vous refuser à vous-même l'une de ces choses, l'une de ces expériences, c'est ne pas éprouver la vie dans sa totalité. Je ne connais pas d'autre culture au monde où autant d'individus traversent la vie sans faire l'expérience de la vie. Tellement d'entre nous ne savent même pas ce que c'est que la vie! Nous sommes protégés contre la vie. Nous ne connaissons pas la valeur de l'argent, la valeur des choses, la valeur de la faim. Nous ne comprenons pas la douleur et, Dieu nous en garde!, nous ne comprenons pas la mort. Dieu du ciel, on ne permet même pas à un enfant de côtoyer la mort.

Beaucoup d'entre vous savent que je suis né dans une famille d'immigrants, une famille très simple mais merveilleuse. Ils vivaient dans le nord de l'Italie, là où pousse la vigne, et ils nous ont élevés d'une façon très simple. Mais ils ne nous ont pas protégés contre la vie. Nous participions toujours à tout. La joie de la maison, la musique dans la maison, l'émerveillement de la maison. Mais nous partagions aussi la peine et le désespoir de la maison. Nous n'étions pas enfermés dans un cocon, à l'abri de tout.

Notre famille était très étrange: parfois nous flottions dans les nuages et nous avions *tout* ce que nous voulions: ravioli, gnocchi, spaghetti, saucisses, tout ce que nous voulions, et parfois il n'y avait pratiquement rien. Alors nous faisions une grande polenta. Vous connaissez la polenta? C'est un plat du nord de l'Italie, un gros gâteau fait de maïs et qui bourre très vite. Six bouchées et vous êtes lesté! Mais au moins votre estomac ne crie pas! Mais nous n'étions pas protégés contre la peine, parce que chaque fois que papa arrivait à la maison et que nous lui voyions une face longue, longue, longue, il disait quelque chose comme: "Nous n'avons plus d'argent." Puis il ajoutait: "Qu'allons-*nous* faire?" Oh, c'était si bien de voir tout le monde rassemblé dans un "nous". Ma soeur disait: "Je vais aller au marché ramasser les feuilles qui restent pour les lapins." Et moi je me faisais vendeur de magazines. Vous vous souvenez de l'époque où on vendait des magazines de porte en porte? Quelle éducation c'était! Et chacun faisait quelque chose. Nous éprouvions ce que c'est qu'être ensemble.

Maman avait l'habitude de faire une chose merveilleuse. Elle savait comment prendre la face longue de papa. Elle avait une petite chose qu'elle appelait le flacon de survie. Elle mettait un peu d'argent dans une bouteille qu'elle enterrait dans la cour pour le jour où nous serions affamés. Et elle avait l'habitude, quand ce jour venait, de dépenser l'argent à des choses *folles!* Brusquement elle ramenait, par exemple, un poulet!

Mais nous avons appris beaucoup du désespoir. Nous avons appris beaucoup de la faim. Nous avons appris beaucoup d'être pris comme un "nous" et de faire partie d'une famille.

Nous pensons parfois que les *possessions* forment l'essentiel. De grandes maisons, beaucoup d'argent. Les autres. Des buts, de grands buts importants, voilà l'essentiel. Nous passons nos vies à nous prémunir contre les catastrophes qui menacent et nous sommes persuadés qu'elles sont là, derrière la porte, dehors. Et en faisant tout cela, nous cessons de vivre dans l'instant. S'il y a quelque chose qu'est une personne qui aime, c'est bien un individu qui réalise que la seule réalité c'est "maintenant". Hier est passé et on ne peut rien y faire. Et c'est bien, parce que ça vous a mené où vous en êtes maintenant. Et en dépit de ce qu'on a pu vous dire, c'est un bon endroit! Mais il n'y a rien qu'on puisse faire à propos d'*hier*, ce n'est plus *réel*. Et demain? Demain est une chose merveilleuse à quoi rêver. C'est extraordinaire de rêver à demain, mais ce n'est pas réel. Et si vous passez votre temps à rêver d'hier et de demain, vous allez laisser passer ce qui arrive à vous et moi *maintenant même*. Et c'est ça la réalité *réelle*, être en contact. Demain est trop nébuleux.

Récemment, deux étudiants ont été assassinés sur notre campus. Ils sortaient d'un party où ils avaient passé une soirée merveilleuse et ils traversaient le campus à pied quand *sans raison* on leur a tiré dans la tête! Nous ne savons toujours pas pourquoi ni qui a fait ça. Ces deux étudiants, je les avais eus dans mes cours: une très belle jeune femme et un beau garçon extraordinaire. Tout ce à quoi j'ai pu penser en lisant ça dans les journaux — et croyez-moi, ça m'a vraiment traumatisé — c'est: "J'espère qu'au moins j'ai pu leur apprendre à *vivre* le temps qu'il leur restait! J'espère qu'ils n'attendaient pas *demain* pour se mettre à vivre." C'est triste de penser au grand nombre de gens qui ont tant investi en demain. Nous ne savons pas ce qui peut se produire l'instant suivant et l'instant qui passe peut être perdu à jamais.

Une jeune fille m'a donné un poème, avec la permission de vous le faire partager et je vais le faire parce qu'il explique bien ce qu'est cette façon de remettre à plus tard, encore à plus tard, toujours à plus tard et en particulier remettre à plus tard de se soucier des gens que l'on aime vraiment. Cette jeune fille veut rester anonyme, mais son poème s'intitule: *Things you didn't do* (Les choses que tu n'as pas faites). Le voici:

Remember the day I borrowed your brand new car and I dented it?
I thought you'd kill me, but you didn't.
And remember the time I dragged you to the beach, and you said it would rain, and it did?
I thought you'd say: "I told you so." But you didn't.

Do you remember the time I flirted with all the guys to make you jealous, and you were?
I thought you'd leave me, but you didn't.
Do you remember the time I spilled strawberry pie all over your car rug?
I thought you'd hit me, but you didn't.
And remember the time I forgot to tell you the dance was formal and your showed up in jeans?
I thought you'd drop me, but you didn't.
Yes, there were lots ofl things you didn't do.
But you put up with me, and you loved me, and you protected me.
There were lots of things I wanted to make up to you when you returned from Viet Nam.
But you didn't.*

O.K., je ne sais pas ce qu'il en est pour vous, mais *moi* je ne pense pas que l'essentiel soit mon véhicule. Je ne sais pas ce qu'il en est pour vous, mais *moi* je ne pense pas que l'essentiel soit mon édu-

---

* Te souviens-tu du jour où je t'ai emprunté ta voiture toute neuve et où je l'ai emboutie.
Je pensais que tu allais me tuer, mais tu ne l'as pas fait.
Et te souviens-tu de la fois où je t'ai traîné à la plage, et où tu disais qu'il allait pleuvoir et il a plu.
Je pensais que tu allais dire: "Je te l'avais bien dit."
Mais tu ne l'as pas fait.
Te souviens-tu du temps où je flirtais avec tous les garçons pour te rendre jaloux et tu l'as été?
Je pensais que tu allais me quitter, mais tu ne l'as pas fait.
Te souviens-tu de la fois où j'ai renversé de la tarte aux fraises sur ton tapis d'auto?
Je pensais que tu allais me frapper, mais tu ne l'as pas fait.
Et te souviens-tu de la fois où j'ai oublié de te dire que le bal était en tenue de soirée et où tu t'es pointé en jeans?
Je pensais que tu allais me laisser tomber, mais tu ne l'as pas fait.
Oui, il y a des tas de choses que tu n'as pas faites.
Mais tu m'as endurée et tu m'as aimée et tu m'as protégée.
Il y a des tas de choses que je voulais faire pour toi quand tu reviendrais du Viêt-nam.
Mais tu ne l'as pas fait.

cation. Je ne pense pas que ce qu'il y a d'essentiel en moi soit ma *maison* ou ma *voiture* ou mes *vêtements*. Qu'est-ce donc qui est essentiel en moi? Et bien je pense que ce qui est essentiel, c'est que je vis et que j'étreins la vie *maintenant même*, où que je sois. Je la serre dans mes bras! Ne perdez pas votre temps à pleurer sur hier, hier est passé! Je pardonne mon passé. Je pardonne aux gens qui m'ont fait du mal. Je ne veux pas passer le reste de ma vie à distribuer des blâmes ou à pointer du doigt. Cela me fatigue, me rend malade d'entendre les gens ruminer sur ce que leurs parents leur ont fait. Vous savez ce que vos parents vous ont fait? Le mieux qu'ils *pouvaient* faire. La meilleure chose qu'ils savaient et même, dans bien des cas, la *seule* chose qu'ils savaient. Personne n'a jamais intentionnellement fait mal à ses enfants, à moins d'être psychotique.

Pouvez-vous pardonner? Pouvez-vous oublier? Pouvez-vous dire: C'est "O.K."? Pouvez-vous dire: "Après tout, ce sont des êtres humains eux aussi." Et les prendre dans vos bras et les embrasser? Puis vous prendre *vous-même* dans vos bras. Découvrir encore que vous *êtes* spécial, que vous *êtes* unique, que vous êtes merveilleux, que dans le monde entier il n'y a qu'*une personne* comme vous! *Embrassez-vous* donc, vieille branche! Bien sûr, vous êtes tout chamboulé et parfois vous faites des choses stupides et vous oubliez que vous êtes un être humain, mais la chose la plus extraordinaire en vous c'est que, peu importe où vous en êtes, vous pouvez encore croître. Vous ne faites que *commencer*. Il n'y a qu'un petit peu de vous actuellement et il en reste une énorme quantité à découvrir, à trouver! Ne perdez pas votre temps à pleurer! Pardonnez aux *autres*! Pardonnez-vous à *vous-même*. Pardonnez-vous de ne pas être parfait. Et acceptez de prendre la responsabilité de votre propre vie.

Nikos Kazantzatis dit: "Tu as ton pinceau, tu as tes couleurs, peins donc *toi-même* le paradis et entres-y." Faites-le!!! Prenez de l'orange, du magenta, du bleu, du pourpre... et du vert, et du *jaune*... et peignez votre paradis. Vous pouvez le *faire*! Et vous pouvez le faire dès maintenant. L'essentiel, c'est votre vie.

Je ne sais combien d'entre vous connaissent la merveilleuse pièce d'Arthur Miller intitulée: *Après la chute*. C'est probablement une des oeuvres les plus sous-estimées de toute la littérature américaine. Il l'a écrite juste après le suicide de Marilyn Monroe qui avait été son épouse et il tente d'y poser la question que j'ai déjà essayé de me poser auparavant et que peut-être beaucoup d'entre vous se sont déjà posée à eux-mêmes: qu'est-ce que j'aurais pu faire pour sauver quelqu'un qui faisait partie de ma vie? C'est une pièce qui dit: "Je dois apprendre à pardonner. Pardonner aux autres et à moi-même." Et il y a notamment dans cette pièce une très belle chose que j'aimerais partager avec vous. Un des personnages les plus sains dit ceci:

Je crois que c'est une erreur de toujours chercher l'espoir en dehors de soi-même. Un jour, la maison sent le pain frais et le lendemain, elle sent la fumée et le sang. Un jour vous vous évanouissez parce que le jardinier s'est coupé le doigt, et dans l'espace d'une semaine vous piétinez des cadavres d'enfants tués par les bombes dans le métro. Quel espoir peut-il bien rester si c'est ainsi que ça se passe?

J'ai essayé de mourir vers la fin de la guerre. Le même rêve me revenait chaque nuit jusqu'à ce que je n'ose plus aller dormir et j'en suis tombé malade. Je rêvais que j'avais un enfant. Et même dans le rêve je sentais que cet enfant était ma vie mais c'était un idiot et je le fuyais. Mais il grimpait toujours sur mes genoux, s'agrippant à mes vêtements jusqu'à ce que j'en arrive à me dire que si je parvenais à l'embrasser, quel que soit ce qui me revenait dans tout ça, j'arriverais peut-être à retrouver le sommeil. Alors je me penchais sur son visage brisé et c'était horrible. Mais je l'embrassais. *Je pense, Quentin, qu'en fin de compte on doit prendre sa propre vie dans ses bras et l'embrasser.*

Idée *extraordinaire*. Peu importe à qui vous avez fait mal si vous avez appris par là à ne plus faire mal. Peu importent les erreurs que vous avez faites pourvu que vous ne les refassiez pas. Pourvu que vous appreniez, pourvu que vous acceptiez de prendre votre vie dans vos bras, de l'embrasser et de repartir de là. Car alors vous grandissez. Alors, il y a de la vie!

Et ce qui est essentiel également, c'est que nous acceptions notre mort. Je ne voudrais pas être horrible, mais je pense que la seule façon de pouvoir accepter *la vie*, c'est d'accepter *la mort*. La mort nous apprend qu'il y a une *limite*. Je donne dans mon cours le sujet de travail suivant: s'il vous restait seulement cinq jours à vivre, comment les passeriez-vous? Et avec qui? Souvent les réponses sont si simples! J'écris toujours des commentaires — de longues, longues lettres sur toutes les copies de mes étudiants — du genre: "Mais pourquoi ne faites-vous pas tout ça *dès maintenant?*"

"S'il ne me restait que cinq jours à vivre je dirais à untel et une telle que je les aime." Moi je dis: dites-le donc *dès maintenant!* "S'il ne me restait que cinq jours, j'irais marcher sur la plage et regarder un coucher de soleil." *Mais qu'attendez-vous donc?*

Mais nous sommes protégés contre la mort comme nous le sommes contre la vie. La plupart d'entre nous ne savent pas comment affronter la mort et nous promenons cette faiblesse sur nos épaules pour le reste de nos vies, toujours au bord des larmes. Il nous faut absolument apprendre que la mort n'est rien qu'un autre aspect de la vie. C'est une séparation d'avec le véhicule, c'est une continuation. La mort nous apprend à *continuer.*

Vous savez, ma maman est morte il y a à peine deux ans et elle m'a appris des choses merveilleuses jusqu'à la fin. Nous n'avons pas cru le docteur quand il nous a dit qu'elle était entrée dans le coma. "Ne vous occupez pas d'elle, elle ne s'aperçoit même pas que vous êtes là ou non. Ce n'est pas la peine de traîner à l'hôpital. Vous ne feriez que gêner." *Qu'est-ce qu'il en sait? Il n'est jamais mort!* Alors la famille a pris des tours de garde et a passé de nombreuses heures, nuit et jour, avec elle, pendant qu'elle était encore en vie. Nous lui tenions la main! Personne ne devrait mourir seul!

J'ai eu un des derniers tours de garde: nous étions assis là, maman et moi, seuls dans la chambre. Brusquement elle a ouvert les yeux. Elle avait des yeux bruns immenses, vraiment magnifiques. Je venais juste de me dire: "Elle va me manquer terriblement. C'était une femme extraordinaire, nous avions du plaisir ensemble: elle avait toujours un rire et des chocolats à me donner. Et elle arrivait toujours avec des choses folles. Son ail, par exemple. Il va me manquer son ail." Avez-vous remarqué que tout dans ces pensées tournait autour de "moi"? "*Je* vais faire ça, ça va *me* manquer et ne *me* laisse pas!"

86

Et savez-vous quels furent les derniers mots qu'elle me dit? Elle ouvrit ses grands yeux, ces merveilleux yeux d'Italienne, vit les larmes qui ruisselaient sur mes joues et dit, imaginez un peu: "Felice, à quoi est-ce que tu t'accroches?"

À quoi est-ce que je m'accroche? Vous voyez ce que la mort peut nous apprendre? La mort n'est pas une histoire de fantômes. La mort nous apprend la valeur du temps. Nous réalisons à quel point il est précieux. Nous réalisons qu'il n'est pas éternel pour nous! La mort nous apprend à regarder et voir, elle nous apprend que les gens que nous aimons ne resteront pas tout le temps pareils. Nous ne nous regardons plus les uns les autres! Nous sommes si occupés à faire toutes sortes de choses que nous ne prenons plus le temps de nous arrêter pour nous regarder les uns les autres. Vous ne serez pas tout le temps là. Vous savez aussi que vous ne serez pas le même le matin suivant. Combien d'entre vous ont des enfants assez vieux pour se marier et réalisent, quand ils s'en vont, qu'ils n'ont jamais eu le temps de les voir grandir ou qu'ils étaient si occupés à faire des choses *pour* eux qu'ils n'ont jamais pris le temps de *les* regarder!

J'ai déjà dit ça lors d'une causerie et deux dames se sont regardées, les larmes aux yeux, et l'une d'elles a dit: "Tu vois, il y a si longtemps que je n'ai pas regardé mon enfant que je ne serais pas capable de reproduire ses traits. L'autre a dit: "C'est vrai aussi pour moi. Allons-nous-en." Alors elles ont quitté la conférence, sont rentrées chez elles à environ quarante milles de là, ont fait irruption au milieu de la nuit et elles ont réveillé leurs enfants! Les enfants se sont exclamés: "Qu'est-ce que tu fais? Qu'est-ce qui se passe?" Et les mères ont répondu: "Tais-toi. Je veux simplement te regarder!" Mon Dieu!, ne laissez pas passer ça!

Les visages des gens que vous aimez ne seront pas les mêmes demain, le vôtre non plus. Ne manquez pas ça. Les arbres dehors font des choses merveilleuses. Regardez-les grandir, c'est magique. J'ai dit à quelqu'un aujourd'hui: "Oh, quels arbres vous avez!" Et il a répondu: "Quels arbres?" Nous avons eu un gouverneur de Californie qui disait: "Quand vous avez vu un séquoïa, vous les avez tous vus!" J'aimerais bien l'envoyer faire un tour au Wisconsin! Dieu du ciel! Vraiment, la phrase la plus triste qu'il me soit donné d'entendre c'est: "Si j'avais..." et bien, vous savez, vous

87

pouvez l'avoir! Est-il assis à côté de vous en ce moment? *Regardez*-le donc. Est-*elle* assise à côté de vous en ce moment? *Regardez*-la donc, touchez sa main. Elle ne sera jamais plus pareille. De quoi avez-vous peur?

"Oh mon Dieu, toucher à la mort pour s'apercevoir seulement qu'on n'a pas vécu du tout" écrit Thoreau. La mort nous apprend ça. La mort est une bonne chose à connaître. En Asie, la mort est à chaque coin de rue. Les enfants grandissent en sa compagnie. Ils ne la craignent pas, il n'y a rien là d'effrayant. Il existe, vous le savez, des assurances contre *tout*. Mais il n'y en a pas contre la tristesse. Il n'y en a pas contre la mort. C'est la chose la plus inévitable, cela arrivera à chacun de nous et à nous tous. Et elle nous apprend ce que c'est que l'*amour:* des bras ouverts, la liberté. Gardez vos bras ouverts et les gens vont venir à vous et repartir, comme ils le feront de toute façon. Vous n'avez aucun contrôle! "Je refuse de te laisser mourir" "À quoi t'accroches-tu?" Éprouvez la vie: agonisez, hurlez, pleurez. Puis laissez-la partir.

Alors, je crois que l'essentiel c'est de vivre la vie dans l'émerveillement. Toute cette magie qui est autour de nous et que nous laissons passer! En Asie on dit que la vie est un grand fleuve qui coule quoi que vous fassiez ou ne fassiez pas. Nous pouvons décider de nous laisser porter par le fleuve, et vivre dans la paix, la joie et l'amour, ou décider de nous y opposer et vivre dans l'agonie et le désespoir. Mais le fleuve n'en a cure. La vie n'en a cure. Dans tous les cas, tous nos fleuves se jettent dans la même mer. C'est à *vous* de décider. Finalement, ce qui est essentiel c'est de ne pas seulement prendre de la vie mais d'y mettre aussi quelque chose en échange.

Nous avons oublié la responsabilité qui nous incombe de donner. Je donne à plusieurs organismes de charité mais parce qu'il s'agit de d'"autres pays" que le mien, je ne puis déduire mes dons de ma déclaration d'impôts. Les gens disent: "Tu es fou!" Comme c'est triste. Nous avons vraiment oublié comment donner. Je vous donne de l'amour parce que je vous aime, pas parce que j'attends votre amour en retour. Si je donne en attendant quelque chose en échange, je suis sûr d'être malheureux. Quand vous souhaitez le bonjour à quelqu'un, c'est parce que, volontairement, vous voulez le dire, pas parce que vous attendez quelque chose en échange. Si vous attendez quelque chose en échange et qu'on ne vous le dise pas, alors vous êtes floué: "Je savais bien que je n'aurais pas dû dire bonjour."

Parfois, en sortant — et vraiment, nous en sommes rendus à ce point — je dis bonjour à quelqu'un et il se tourne vers moi et dit: "Est-ce que je vous connais?" Et je réponds: "Non, mais ne serait-ce pas bien de se connaître?" Parfois il dit non. C'est son droit. Mais moi j'ai fait ce que *je* voulais faire. J'ai dit bonjour. Et ils ont fait ce qu'ils voulaient, en répondant bonjour ou non.

Si nous n'attendons rien, nous avons tout, dit Bouddha. Aimez parce que vous *voulez* aimer. Donnez parce que vous voulez donner. Les fleurs fleurissent parce qu'elles le doivent, pas parce qu'il y a des gens qui les bichonnent! Vous *vivez* et *aimez* parce que vous le voulez. Parce que vous le devez.

Une jeune fille est venue dans mon bureau cette semaine pour me parler pendant presque une heure de "moi, moi et moi!" Je cite: "Je ne suis pas très sûre de ce que j'attends de la vie." À la fin, votre bon vieux conseiller qui ne donne jamais de directives s'est écrié: "Mais Bon Dieu, qu'est-ce que vous *donnez*, vous, à la vie? Chaque jour vous prenez au sol, à l'air, à la beauté et que donnez-vous en retour?" Nous ne pensons jamais à ça, pas vrai?

Quand j'écrivais un livre sur le travail de conseiller, j'ai passé trois mois seul dans une petite cabane, dans le nord de la Californie. Chaque jour j'allais faire une longue, longue promenade sur les bords de la rivière Smith, au milieu des séquoïas; j'y passais des heures. Un jour je suis tombé sur un bouquet de séquoïas géants et j'ai vu une pancarte qu'un garde forestier avait dû placer là, sur un de ces énormes séquoïas, pour expliquer le cycle de vie d'un séquoïa, sans probablement réaliser à quel point c'était magnifique. Cela montrait que quand le séquoïa avait telle taille, Bouddha naissait, quand il avait telle taille, Jésus naissait, quand il avait atteint telle autre taille, Hannibal franchissait les Alpes, et ainsi de suite. Le dernier paragraphe disait: "Même quand l'arbre meurt et tombe au sol, tout n'est pas fini. Les agents de décomposition commencent leur travail: ils défont l'arbre lentement. À mesure que passent les années, l'arbre se mêle au sol, rendant tout ce qu'il y a pris afin que d'autres puissent vivre." N'est-ce pas extraordinaire? Et immédiatement j'ai pensé que ceci pouvait s'appliquer aux êtres humains.

Au moins à la fin, nous serons forcés de donner quelque chose! Quel merveilleux cycle perpétuel! Peut-être que Leo Rosten avait raison quand il disait que le but de la vie est simplement de compter, d'avoir de l'importance, de faire qu'il y ait une certaine différence uniquement parce que nous avons vécu. Peut-être que c'est *ça* l'essentiel.

Enfin, je dois vous dire que je prends du bon temps avec les mots. J'aime jouer avec les mots. Et j'ai dressé une liste de mots qui me paraissent mener à ce qui est essentiel. La voici:

1. *Le bon savoir*, pour vous donner les outils nécessaires au voyage de la vie.
2. *La sagesse*, pour vous assurer que vous employez le savoir accumulé par le passé d'une façon qui serve au mieux la découverte de votre présence, de votre "maintenant".
3. *La compassion*, pour vous aider à accepter les autres dont les voies peuvent être différentes des vôtres, à les accepter avec douceur et compréhension, tandis que vous parcourez votre chemin avec eux, en eux ou autour d'eux.
4. *L'harmonie*, pour être capable d'accepter le flot naturel de la vie.
5. *La créativité*, pour vous aider à produire et à reconnaître de nouvelles alternatives et des chemins non frayés le long de votre route.
6. *La force*, pour affronter la peur et avancer malgré l'incertitude, sans garantie ou récompense.
7. *La paix*, pour vous maintenir sur votre axe.
8. *La joie*, pour vous garder plein de chant, riant et dansant en chemin.
9. *L'amour*, pour qu'il soit perpétuellement votre guide vers les plus hauts niveaux de conscience dont l'homme soit capable.
10. *L'unité*, qui nous ramène à notre point de départ: ce lieu où nous ne formons qu'un avec nous-même et avec toute chose.

Ainsi l'étude de l'amour m'a conduit à l'étude de la vie. Vivre dans l'amour, c'est vivre dans la vie et vivre dans la vie, c'est vivre dans l'amour.

Pour moi, la vie est le cadeau que Dieu vous fait. La façon dont vous vivez votre vie est le cadeau que vous faites à Dieu. Que ça en soit donc un magnifique!

L'essentiel est
invisible pour les yeux

J'ai demandé qu'on laisse les lumières allumées parce que, ceux d'entre vous à qui j'ai parlé avant la conférence le savent, j'ai besoin de vos yeux, et aujourd'hui, pour quelque raison, plus que jamais. Vous formez un groupe énorme et je me sens une telle responsabilité que je veux donner tout ce que je suis.

J'aime toujours commencer en racontant une histoire différente sur mon nom et ceux qui me connaissent savent que j'en ai toujours une nouvelle. Cette fois elle est si énorme que vous ne la croirez pas! Je me trouvais une fois de plus en Asie. Il me fallait faire renouveler mon visa et pour ce faire, je devais passer de la Thaïlande au Cambodge. C'était à une époque très tendue parce que, pour une raison que je n'ai jamais tout à fait comprise, nous bombardions alors le Cambodge (c'est très moche, voyez-vous, d'être sur les ailes d'une bombe!). Quoi qu'il en soit, j'ai franchi la frontière et le douanier était très troublé parce qu'habituellement les touristes ne vont pas à cette petite ville que l'on appelle Poi Pet. Pour s'y rendre, on doit faire dix heures de train à partir de Bangkok et c'est un petit village situé en plein sur la frontière. J'ai montré mon passeport au douanier et il m'a regardé comme si j'étais vraiment un être étrange, puis il a ouvert mon passeport à la mauvaise page et m'a noté sur son registre officiel sous le nom de M. Cicatrice au-dessus de l'oeil droit!

Je suis vraiment chanceux d'avoir pu aller dans tant d'endroits du monde où j'entre en contact avec des choses merveilleusement intéressantes. Je vais maintenant partager avec vous une chose que j'ai remarquée partout dans notre pays. C'est quelque chose qui semble être en train de se produire dans nos esprits. J'ai découvert que trop d'entre nous se sont perdus dans une route "extérieure". J'entends par ce terme la frénésie avec laquelle nous accumulons les choses et ce qui nous pousse à vouloir être le plus riche, le plus grand et le meilleur. Maintenant nous avons la plupart des choses qu'il nous faut pour notre "confort" et cela ne nous a pas menés bien loin. Nous sommes fondamentalement encore très seuls, beaucoup d'entre nous sont complètement perdus et la plupart ne savent plus où ils en sont.

Il semble bien qu'il y ait un courant qui nous pousse à prendre une autre direction et c'est ce que j'appellerai: la route "intérieure". Et cela me stimule beaucoup parce que je réalise, pour avoir travaillé toute ma vie avec les enfants, que la seule chose de valeur que nous puissions donner à ces enfants c'est ce que nous *sommes* et non ce que nous avons. Trop souvent nous ne donnons que les choses extérieures. Mais nous avons appris, dans notre sagesse, en vieillissant, que ce ne sont pas les choses les plus importantes. Dans nos rapports avec les enfants, la chose la plus essentielle que nous ayons à leur donner, c'est *qui et quoi nous sommes*. Cela me ravit de voir des gens qui s'intéressent à découvrir ce que ça peut bien être. C'est pourquoi, quand on m'a demandé de parler ici ce soir, j'ai décidé de parler sur le thème suivant: *L'essentiel est invisible pour les yeux.*

Beaucoup d'entre vous se sont illuminés quand j'ai prononcé cette phrase parce que vous l'avez reconnue. C'est une citation d'un livre magnifique de Saint-Exupéry qui s'appelle *Le Petit Prince*. L'histoire tourne autour d'un petit garçon qui vit sur une étoile. Il n'y a rien ni personne sur son étoile excepté un grand baobab et deux ou trois volcans. C'est un petit garçon merveilleux, délicat et sensible. Par exemple, il aime les couchers de soleil parce qu'ils sont à la fois très beaux et un peu tristes. Sa planète est si petite que chaque fois qu'il déplace sa chaise il peut voir un autre coucher de soleil et ainsi il peut en voir jusqu'à quarante-quatre dans la même journée. Quel spectacle!

Un jour arrive une petite graine et il la regarde devenir une rose. Il la regarde intensément fleurir et devenir une fleur superbe.

Il n'a jamais vu une rose auparavant, mais en devenant magnifique, la fleur devient aussi très vaniteuse (comme il arrive parfois aux belles choses). Elle se bichonne et dit "Protège-moi du soleil", "Protège-moi du vent" et elle le rend littéralement fou au point qu'à la fin il décide qu'il ne la comprend pas du tout. Il la quitte et vole vers d'autres planètes pour trouver la sagesse en apprenant ce que sont l'amour, la vie et les gens. Et il rencontre des choses plutôt étranges.

Sur la terre entre autres, il rencontre un individu très sage, un renard et ce renard dit au petit prince: "Apprivoise-moi". Le petit prince répond: "Mais je ne sais pas ce que veut dire *apprivoiser*. Que veut dire *apprivoiser?*"Alors le renard lui explique qu'il s'agit de créer des relations avec les gens, de les toucher, de se soucier d'eux. C'est un grand morceau de sagesse sur lequel j'aimerais avoir le temps de m'attarder mais vous pouvez le lire vous-même. Le petit prince dit: "Si je t'apprivoise, souviens-toi que je ne pourrai pas rester très longtemps avec toi. Il faudra que je m'en aille bientôt." Et le renard répond: "Quand tu partiras, je serai très triste sans doute, je pleurerai." Le prince demande: "Mais pourquoi alors veux-tu que je t'apprivoise si cela doit te faire de la peine?" Et le renard répond: "C'est à cause de la couleur des champs de blé." Et comme le prince lui dit qu'il ne comprend pas, le renard explique:

...Je ne mange pas de pain. Le blé pour moi est inutile. Les champs de blé ne me rappellent rien. Et ça, c'est triste! Mais tu as des cheveux couleur d'or. Alors ce sera merveilleux quand tu m'auras apprivoisé! Le blé, qui est doré, me fera me souvenir de toi. Et j'aimerai le bruit du vent dans le blé...

Et ils entreprennent le rituel de l'apprivoisement, qui est le magnifique rite de se connaître l'un l'autre. J'aimerais vous lire un petit passage qui concerne ce que le renard dit finalement au petit prince après qu'ils soient devenus amis depuis longtemps et que finalement le prince doive partir...

Ainsi le petit prince apprivoisa le renard. Et quand l'heure du départ fut proche:

— Ah! dit le renard... Je pleurerai.

— C'est ta faute, dit le petit prince, je ne te souhaitais point de mal, mais tu as voulu que je t'apprivoise...

— Bien sûr, dit le renard.

— Mais tu vas pleurer! dit le petit prince.

— Bien sûr, dit le renard.

— Alors tu n'y gagnes rien!

— J'y gagne, dit le renard, à cause de la couleur du blé.

Puis il ajouta:

— Va revoir les roses. Tu comprendras que la tienne est unique au monde. Tu reviendras me dire adieu, et je te ferai cadeau d'un secret.

Le petit prince s'en fut revoir les roses:

— Vous n'êtes pas du tout semblables à ma rose, vous n'êtes rien encore, leur dit-il. Personne ne vous a apprivoisées et vous n'avez apprivoisé personne. Vous êtes comme était mon renard. Ce n'était qu'un renard semblable à cent mille autres. Mais j'en ai fait mon ami, et il est maintenant unique au monde.

Et les roses étaient bien gênées.

— Vous êtes belles, mais vous êtes vides, leur dit-il encore. On ne peut pas mourir pour vous. Bien sûr, ma rose à moi, un passant ordinaire croirait qu'elle vous ressemble. Mais à elle seule elle est plus importante que vous toutes, puisque c'est elle que j'ai arrosée. Puisque c'est elle que j'ai mise sous globe. Puisque c'est elle que j'ai abritée par le paravent. Puisque c'est elle dont j'ai tué les chenilles (sauf les deux ou trois pour les papillons). Puisque c'est elle que j'ai écoutée se plaindre, ou se vanter, ou même quelquefois se taire. Puisque c'est *ma* rose.

Et il revint vers le renard:

— Adieu, dit-il...

— Adieu, dit le renard. Voici mon secret. Il est très simple: On ne voit bien qu'avec le coeur. L'essentiel est invisible pour les yeux.

— L'essentiel est invisible pour les yeux, répéta le petit prince, afin de se souvenir.

L'essentiel est invisible pour les yeux...

Il y a plusieurs années, je suis allé en Cornouailles; j'ai acheté tous les livres saints sur lesquels j'ai pu mettre la main et je les ai emportés avec moi. J'ai passé des mois à les lire tous pour essayer de trouver des points communs et voici le point commun que j'ai trouvé: si vous ne regardez que l'extérieur de la vie et de l'homme, vous manquez ce qui est essentiel. Encore une fois, précisons: quand je parle d'un professeur, je ne parle pas seulement de quelqu'un qui possède un diplôme attestant qu'il a suivi une foule de cours ennuyeux. Je parle de parents, je parle de gardiens, je parle de la personne qui vend des crèmes glacées au coin de la rue. Tout le monde enseigne tout le temps et c'est pourquoi il est impératif que nous sachions tous, en tant que professeurs, ce qui est essentiel parce que ce n'est que lorsque nous savons collectivement ce qui est essentiel que nous pouvons savoir ce qui est possible. Et ce qu'il y a de merveilleux dans tout ça c'est que l'essentiel est si vaste et si riche alors que ce qui est visible à l'oeil est si limité et si petit.

Un de mes maîtres est Buckminster Fuller et ce petit vieillard était dans notre université récemment. Il est tout simplement spectaculaire! Il porte de grosses lunettes épaisses et un sonotone derrière chaque oreille, mais il est si plein de vie qu'avec un simple bout de craie et un tableau il peut tenir tout le monde en haleine pendant trois heures pleines. On se demande comment il fait. Et, tout récemment, lui aussi posait la question, comme le font tant d'autres grands hommes: Qu'est-ce qui est essentiel dans la personne humaine? Est-ce le corps? Est-ce l'esprit? Nos bras? Nos jambes? Nos doigts? Qu'est-ce qui est vraiment essentiel? Qui suis-je? Qui est le "moi de moi"?

Il a écrit un merveilleux article dans le *Saturday Review*, tellement typique de Buckminster Fuller, qui encore à soixante-dix-huit ans est terriblement intéressé par ce qui fait que l'être humain est unique et merveilleux. Il se demande pourquoi nous sommes tous si magiques, d'où vient que lorsqu'on commence vraiment à connaître l'homme, on ne peut s'empêcher de l'aimer parce qu'il est tellement unique, tellement différent. Si vous empêchez ne serait-ce qu'un homme d'entrer dans votre vie, vous ne retrouverez jamais ce qu'il y a d'unique dans aucun autre. Moi, par exemple, je vous veux dans ma vie parce que sans vous ma vie ne sera jamais complète. Mais c'est seulement quand vous aurez trouvé votre moi intime que vous aurez quelque chose à me donner, de même que je dois moi aussi trouver mon moi intime. Pourquoi est-ce que je lis? Pourquoi est-ce que je voyage? Pourquoi est-ce que j'écoute? Pourquoi est-ce que je me soucie des autres? Pour pouvoir recevoir de plus en plus de choses et les partager avec vous, c'est la seule raison pour laquelle je m'efforce d'acquérir tout ça.

Dans cet article donc, Buckminster Fuller, avec ses yeux qui dansent encore (soixante-dix-huit ans d'yeux qui dansent, quelle merveille!) écrit ceci, de sa façon si particulière:

> J'ai maintenant soixante-dix-huit ans et à cet âge, j'ai constaté que j'avais consommé plus de mille tonnes d'eau, de nourriture et d'air, dont la chimie a servi, en divers temps, pour mes cheveux, ma peau, ma chair, mes os, mon sang, etc. avant d'être épuisée. J'ai commencé par peser sept livres puis j'ai grimpé à soixante-dix, cent soixante-dix et même à deux cent sept livres. Puis j'ai perdu soixante-dix livres et je me suis dit: "Qui était dans ces soixante-dix livres? Parce que je suis toujours là." Les soixante-dix livres que j'avais perdues représentaient dix fois la somme de chair et d'os que je pesais en 1895.
>
> Je suis certain que je ne suis pas l'"avoir-du-poids" des repas que j'ai pris récemment et dont une partie va devenir mes cheveux, seulement pour se faire couper deux fois par mois. Ces soixante-dix livres perdues de chimie organique n'étaient manifestement pas "moi", comme ne sont pas non plus "moi" les atomes imbriqués qui restent actuellement. Nous avons fait une grave erreur en assimilant "moi" et "vous" à ces chimies transitoires et donc détectables par les sens... On a pesé beaucoup de mourants. Beaucoup de pauvres condamnés par le cancer ont accepté que l'on place leurs lits sur des balances. La seule différence de poids manifeste entre le poids d'avant la mort et celui d'après est celle qui provient de l'air évacué par les poumons et de l'urine rejetée. Quoi que soit la vie, elle ne pèse rien.

Puis il continue en parlant de nos esprits. Il dit que nos idées changent continuellement. L'esprit d'un enfant n'est pas celui d'un adulte. L'esprit que vous avez ce soir n'est pas celui que vous aurez la semaine prochaine ou dans quinze jours, alors manifestement ce n'est pas cet esprit changeant qui est essentiel. Quel est votre moi intime? Quel est ce quelque chose de merveilleux et de nébuleux qu'il dit éternel? Il termine son article de cette façon:

...l'humanité remplit une fonction essentielle dans l'univers, dans les cadres infiniment grands et infiniment petits du grand scénario, du grand dessein et de sa réalisation dans le temps. En nous s'éveille l'intuition de l'intégrité et de l'immortalité de l'individu. La conscience est finie mais le savoir est éternel. Le cerveau est provisoire mais l'esprit est éternel. Être conscient et appréhender la réalité sont provisoires et finis. Comprendre et savoir sont éternels. Les petits enfants savent cela intuitivement.

Ceux d'entre nous qui travaillent avec les enfants devraient être déterminés non seulement à trouver en eux-mêmes leur moi le plus intime de façon à pouvoir le partager avec ces enfants, mais aussi à aider les enfants, à les rendre libres pour qu'ils puissent découvrir leur moi intime en eux-mêmes, le développer, jouir de ses merveilles puis le partager avec les autres.

Ce n'est, par exemple, que lorsque vous aurez saisi ce qu'il y a d'essentiel en vous que vous pourrez décider ce qui est essentiel en vos enfants. Et la vérité est que trop souvent nous, les professionnels, nous avons tendance à voir les enfants comme la simple manifestation extérieure de leurs diverses composantes. Nous avons tendance à les morceler. Et nous avons tendance à nous voir aussi les uns les autres comme des bribes et des morceaux de *nous-mêmes* plutôt que comme un tout.

Cela m'intéresse toujours de voir comment nous considérons les enfants. J'ai été dans le domaine de l'éducation toute ma vie, aussi loin que je puisse me souvenir et j'ai constaté ceci: le pathologiste du langage voit l'enfant comme un zézaiement, un bégaiement ou un problème de langage; le thérapeute du comportement le voit comme un problème moteur; le psychologue scolaire le voit comme un problème d'apprentissage ou un problème émotionnel; le médecin comme un problème de muscle; le neurologue le voit comme un trouble du système nerveux central; le behavioriste comme une réaction à l'environnement; le conseiller en lecture le voit comme un problème de perception; l'administrateur scolaire comme un problème d'organisation; et le professeur le voit comme une énigme et souvent même comme un embêtement! Et voilà maman et papa qui tentent de le voir comme un tout intégré mais très vite nous les convainquons qu'il n'en est rien. Alors ils perdent de vue le potentiel de totalité merveilleuse qu'il représente et il devient, pour eux aussi, un "enfant à problèmes". C'est vraiment, selon moi, ne pas voir ce qui est essentiel.

Tous ces gens n'utilisent que leurs yeux pour tenter de voir ce qui est essentiel et l'oeil est l'organe le moins sûr, le moins constant et le plus partial de tout notre corps. Ils regardent l'enfant mais ils le manquent. Il est sûrement, ou plutôt peut-être, toutes les choses qu'ils voient en lui, mais il est fichtrement plus que cela! Ce qui est vraiment essentiel en lui est invisible pour les yeux.

À moins de faire bien attention, nous allons faire ce que dit Maslov et que je trouve délicieux: "Si le seul outil dont vous disposez est un marteau, vous aurez tendance à traiter toute chose comme si c'était un clou." Alors, si nous devons considérer l'enfant, il nous faudra le voir comme les innombrables choses, visibles et invisibles, qu'il est et il nous faudra un nombre considérable d'outils à cet usage. C'est toute l'excitation, le défi, *l'émerveillement* de travailler avec des êtres humains plutôt qu'avec des machines.

Quels sont quelques-uns des facteurs qui nous empêchent de voir ce qui est essentiel? D'abord, je crois, notre éducation — les choses que nous avons apprises, notre langage, nos perceptions, toutes les choses que notre système nerveux central a faites pour nous: notre esprit lorsqu'il s'est fixé. Tout récemment j'ai lu un ensemble très intéressant de livres sur la perception et j'en suis finalement venu à cette conclusion personnelle (dont je suis sûr qu'elle a déjà été écrite dans des milliers de textes différents) qu'en réalité la fonction du système nerveux central n'est pas de laisser *entrer* des choses, comme nous l'enseignons, mais plutôt de *faire écran*. On appelle cela "perception sélective". C'est pour cela que nous ne voyons qu'une petite fraction des choses qui forment notre environnement. Évidemment, nous avons besoin de cette capacité de faire écran aux stimuli superflus afin de pouvoir nous concentrer. Par exemple, il y a à l'instant même des tas de choses qui se passent dans cette salle. Et vous pouvez volontairement choisir de vous concentrer sur moi. C'est d'ailleurs très gentil à vous, parce qu'il est important que vous et moi communiquions. Alors vous n'entendez pas ceux qui toussent, vous n'entendez pas ceux qui rentrent dans la salle et vous n'entendez pas non plus l'estomac de votre voisin qui gargouille et dit: "J'ai faim, je voudrais bien qu'il accélère un peu." Vous n'entendez rien de cela parce que vous choisissez volontairement de vous concentrer sur moi et d'oublier tout le reste. Si vous ne le faisiez pas, vous pourriez vous laisser aller à la rêverie, penser à votre foyer et à ceux que vous aimez ou à ce qui vous chante. Des études récentes sur le LSD ont montré que les gens en prenaient sans avoir la moindre idée du mal que ça pouvait leur faire et n'étaient pas préparés à ce genre d'expérience qui ouvrait tous leurs sens et laissait tout entrer en même temps. Résultat: ils se retrouvaient dans un institut psychiatrique. Mais le système nerveux central, tel que nous l'avons éduqué, est là pour filtrer, pour sélectionner. Et ainsi notre perception est, incontestablement, très limitée.

Il se passe à l'instant même entre vous et moi bien plus que la vibration de l'air qui produit les mots que vous entendez. Je suis persuadé qu'un jour viendra où beaucoup d'entre nous seront tellement intéressés aux vibrations que moi ou un autre conférencier serons capables de venir devant vous et d'envoyer des vibrations qui vous feront sauter sur vos chaises! Les mots ne seront plus nécessaires et quel beau jour ce sera. Comme vous le savez, une des plus fortes barrières auxquelles nous ayons à faire face, c'est celle des mots. Cela me surprend toujours de voir que nous sommes le moindrement capables de communiquer. Si je prononçais le mot "amour" et que je vous demande de le définir, nous obtiendrions bien des définitions différentes. La même chose pour "foyer", "souci des autres", "peur", "émerveillement". Bon, alors, c'est comme ça, nos esprits sont très limités et ne sont que le réceptacle d'expériences préfiltrées.

Nous croyons vraiment que ce que nous percevons comme la réalité est tout ce qui existe. Mon Dieu!, peu importe où vous en êtes, vous ne faites que commencer! Vous ne faites que commencer à découvrir l'univers et vous-même. Dans les petits groupes consacrés à l'exploration de la sensibilité, vous pouvez découvrir, en un instant, que vous avez des sentiments dont vous n'auriez pu rêver: des capacités de percevoir, de sentir, de goûter, des choses merveilleuses qui étaient là depuis toujours mais qui n'avaient pas encore été découvertes. Mais encore faut-il les développer. Et ça ne se fait pas par un tour de magie; il faut les apprendre; il faut les *développer*. Mais dans notre univers ignorant et limité, nous pensons que ce que nous percevons comme la réalité est tout ce qui existe.

Je n'avais pas réalisé que je prenais les meilleures leçons de perception au monde avec papa. Je ramène toujours papa sur le tapis parce que c'était un homme étonnant. Il nous a appris, alors que nous étions encore enfants, à déguster le vin, c'est pas beau, ça? Et cela m'amuse toujours, au restaurant, tout particulièrement en Amérique quand le garçon arrive avec une bouteille et demande: "Voulez-vous goûter le vin, Monsieur?" Nous sommes tout embarrassés et nous disons: "Oui, merci." Alors le garçon verse un peu de vin dans notre verre. Nous le levons, prenons une gorgée, le reposons et disons: "Excellent!" Et ce pourrait tout aussi bien être du vinaigre!

Papa avait coutume de dire: "La dégustation du vin est une cérémonie, c'est presque un sacrement." Le vin fait appel à tous les sens. D'abord, levez-le dans la lumière. Regardez sa couleur. Des vins différents ont des couleurs différentes. Rendez le sommelier fou! Dites: "Oh, regardez cette couleur, n'est-elle pas superbe?" puis faites circuler la bouteille pour que chacun voie cette couleur. Les garçons sont tellement habitués à notre façon d'engloutir qu'ils n'attendent même plus à notre table pour verser le vin. Ils sont déjà de l'autre côté de la table avant que nous ayions vérifié si le vin est bon. Puis il y a le bouquet, oh, ma parole, l'odeur! Quand vous le faites tourner un peu et que vous l'approchez de votre nez, vous pénétrant du merveilleux arôme du raisin. Puis — pensez que vous l'avez fait tourner, que vous l'avez regardé, que vous l'avez senti — puis donc vient le moment d'y porter la langue, juste le bout parce que la langue est si sensible qu'elle a quelque chose à dire là et ensuite le vin va plus loin et voilà quelque chose d'encore différent à dire, le message est différent. Vous commencez par la langue. Puis vous le faites circuler en arrière de votre bouche. Ce n'est qu'alors que vous pourrez dire si le vin est bon ou non. C'est une expérience aux multiples facettes, une expérience extraordinaire.

Nous considérons aussi que notre ego est essentiel, ce moi que nous avons construit! Mais laissez-moi vous dire que *vous* n'avez pas construit votre moi. Quelqu'un l'a fait pour vous. Les gens vous ont dit qui être et qui ne pas être, comment bouger, quelle odeur avoir et comment faire la plupart des choses que vous faites. Mais comme c'est merveilleux de pouvoir se retirer et faire ce que disent les asiatiques: "Laisse ton ego sur la table." Sortez de vous-même et laissez ça là. Dites: "Attends-moi un peu." C'est la seule façon de laisser pénétrer de nouveaux messages. Le moi construit d'immenses murs autour de lui-même en guise d'*autoprotection*. Il appelle ces murs la réalité. Tout ce qui ne s'accorde pas avec ce que le moi enfermé perçoit comme la réalité, le mur ne le laisse pas entrer, de sorte que lorsque la nouvelle perception pénètre, elle est renvoyée où le moi voulait qu'elle soit. Et ainsi la plupart d'entre nous passent leur vie à ne voir que ce qu'ils *veulent* voir, à n'entendre que ce qu'ils *veulent* entendre, à ne sentir que ce qu'ils *veulent* sentir et tout le reste leur demeure tout à fait invisible. Et pourtant toutes les choses sont là. Tout ce qu'il nous suffit de faire pour les voir, c'est de les laisser pénétrer, de les toucher, de les goûter, de les mâcher, de les étreindre (ça, c'est ce qu'il y a de mieux), de les expérimenter telles qu'*elles* sont et non telles que *nous* sommes.

Et puis nous considérons nos addictions comme essentielles. J'appelle ça des "addictions" parce que nous sommes vraiment accrochés comme à des drogues à toutes sortes d'idées folles et que nous ne savons pas comment nous en libérer. Nous avons toutes sortes de notions étranges. J'étais assis un jour, seul, sur une plage près de La Paz et j'ai dressé la liste de toutes sortes d'addictions autodestructrices. Je suis humain et j'ai aussi mes addictions. Je suis loin d'être parfait. Je pleure, je me sens seul. Je suis stupéfait que les gens viennent m'écouter. Cela m'étonne toujours. On m'a dit que quelqu'un devait venir en avion du New Jersey et qu'il avait appelé pour demander: "Est-ce que Leo est là? Parce que s'il n'est pas là, je ne viens pas." Mon Dieu, quelle responsabilité! Qu'est-ce que je vais dire? Je crois que c'est pour ça que j'ai réécrit cette causerie pas moins de dix-sept fois!

Sur cette plage, donc, j'ai trouvé soixante-treize addictions autodestructrices. Je les appelle, comme Paul Reps, "l'arsenal de l'anti-moi". N'est-ce pas une bonne formule? Le "moi qui se détruit lui-même", ces idées folles qu'on nous a mises dans la tête et auxquelles nous croyons, nous parcourons la vie en essayant de recevoir des choses nouvelles mais ces idées ne les laissent pas pénétrer.

Et puis la pire chose de toutes celles qui nous empêchent de voir ce qui est essentiel, c'est l'*apathie*. "Je m'en fiche complètement." "Je suis très bien comme je suis." "Qui diable se soucie de ressentir des vibrations?" "Que Buscaglia s'arrange avec ses vibrations!" "Qu'est-ce ça peut faire?" "Une fleur est une fleur." "Un arbre est un arbre." "Qui diable voudrait voir quarante-quatre couchers de soleil?" Comme je l'ai écrit dans mon livre *Love* (L'amour), je pense vraiment que le contraire de l'amour n'est pas la haine, c'est l'indifférence. Je ferais n'importe quoi, et ça veut dire vraiment *n'importe quoi*, pour réveiller les indifférents, parce que l'indifférence est pire que la mort. Je peux m'accommoder de la haine, de la colère, du désespoir, je puis m'accommoder de quiconque éprouve quelque chose, mais je ne puis m'accommoder du *néant*. J'ai reçu l'autre jour une lettre vraiment dévastatrice qui disait: "J'ai entendu un enregistrement que vous avez fait où vous citiez *Palmiers sauvages* de Faulkner. Vous disiez "Si j'avais à choisir entre la douleur et rien, je choisirais la douleur." La lettre ajoutait: "Cela m'apparaît démentiel. Je choisirais n'importe quand rien plutôt que la douleur."

R.D. Laing, le psychiatre que je cite si souvent, a écrit: "Dès votre naissance vous êtes programmé pour devenir un être humain, mais un être humain toujours défini par votre culture, vos parents et vos éducateurs." Et ce qu'il y a d'horrible dans tout ça, c'est que nous nous accrochons à ce qu'on nous a appris et que nous assimilons ces choses apprises à *nous-mêmes*. Nous voici, nous-même, et sur ce moi nous empilons des milliers et des milliers de choses qui ne peuvent certes pas être nous mais appartiennent plutôt à nos familles, nos cultures, nos amis et ainsi de suite. Nous les prenons avec nous et elles deviennent nous-mêmes, nous serions prêts à mourir pour les défendre et nous devenons apathiques pour éviter d'avoir à affronter le défi que représente un nouveau moi.

Nous créons aussi des modèles de perfection. Nous passons nos vies à essayer de faire cadrer le monde extérieur avec l'idée que nous nous faisons de la perfection. Nous le faisons vraiment! Et quelle idée nous faisons-nous, par exemple, d'une journée parfaite? C'est une journée qui satisfait tous nos besoins, une journée qui va exactement comme *nous* le voulons. Et qu'est-ce qu'un jour sombre? Un jour sombre, c'est un jour qui ne se déroule pas exactement comme nous l'aurions voulu. Et bien, tant pis pour nous! C'est vraiment *dommage* que la journée ne se déroule pas comme nous l'aurions voulu. Mais la journée, elle, était parfaite, c'est *nous* qui jonglions avec la perfection.

Ces attentes se renforcent elles-mêmes. Elles barrent la route à toute possibilité de quelque chose de neuf qui ne correspondrait pas à nos addictions. J'ai vu ça se produire des millions de fois. Des familles travaillent jour et nuit pour construire une belle maison pour leurs enfants et elles ne permettent pas aux enfants d'y vivre: "Ne t'assieds pas sur le divan." "Ne joue pas dans le salon." "Enlève tes chaussures." "Pas dans cette pièce!" Des addictions qui disent que tout le monde devrait aller au collège et à l'université; et si vous n'y allez pas, c'est une déchéance. Alors nous forçons les gens à entrer dans cette machine et s'ils n'ont pas été détruits avant, ils le seront certainement après.

J'ai eu l'occasion de travailler de très près avec une famille et ce fut pour moi une expérience dévastatrice. Leur enfant de seize ans avait une grave difficulté d'apprentissage et ne savait pas lire mais c'était l'un des garçons les plus magnifiques que j'aie jamais connus. Il travaillait tous les jours. Physiquement, il était magnifique, il aimait les gens, il était en constant émerveillement devant le monde, pas le monde de ses parents, mais son merveilleux monde à *lui*. Et il essayait vraiment d'apprendre. Les éducateurs ne parvenaient pas à lui apprendre à lire, mais ses parents insistaient pour qu'il sache lire. Ils insistaient et insistaient et insistaient parce que c'était des drogués du fait que *tout le monde doit savoir lire*. Ils dédaignaient ce qui était essentiel pour lui et il est maintenant dans une institution psychiatrique. La question, c'est que notre esprit n'est vraiment rien d'autre qu'un instrument d'expérience et même si cet enfant avait satisfait chaque jour à une vingtaine des exigences dont nous sommes drogués, celle qu'il n'aurait pas rencontrée nous aurait hanté l'esprit, nous rendant malheureux. *C'est vraiment comme ça que nous fonctionnons!* Les gens peuvent nous dire à longueur de journée que nous sommes extraordinaires, merveilleux, que nous sommes dignes de toutes sortes de choses. Mais qu'arrive une seule personne qui nous dise qu'elle ne nous aime pas et nous voilà détruits!

Je lisais l'autre jour le livre d'Orenstein sur la conscience. Vous devriez le lire, c'est superbe. Il écrit notamment dans ce livre une chose très intéressante:

Nos sens nous limitent, notre système nerveux central nous limite, nos catégories personnelles et culturelles nous limitent, notre langage nous limite et outre toutes ces limitations, ces sélections, les lois de la science nous obligent à sélectionner encore davantage l'information que nous considérons comme vraie et cela aussi, ça limite.

Partout où nous nous tournons, des limites nous sont imposées. *Mais tout cela peut changer.* Vous pouvez changer votre programmation intérieure et c'est même une chose très facile à faire mais c'est *vous* qui devez en prendre la décision. Brusquement, dès maintenant, dites-vous: "Je vais me mettre à faire des expériences. Je vais me mettre à goûter à ma nourriture! À faire l'expérience des gens! À regarder le ciel, à renifler l'air, à sentir les choses! Pas seulement sauter dans le lit mais sentir les draps, sentir mon corps, prendre conscience des sentiments d'autrui, toucher mon voisin, prendre conscience de moi-même, de mes changements, de mon développement, de mon être." C'est un *scandale* qu'il y ait *tant* de choses et que nous nous contentions de si peu. Nous n'avons conscience que d'un si petit espace et nous nous contentons de croire qu'il n'y a que ça qui existe.

Et puis nous considérons que nos corps sont essentiels. Mon Dieu! Nous passons plus de temps à prendre soin de notre corps qu'à quoi que ce soit d'autre au monde! Nous nous levons le matin, nous prenons notre douche, nous aspergeons notre corps de divers aérosols, nous le coiffons, le bichonnons, le désodorisons et l'habillons. Une fois que nous avons fait ça, la journée finie, nous refaisons les mêmes choses à l'envers. C'est de la folie pure! Il fut un temps, avant d'aller en Asie, où j'étais vraiment ennuyé par ce corps qui me prenait tant de temps. J'ai un séminaire avec des étudiants splendides, nous nous asseyons, chez moi, pour parler et je leur ai dit un soir à quel point mon corps m'ennuyait. Certains d'entre eux en ont été très perturbés parce qu'ils pensaient que je voulais dire que j'allais le détruire. Jamais de la vie! Je m'aime bien! J'ai eu un professeur de yoga qui était une dame absolument phénoménale et elle me disait: "Hé là, pas si vite! Ce corps est votre véhicule. Si vous voulez être au bon endroit au bon moment et de la bonne façon, il vous faut le mettre en pleine forme. Il faut le respecter, parce que c'est le véhicule qui transporte ce qui est essentiel, du moins pour le moment." Alors brusquement j'ai éprouvé un sentiment renouvelé pour ma personne. Et maintenant je me bichonne même, à l'occasion! Paul Reps définit ça très bien quand il dit: "Autrefois l'homme gardait son esprit sur son travail et maintenant il le perd dans son miroir."

Non, ce ne sont pas nos corps qui sont essentiels. Ils sont certainement importants, nos idées et ce qui nous programme le sont certainement aussi. Où nous en sommes présentement, où que ce soit, c'est important. J'aime cette idée: où que vous en soyez, aimez ce point où vous êtes rendu parce que tout part de là. Vous devez commencer par dire: "Oui, je m'aime où j'en suis, avec toutes mes lubies et mes limites mais ça ne veut pas nécessairement dire que j'en serai encore là demain. Cela veut seulement dire que je m'aime où j'en suis maintenant." Vous ne pouvez avancer avant d'avoir formulé cela. Si je pouvais faire un voeu et que j'aie une baguette magique, je la promènerais au-dessus de la tête de tout le monde et je vous ferais dire, en y *croyant:* "Je m'aime quel que soit l'endroit où j'en suis rendu maintenant, à cet instant même. Je suis au poil."

En Asie, j'ai eu la chance d'étudier avec le Dr Wu, qui est un des plus grands spécialistes du Tao de Lao Tseu. Il m'a enseigné une chose merveilleuse qui m'a donné encore plus de respect pour les êtres humains. Ce lettré merveilleux, sage et doux, Lao Tseu, a dit que tout le monde est le parfait "ils". Nous sommes déjà parfaits. Le monde est déjà parfait. Mais nous essayons de bricoler dans la perfection et c'est là que sont tous nos problèmes. Comme ce serait merveilleux si nous pouvions accepter le fait que nous sommes notre moi parfait. C'est tellement logique, n'est-ce pas? Qui peut être un vous-même plus parfait que vous-même? Votre voisin? Et comment peut-on vous dire ce qu'est votre parfait vous-même? Il n'y a que vous qui puissiez savoir ce qu'est le parfait vous-même. Vous êtes le parfait vous-même et même le seul parfait vous-même qui passera par ici *dans toute l'histoire du monde!* Peut-être que d'autres tenteront de le rendre imparfait mais nous devons faire ce que recommande E.E. Cummings: livrer la bataille pour être soi à jamais parce que c'est toujours la plus grande bataille que nous aurons jamais à livrer et c'est aussi la seule bataille digne d'être livrée. Alors, comme je l'ai dit au début, <u>nous vivons un temps où les gens commencent à regarder en eux-mêmes et entreprennent d'aimer la perfection qui est déjà là, au coeur de leur moi véritable.</u>

Nous pensons aussi que ce qui est essentiel c'est notre incessante activité mentale et physique. Savez-vous comment j'appelle ça? De la statique! Vraiment, la plupart d'entre nous ne sont remplis que de statique. Paul Reps, dans son livre *Be* (être), écrit: "En pensant à cinq ou six choses à la fois, nous nous entraînons à rester tendus de façon chronique. Partout autour de nous nous trouvons cet entraînement à la tension. Nulle part il n'est question d'entraînement à l'aise et au bonheur. Pauvre homme, créé pour aimer toutes les créatures et qui ne s'aime même pas lui-même!"

Nous sommes constamment en train de faire la course, d'analyser. Nous sommes constamment en train de penser. Nous allons au lit la tête pleine de choses, sans aucun moyen de pouvoir les évacuer, ce qui fait que nous ne pouvons trouver le sommeil. C'est pourquoi on observe présentement une augmentation du nombre de gens qui tentent de diminuer cette statique en eux. Mais d'autres restent en retrait et les traitent d'idiots. Et pourtant il vaudrait mieux pour nous apprendre à faire le vide dans nos esprits ou nous allons devenir fous de statique. Vous ne pouvez passer vingt-quatre heures par jour à vous faire du souci à propos de Junior. De temps en temps, il vous faut bien laisser aller les choses. Et une chose merveilleuse se produit quand vous le faites. Ce n'est pas "rien" que vous trouvez en vous, mais plutôt "tout" et cette fois sans la moindre censure, à vous sans que vous ayiez à faire d'effort. C'est la plus unique des expériences.

Nous apprenons à laisser vagabonder notre esprit sans le perdre. Nous apprenons des choses comme la "suggestologie". Savez-vous que dans les pays du bloc communiste, il existe actuellement une nouvelle science (que nous découvrirons sans doute bientôt mais que, pour le moment, ils gardent comme une arme) par laquelle ils ont découvert qu'en faisant le vide dans les esprits un professeur peut y faire entrer la matière de tout un cours en deux ou trois semaines seulement?

Alors que j'étais en Asie, j'ai vécu une très heureuse expérience dans un monastère. La première chose qu'on m'a apprise c'est le non-esprit zen. Qu'est-ce que le non-esprit zen? C'est une situation que vous apprenez à vivre: on peut vous mettre dans une pièce absolument dépourvue de tout stimulus extérieur, une pièce sombre. Et vous restez là, seul avec vous-même. On vous amène à manger, à peine de quoi vous maintenir en vie. Vous vivez dans l'obscurité totale. Vous n'avez pas de livre à lire, pas de télévision à regarder, personne à qui parler, vous n'avez que vous-même. Quelle joie de ne vous retrouver qu'avec vous-même, pour une fois, et de voir ce qui se produit. Et savez-vous quelles furent mes premières impressions? Je me suis mis à penser: "Il ne faut pas que j'arrête de penser. Il faut que je m'accroche à ma statique. Il faut que je me dise: c'est là qu'est tout." Alors, je n'ai pas cessé de me parler à moi-même, littéralement, assis là à dire des choses comme: "Une poule sur un mur" parce que je pensais que si je laissais fuir le langage, je perdrais littéralement l'esprit.

Plusieurs livres saints disent, et c'est à méditer: "Pour te trouver toi-même, tu dois te perdre." Et quelle joie ce fut, après un certain temps, quand je laissai filer mon esprit, pensant: "Au diable, tout ça!" et me contentai de rester assis là en laissant tout se produire. Comme ce fut merveilleux de rester tranquille, de sortir de ma tête pour un temps, de reposer mon esprit fatigué, de connaître un moment de paix. Essayez ça, vous verrez! Ils m'ont enseigné une merveilleuse technique que vous pourriez essayer un peu de temps en temps. Ils disent ceci: "Médite sur le bout de ton nez. Ferme les yeux. Concentre ton esprit et toutes tes énergies sur le bout de ton nez. Vide ton esprit de tout le reste. Puis laisse tomber le bout de ton nez!" N'est-ce pas magique? Essayez ça un soir avant d'aller au lit et vous vous endormirez sur le champ. Et, de toute façon, cette perpétuelle statique que vous croyez essentielle est une pure baliverne! Laissez-la filer et peut-être alors serez-vous surpris du nombre de choses nouvelles qui viennent à vous.

J'ai aussi découvert un livre merveilleux appelé *La Kabbale*. C'est un extraordinaire livre saint mystique des Hébreux. Il enseigne quelque chose qui m'a vraiment stimulé et que je veux partager avec vous. Voici:

L'homme doit voir que rien n'est vraiment, mais que tout est toujours en train de devenir et de changer. Rien ne reste immobile. Tout naît, croît et meurt. Au moment même où une chose atteint sa plus grande dimension, elle commence à décliner. La loi du rythme agit constamment. Il n'y a pas de réalité. Il n'y a, dans nulle chose, de qualité qui dure, de fixité ou de substance. Rien n'est permanent que le changement. L'homme doit voir que toutes choses naissent d'autres choses et le renvoient vers d'autres choses, action ou réaction constante, apparition ou disparition, construction ou anéantissement, création ou destruction, naissance et croissance et mort. Rien n'est réel et rien ne dure que le changement.

Pour pouvoir accepter ça, nous devons laisser la statique derrière nous. Nous devons nous perdre pour nous trouver. Nous devons perdre notre esprit pour le trouver.

Nous considérons aussi que nos besoins de sécurité sont essentiels. Oh, ça, c'est une chose importante dans notre culture: les nombreux besoins de sécurité que nous considérons comme essentiels. Nous apprenons ces addictions de d'autres adultes qui sont eux-mêmes accrochés à ces besoins de sécurité. Nous pensons qu'il est nécessaire d'accumuler des choses. Collectionner les gens influents est nécessaire. Avoir des buts nous donne un sentiment de sécurité. L'argent, beaucoup d'argent, également.

J'ai vécu une expérience très intéressante avant de partir pour l'Asie. Ma maison a été cambriolée trois fois en deux mois. La première fois que c'est arrivé, j'ai appelé la police et un policier est venu regarder partout. Nous avons vérifié tout ce qui avait été emporté et j'ai dit: "Et bien, peut-être après tout que les voleurs en avaient plus besoin que moi." Cela l'a rendu furieux et il m'a dit: "Vous êtes un danger public, si vous pensez ça!" Alors je ne l'ai plus jamais dit. Puis, deux semaines plus tard, rentrant chez moi, j'ai constaté que j'avais encore été cambriolé. Et puis, trois ou quatre semaines plus tard, j'ai été cambriolé *encore*. Je me suis assis au milieu du salon et j'ai pensé: "Et bien, à chaque fois ils viennent prendre quelque chose et j'en ai de moins en moins à voler à chaque fois. Peut-être que quand ils auront tout pris, il ne restera plus rien à voler et j'aurai ainsi, à moi tout seul, mis un terme à la criminalité."

Et l'argent... La première fois que je suis allé en Asie, alors que j'écrivais *The Way of the Bull* (À la façon du Taureau), je vivais avec trente-cinq cents par jour. Et la dernière fois que j'y suis allé, j'ai vécu avec vingt dollars par jour! Et, voyez-vous, je ne me suis pas plus amusé. J'ai simplement engraissé. L'argent n'est pas nécessaire. C'est *agréable* mais ce n'est pas *nécessaire*. La seule sécurité qu'il puisse y avoir, c'est *vous*. C'est tout. Chaque jour l'argent perd de sa valeur. Tout le monde se rue sur l'or. Mais les bouddhistes disent une fois de plus quelque chose d'intéressant: "Nous nous réveillons anges mais nous nous couchons démons, parce que tout le jour nous avons poursuivi la sécurité." Nous poussons, nous tirons parce que nous croyons qu'il le faut, parce que nous craignons ou oublions de nous arrêter un peu pour considérer ce qui est vraiment essentiel et ce qui importe vraiment. La sécurité est en vous-même. *Vous* êtes votre seule sécurité.

Nous considérons aussi la satisfaction de nos sens comme essentielle. Plus vous en avez, plus il vous en faut. Nous n'avons jamais assez d'une bonne chose. Nous n'obtenons jamais assez d'attention, jamais assez de protection. La recherche de la satisfaction de ces besoins nous tient perpétuellement occupés. Mais, peu importe tout ce que vous pouvez recevoir, vous n'en aurez jamais assez jusqu'à ce que *vous* en ayez assez.

Nous cherchons constamment du bon temps. Nous ne voulons pas souffrir. Et bien, savez-vous qu'il y en a gros à apprendre de la souffrance? Bien sûr, je préfère apprendre et enseigner dans la joie mais nier qu'il y ait quelque valeur dans la souffrance est une grave erreur. Ne vous accrochez pas à la souffrance, ne la souhaitez pas. Mais faites-en l'expérience, prenez-la dans vos mains, puis laissez-la aller. Mais faites-en l'expérience parce qu'elle peut vous apprendre toutes sortes de choses. Souffrir sans apprendre quelque chose de la souffrance est une stupidité absolue. La vie est vraiment, pour la plupart d'entre nous, la recherche éperdue d'un tranquille état homéostatique. C'est merveilleux pour nous d'éprouver des hauts et nous devrions en vivre autant que nous le pouvons. Construisez vos hauts, vivez-en plus, plus et plus encore, en termes de potentiel,

109

et alors même vos bas ne seront que des bas hauts et ils seront plus faciles à accepter et à laisser passer!

Alors, qu'est-ce que nous ne sommes pas? Nous ne sommes pas notre statique mentale. Nous ne sommes pas nos corps. Nous ne sommes pas ce qui nous programme. Nous ne sommes pas notre éducation. Nous ne sommes pas notre esprit actuel. Nous ne sommes pas notre moi physique. Nous ne sommes pas nos sensations. Nous ne sommes pas nos perceptions. Nous ne sommes pas notre puissance. Nous ne sommes pas nos sentiments actuels. Nous ne sommes pas nos réactions actuelles. Nous sommes, en partie, toutes ces choses là mais nous en sommes bien d'autres! Mais si vous restez accroché à ces choses, vous resterez avec elles pour toujours. Prenez conscience que ces choses peuvent bien être vous *maintenant* mais qu'elles ne sont qu'une petite partie de ce que vous *pouvez être*. En vous, il y a plus de choses encore non réalisées que de choses réalisées. En fait, ce qui est réalisé est infime par rapport à ce qui n'est pas encore réalisé.

J'ai un autre héros, Dag Hammarskjold. Il a dit quelque chose qui colle très bien avec tout ça:

À chaque instant on se choisit soi-même, mais est-ce bien *son* soi-même que l'on choisit? Le corps et l'âme contiennent mille possibilités dont vous pouvez faire bien des "je". Mais ce n'est que dans un seul de tous ces "je" qu'il y a accord parfait entre celui qui choisit et celui qui est choisi, il n'y en a qu'un que vous ne trouverez jamais à moins d'avoir écarté les sentiments superficiels et les possibilités d'être et de faire avec lesquelles vous jouez, par curiosité ou avidité et qui vous empêchent de jeter l'ancre dans l'expérience du mystère de la vie et dans la conscience du talent qui vous est confié et de cette merveille qu'est le moi qui est vraiment votre "moi".

C'était dans son livre magique intitulé *Markings* (Repères).

Mais comment prendre contact avec nous-même? Règle numéro un: en devenant *conscient*. N'est-ce pas que c'est un beau mot: conscient? Cela semble vous toucher juste à l'endroit où ça compte, pas vrai? Être conscient. Être conscient de tout. Être conscient de la vie. Être conscient de la croissance, de la mort, de la beauté, des gens, des fleurs, des arbres. Ouvrir son esprit et commencer à voir et à sentir! Commencer à expérimenter et ne pas en avoir honte! Touchez, sentez, mâchouillez comme vous ne l'avez jamais fait auparavant. N'arrêtez pas de grandir. N'arrêtez pas de grandir sans cesse. À chaque instant où vous grandissez, vous changez. Ouvrez votre esprit, ouvrez votre coeur, ouvrez vos bras, laissez tout rentrer. Vous pouvez continuer de prendre et de prendre et de prendre encore et ce qui est ne s'épuise jamais. Il y en a toujours plus. Plus vous voyez de choses dans un arbre, plus il y en a à voir. Vous écoutez une sonate de Beethoven et elle vous mène à l'infini. Prenez un livre de poésie et il vous mène à la beauté. Vous aimez quelqu'un et cet amour vous mène à des centaines d'autres personnes. N'arrêtez pas de grandir.

Trouvez des alternatives. Les cadres dans lesquels vous êtes ne sont qu'une possibilité parmi d'autres. Il y a des milliers de possibilités pour toute chose. J'utilise toujours l'exemple de la jeune femme qui attend un coup de téléphone de Buster. Elle attend. Il a dit qu'il allait appeler à quatre heures, et son coeur commence à être prêt à le recevoir dès une heure, et elle attend et elle demande à toutes les amies qui logent avec elle dans la résidence des étudiants de ne pas utiliser le téléphone. Elle attend et attend et finalement il est quatre heures et le téléphone ne sonne pas. Et elle continue à attendre et à quatre heures et demie, le téléphone n'a toujours pas sonné, à cinq heures non plus et à six heures pas davantage et lorsque arrive neuf heures elle est brisée. Elle va dans la salle de bains et s'ouvre les veines. Pourquoi? Parce qu'elle a pensé que c'était la seule alternative. Je commence à croire que peut-être l'individu vraiment sain mentalement, c'est celui qui a le plus d'alternatives, le plus d'alternatives viables. Une personne qui peut dire: "Si cela ne se produit pas, quoi d'autre et quoi d'autre et encore quoi d'autre est possible?"

Par exemple, revenons à la jeune femme de mon exemple. Qu'aurait-elle pu faire d'autre? Soyez imaginatifs. Qu'aurait-elle pu faire plutôt que de s'ouvrir les veines? Quoi? Mais oui! Elle aurait pu l'appeler, *lui*! Et comment! Elle aurait pu dire: "Qu'est-ce qui t'arrive, Buster? Tu t'es cassé un doigt?" Et qu'est-ce qu'elle aurait pu faire d'autre encore? Allez-y! Quelque chose de plus sain! Quoi d'*autre*? Oui! Elle aurait pu se faire une pizza, prendre une douche froide, elle aurait pu m'appeler, moi! Comme c'est triste qu'elle ait pensé qu'elle n'avait qu'une seule alternative. Non seulement y a-t-il un million d'alternatives, mais il y en a même dont personne n'a encore rêvé.

Les dichotomies: bon, mauvais, juste, faux — quelle foutaise! — normal, anormal; il n'existe que des degrés, des possibilités et de la créativité. J'ai actuellement dans mon cours une jeune fille aveugle qui est bien plus normale que moi. Elle voit, définitivement. Elle me dit: "Il est tout aussi normal pour moi d'être aveugle qu'il l'est pour vous de voir." Qu'est-ce qui est normal? Qu'est-ce qui est juste? Qu'est-ce qui est faux? Tant que vous êtes libre, vous êtes libre de choisir diverses alternatives, à condition que vous soyez prêt à accepter la responsabilité d'être libre. Et après avoir essayé vos alternatives, si elles ne marchent pas comme vous auriez voulu, ne venez pas me blâmer. Blâmez votre choix. Et essayez une autre alternative.

C'est vous qui prenez la décision, vous qui prenez vos pinceaux, qui choisissez vos couleurs, vous qui peignez votre paradis et vous qui y vivez. Ou peignez l'enfer si ça vous chante, mais ne venez pas m'en blâmer. Il n'y a que vous qui puissiez être tenu responsable si vous ne vivez pas. Oubliez ce qui *a été*. Accrochez-vous à ce qui *est*! Le moment qui passe y veillera. La vie n'est pas un phénomène isolé mais fait partie de l'expérience générale, qui constamment influence et est influencée par chaque nouvel instant. Vous n'aimez pas l'endroit où vous êtes? Et bien changez! Soyez quelqu'un d'*autre*. Faites ce que *vous* voulez, pour une fois, et apprenez de ce qui alors se produit.

Et autre chose encore: n'évitez pas les états négatifs. Les états négatifs peuvent vous en apprendre beaucoup. N'évitez pas les gens qui créent des états négatifs en vous. Nous avons tendance dans ces cas-là, à tourner le dos et à nous éloigner mais ils vont vous forcer à vous réévaluer et à vous voir sous un nouveau jour. Ce n'est pas Sally qui vous perturbe. C'est vous-même. Elle vous met dans un état négatif parce qu'elle ne satisfait pas vos attentes. Et bien, tant pis pour vous! La cause de vos ennuis, ce n'est pas Sally, c'est vous. Apprenez de vos états négatifs.

Il y a une autre chose que j'ai apprise en Asie et que j'aimerais vous donner. Cela pourra paraître plutôt fou à certains, et si c'est le cas pour vous, laissez tomber: débarrassez-vous des *attentes*. Bouddha a dit un jour une chose magique. Il avait une façon bien à lui de dire des tas de choses magiques très simplement. Il a dit: "Quand vous cessez d'attendre, vous avez tout." C'est merveilleux. "Quand vous cessez d'attendre, vous avez tout." Si vous allez faisant ce que vous voulez sans attendre quoi que ce soit en retour, alors vous avez déjà tout ce qu'il vous faut. Et si l'on vous donne quelque chose en retour, ouvrez grand les bras pour le prendre. Mais cela devrait toujours venir comme une surprise. Mais si vous attendez une réaction et qu'elle vienne, quel ennui! Cessez d'attendre et vous avez tout. Prenez ce que les gens vous donnent. Si vous l'appréciez, étreignez-le, embrassez-le, prenez-le dans la joie mais ne l'*attendez* pas. Si vous voulez souffrir, promenez-vous avec vos attentes. Les gens ne sont pas là pour combler vos attentes.

Finalement, tout ce dont vous avez vraiment besoin est déjà en vous. Tout ce que vous avez à faire, c'est de le réaliser et de le reconnaître. Vous êtes votre parfait vous-même. Et faire joujou avec la perfection, c'est courtiser la peine. Croissez dans votre perfection.

Je voudrais terminer sur une citation de la traduction que Bynner a faite de *La voie* de Lao Tseu. Ce livre résume tout ce dont je vous ai parlé mais de façon bien plus belle. N'est-ce pas étonnant que tous les livres de sagesse soient toujours si petits? Il m'aura fallu une heure et quinze minutes pour dire ce que Lao Tseu dit en cinquante mots:

L'existence défie le pouvoir de définition des mots. On peut proposer des termes mais aucun n'est absolu. Au commencement du ciel et de la terre, il n'y avait pas de mots. Les mots viennent du sein de la matière. Et qu'un homme voie sans passion le coeur de la vie ou qu'il voie avec passion sa surface, coeur et surface sont la même chose, les mots seuls les font paraître différents seulement pour pouvoir exprimer l'apparence. S'il est besoin d'un nom, que ce nom soit merveille et ainsi, de merveille en merveille s'ouvre l'existence.

S'il est besoin d'un nom, qu'il soit merveille. De merveille en merveille s'ouvre l'existence.

Le vous de vous est sans bornes. Les enfants avec lesquels nous travaillons, peu importe l'étiquette dont nous les affublons, leur *être* essentiel, qui est immortel, est sans limites. Ceux d'entre vous qui ont travaillé avec des enfants savent très bien qu'ils ont un poten-

113

tiel illimité, peu importe ce qu'ils ont déjà réalisé. Tout ce que nous avons à faire c'est de leur rendre possible la reconnaissance, à *leur* façon, de ce potentiel et être là pour les aider quand ils ont besoin d'aide, de support, d'encouragement. "Et si le nom est merveille", ils vont tous réussir.

Des ponts,
pas des barrières

Je suis terriblement excité — et je pense que vous l'êtes probablement vous aussi — par le thème de ce colloque: "Des ponts vers demain." Depuis que je suis enfant, j'ai toujours été fasciné par les ponts, alors, quand on m'a communiqué le thème pour la première fois, j'ai sorti immédiatement mon dictionnaire et voici ce qu'il disait: "Quelque chose qui passe par-dessus un fossé; un chemin au-dessus d'une dépression ou d'un obstacle." Et j'ai pensé que c'était merveilleux parce que, durant les quatre ou cinq dernières années, j'ai vraiment tenté de me consacrer à combler les fossés, à bâtir des chemins au-dessus des dépressions, à surmonter les obstacles et à rendre la vie plus facile aux gens qui font partie de mon univers.

J'aime demander des définitions aux enfants. Ils donnent les réponses les plus superbes. Si vous voulez éprouver beaucoup de joie, demandez à un enfant: "Que veut dire telle et telle chose?" Ma nièce de cinq ans commence à déchiffrer le monde. Elle touche à tout, goûte à tout: c'est une chose merveilleuse à contempler. Et je lui ai demandé: "Qu'est-ce qu'un pont?" Elle a réfléchi longtemps et a fini par dire: "Un pont, c'est quand le sol s'écroule sous vos pieds et que vous construisez quelque chose pour joindre les deux bords de la crevasse."

Ne serait-ce pas merveilleux de pouvoir entrer dans l'idée de la construction de ponts vers demain et de consacrer ce colloque à joindre les crevasses, combler les fossés, faire des ponts, surmonter les obstacles? Nous passerions deux ou trois jours vraiment merveilleux! Mais cela veut dire qu'il vous faudra vraiment creuser en vous-même, chacun d'entre vous. Le groupe peut sans doute le faire, mais tout commence par l'individu. Avant de pouvoir le faire comme groupe, nous devons partir de quelque chose et j'ai le sentiment que le premier pont qu'il faille construire c'est celui qui mène à vous-même.

Cela me préoccupe de voir le peu de respect et de confiance en nous que nous avons appris. Beaucoup d'entre vous savent que depuis quelque onze années, je donne un cours sur l'amour. N'est-ce pas dément? L'amour, IA! Depuis les premières années, j'ai maintenant donné IB, IC, ID et IE. Je me sentirai peut-être rendu quelque part quand j'aborderai l'amour, IZ. Dans ce cours, j'ai déjà demandé à mes étudiants qui ils choisiraient d'être s'ils pouvaient être n'importe qui au monde et où ils choisiraient de vivre s'ils pouvaient vivre n'importe où au monde. De façon étonnante, dans ce groupe de gens merveilleux et sensibles, quatre-vingt pour cent ou plus ont répondu qu'ils aimeraient être quelqu'un d'autre et vivre ailleurs. J'ai demandé qui ils aimeraient être et ils ont répondu Jackie Onassis! Il n'y a rien de mal dans Jackie Onassis et, de fait, si nous voulions nous attarder à penser à Jackie Onassis, nous découvririons sans doute qu'elle est, incontestablement, la meilleure Jackie Onassis possible. Mais si *vous*, vous essayez d'être Jackie Onassis, vous allez échouer. Et ça vous fera une belle jambe!

Et les garçons voulaient être Burt Reynolds! Mais il suffit d'un seul Burt Reynolds. C'est merveilleux que Burt Reynolds soit Burt Reynolds. Je suis content qu'il existe; je suis content que Jackie Onassis existe; mais je suis aussi content que *vous* existiez. Il est essentiel que vous puissiez atteindre le point où vous pourrez vous planter devant votre miroir et dire: "Miroir, miroir, là sur le mur, quelle est la personne la plus incroyable au monde?" et le croire vraiment quand le miroir répondra: "C'est toi, vieille branche!" Vous n'êtes peut-être pas aussi grand que vous le souhaiteriez ou peut-être vos cuisses sont-elles un peu grosses à votre goût, mais vous êtes ce que vous avez de mieux! Et quand vous avez pris conscience de ça, vous êtes bien parti. Personne ne peut vous retenir.

Il n'y a vraiment pas beaucoup d'écoles du respect de soi. Il n'y a pas beaucoup de modèles qui puissent déclarer: "Je m'aime vrai-

116

ment. Et je n'aime pas seulement ce que je suis, mais j'aime aussi la magie et le potentiel qui est en moi." Parce que, voyez-vous, vous n'êtes pas seulement ce que vous êtes actuellement; vous êtes infiniment plus en puissance. Il y a tellement plus de vous possibles. Il nous faut dire de quelque façon aux enfants: "Il y a plus en toi qu'un simple lecteur, plus qu'un simple récepteur. Tu es illimité." Nous avons besoin, pour enseigner cela, des gens qui le croient eux-mêmes. Sinon, c'est une escroquerie et ça ne marchera pas.

Un des moments les plus incroyables de ma carrière de professeur a été ma première année d'enseignement à l'université de la Californie du Sud. Avant cela je n'avais jamais enseigné à l'université. J'avais enseigné à l'élémentaire et au secondaire et j'avais adoré ça mais après j'étais allé passer deux ans en Asie. À mon retour, j'ai décidé de m'essayer un peu au niveau universitaire. Quand je me suis retrouvé pour la première fois devant cette grande classe, à l'université, j'ai découvert que nous avions créé une bande d'apathiques, des gens qui étaient tellement malades d'apprendre que lorsque vous entriez dans la salle de cours plein d'enthousiasme à propos de ce que vous aviez à partager, vous ne rencontriez que le haut de leur tête, vous ne trouviez que des gens qui notaient automatiquement tout ce que vous disiez. Avec la crainte qu'il puisse y avoir une question piège à l'examen. Parfois je suis obligé de dire: "Posez donc vos maudits crayons et écoutez-moi!" (Je suis vraiment un professeur non directif; on m'a vu lancer des oranges à la tête de mes étudiants. Il faut bien les réveiller d'une façon ou d'une autre!)

Beaucoup d'entre vous savent que j'ai la manie de regarder les gens dans le blanc des yeux; ce n'est pas très bien vu dans notre culture. Vous regardez quelqu'un droit dans les yeux et aussitôt vous y voyez apparaître une expression qui veut dire: "Mais qu'est-ce qu'*il* veut?" Je ne veux rien. Je veux seulement établir un contact humain. Il ne faut pas avoir peur de moi. Je ne fais que caresser et étreindre. Essayez-moi un peu. Lorsque quelqu'un a peur de parler en public, je lui suggère de prendre le temps de se trouver dans la salle ce que j'appelle des "yeux gentils". Vous seriez surpris du nombre d'yeux gentils qu'il y a dans une salle et quand vous en avez trouvé une paire, accrochez-vous à eux parce que s'il vous arrive de dire quelque chose de stupide, si votre syntaxe fait des folies, vous pourrez regarder dans ces yeux et ils vous diront: "T'en fais pas, mon vieux, continue." La première chose que j'ai faite dans ma salle de cours à l'université, ça a été de chercher des yeux gentils et je n'en ai pas trouvé beaucoup. Des sommets de crânes, ça oui! Des crayons qui bougeaient, ça aussi! Mais des yeux, non! J'ai finalement réussi à trouver une paire d'yeux magnifiques qui appartenaient à une jeune fille assise à environ cinq rangs de moi et j'ai su tout de suite que c'était mon genre d'yeux, parce qu'elle réagissait à tout ce que je disais. Je savais que j'étais en train de communiquer au moins avec une personne et que c'était un début. J'ai adoré cette jeune fille.

J'ai dans mon cours des tas de choses que j'appelle "volontairement obligatoires". Une des choses volontairement obligatoires est que chaque étudiant vienne me voir au moins une fois dans mon bureau. Je ne peux pas enseigner à des corps. Je ne peux communiquer qu'avec des êtres humains. Alors je leur dis: "Entrez, asseyez-vous en face de moi. Je ne vais pas vous parler des textes du cours. Nous pourrons faire ça une autre fois. Je veux simplement savoir quand vous avez vu une licorne pour la dernière fois et si vous croyez encore à la forêt primitive. Et quand vous viendrez me voir, je vais vous *toucher* et si ça vous gêne, *prenez votre tranquillisant*." C'est étonnant le nombre de gens qui sont intimidés par quelqu'un qui dit: "Je veux vous toucher." J'ai été élevé dans une grande famille italienne, comme la plupart d'entre vous le savent, et, dans ce genre de famille, tout le monde étreint tout le monde à tout bout de champ. Pendant les vacances, toute la famille se réunit et ça prend quarante-cinq minutes rien que pour dire bonjour et quarante-cinq minutes rien que pour dire au revoir. Les bébés, les parents, les chiens, tout le monde a droit à une marque d'amour! Et c'est pour cela que je n'ai jamais souffert du mal existentiel qui consiste à douter de son être. Si quelqu'un peut vous prendre dans ses bras sans passer à travers vous, c'est que vous existez. Essayez ça une fois.

Il y a environ deux ans, une jeune femme est entrée dans mon bureau et j'ai su immédiatement que quelque chose n'allait pas. Ses yeux étaient comme vitreux et sa tête dodelinait. Je lui ai demandé: "Qu'est-ce qui ne va pas?" Et elle a répondu: "Oh, Dr Buscaglia, c'est que pour trouver assez de courage pour venir vous voir, j'ai dû

avaler toute une bouteille de vin! Je pense que je vais être malade!''
Imaginez un peu, avoir besoin d'avaler toute une bouteille de vin
pour amasser assez de courage pour venir me voir, *moi*. Tout ce que
je fais, c'est tendre les mains et dire: ''Salut.'' Je prends leurs mains
dans les miennes et je les fais entrer dans mon bureau et je peux voir
un air de panique sur leurs visages: ''Que va-t-il me faire?'' Je ne
vais rien vous faire! Je veux simplement que vous sachiez qu'il m'arrive, à moi aussi, de pleurer, de sentir, de me préoccuper des
autres. Et, moi non plus, je ne sais pas tout. Alors, nous pouvons
partir sur le même pied: d'être humain à être humain. Si quelqu'un
essaie de jouer à *Suivez le gourou* avec moi, il va se perdre parce
qu'il découvrira que je suis tout aussi mêlé que lui. La différence
entre nous, c'est peut-être que moi je le *sais*. Un maître bouddhiste
m'a dit un jour: ''Pourquoi ne cesses-tu de bouger? Tu es déjà là.''
Et brusquement, ça m'a frappé: Dieu du ciel, mais j'existe!

Ce sera une extraordinaire prise de conscience le jour où vous
réaliserez que vous êtes unique au monde. Il n'y a pas d'accident.
Vous représentez une combinaison unique réalisée dans un but bien
particulier; et ne vous laissez pas dire le contraire, même si l'on vous
dit que ce but est une illusion. (Vivez donc vos illusions, s'il le faut.)
Vous représentez cette combinaison afin de pouvoir faire ce qu'il est
essentiel que vous fassiez. N'allez jamais croire que vous n'avez rien
à apporter. Le monde est une incroyable tapisserie inachevée et il
n'y a que vous qui puissiez remplir ce petit espace qui vous revient.

''Oh, mon Dieu, toucher à la mort pour s'apercevoir seulement que l'on n'a jamais vécu'' écrit Thoreau. Vous n'avez jamais
rien fait. Vous n'avez jamais ressenti intensément. Vous n'avez
jamais ri. Vous n'avez jamais pleuré. Vous n'avez jamais éprouvé de
désespoir. Refusez toutes ces choses, repoussez-les et vivez dans un
pays de jamais-jamais qui n'existe pas, et c'est ça l'illusion. Mais
vous êtes le meilleur vous qui soit. Vous êtes le *seul* vous qui soit.
Vous avez quelque chose à donner. Donnez-le! Une des raisons
pour lesquelles j'aime cette association, c'est qu'elle est formée de
tant de parents qui se sentent concernés. Mais cela me fait peur
quand j'entends un parent dire: ''Je ne suis *qu'*un parent.'' Qu'est-ce
que ça veut dire? En tant que parents, vous rendez toutes choses
possibles. C'est ça que vous êtes. Enseignez-nous parce que vous,
vous savez.

Célébrez votre humanité. Célébrez votre folie. Célébrez vos incompétences. Célébrez votre solitude. Mais d'abord célébrez-vous vous-même. Je ne veux être rien d'autre que ce que je suis, c'est-à-dire un être humain. J'aime vraiment ça, être humain. Et ça veut dire oublier, se cogner la tête contre les murs, se tromper de pièce, descendre de l'ascenseur au mauvais étage. Les portes s'ouvrent, je descends et je découvre que je suis au sixième étage au lieu du troisième, je dis "Oh!" et je pense "Tu t'es encore trompé, vieille branche!" C'est tout simplement épatant d'être humain. La nuit dernière, je suis allé à un cocktail très élégant et là quelqu'un m'a tendu un verre de vin rouge d'une superbe couleur rubis. Je suis un fanatique du vin, alors je l'ai pris tendrement. Mais quelqu'un s'est rué sur moi en criant "Léo!" et m'a empoigné à pleins bras et le vin est parti dans les airs! Tout le monde à des milles à la ronde s'est mis à hurler même si le vin n'a éclaboussé que moi. Et j'ai dit ce que disent les Italiens quand on renverse du vin: "Allegria!", ce qui veut dire joie, mais personne n'était d'accord. Personne ne voyait que ce vin renversé ajoutait de la couleur à ma soirée.

Ceux d'entre vous qui s'impliquent vraiment et qui sont véritablement des professeurs sont toujours en train d'apprendre des enfants. Vous êtes grand ouverts aux enfants. Vous n'êtes pas du genre à vous planter devant une salle de classe pour persifler: "Nous attendons Sally." Pas étonnant que Sally pense: "Attends donc, vieille..." Imaginez quel sentiment de triomphe cela peut donner quand toute une classe attend après vous! Peut-être que le professeur devrait plutôt se demander ce que Sally trouve de si essentiel à dire et peut-être qu'il devrait plutôt écouter. Cela m'étonne toujours de voir à quel point les adultes parlent toujours "devant" les enfants. Écoutez ce que vous dites. Quatre-vingt-dix pour cent de ce que vous dites consiste à parler devant eux, jamais avec eux. Vous n'avez pas de conversation avec les enfants. Vous leur enfournez constamment des choses dans la tête.

Lors d'une de mes visites aux indiens sioux du Dakota du Sud, l'un d'eux était venu me chercher à l'aéroport et nous avons traversé les Badlands dans une grande camionnette avec toute sa famille. Devant, il y avait le petit David avec maman, papa et moi. Tandis que maman, papa et moi étions en train de parler de toutes les choses importantes que nous faisions, je me suis soudain rendu compte que nous étions en train de parler littéralement à travers le petit David. Je me suis tourné vers lui (l'inspiration!) et j'ai demandé: "David, qu'est-ce que tu sais faire?" Et il a répondu: "Des tas de choses!" Et j'ai dit: "Comme quoi, par exemple?" Sur quoi il a répondu: "Je sais cracher." Qui dit mieux? Beaucoup d'entre vous qui, comme moi, ont travaillé toute leur vie avec des enfants exceptionnels, savent que lorsque l'orbicularis orbis ne fonctionne pas, cela peut prendre des années à apprendre à quelqu'un à arrondir les lèvres pour le miracle d'être capable de cracher volontairement. Et pourtant nous prenons ça pour acquis. "Et qu'est-ce que tu sais faire d'autre David?" "Je peux mettre mon doigt dans mon nez." Et comment que tu le peux! N'est-ce pas une sorte de miracle que de pouvoir lever la main quand on décide que l'on veut se mettre le doigt dans le nez et qu'il y va tout seul? Célébrez la merveille que vous êtes!

Tout commence avec vous, et le grand pont qui mène à tout le monde, c'est *votre* pont. C'est celui qui compte. Si je ne cesse de croître, je peux vous donner plus de moi-même. J'apprends pour pouvoir vous enseigner plus. Je cherche à atteindre la sagesse afin de pouvoir encourager votre vérité. Je deviens plus conscient et plus sensible de façon à pouvoir accepter mieux votre conscience et votre sensibilité. Et je me bats pour comprendre mon humanité pour pouvoir mieux vous comprendre quand vous me montrez que vous n'êtes qu'un humain, vous aussi. Et je vis dans un état de perpétuel émerveillement devant la vie de façon à pouvoir vous permettre à vous aussi de célébrer votre vie. Ce que je fais pour moi, je le fais pour vous. Et ce que vous faites pour vous, vous le faites pour moi, de sorte que ça n'a rien d'égoïste. Tout ce que vous avez jamais appris, vous l'avez appris pour tous ceux qui font partie de votre environnement.

Sortez de "vous", entrez en "nous". C'est la façon la plus belle de vous voir et d'aider les autres à se voir eux-mêmes. Le pouvoir vient de cela. Alors, d'abord, des ponts vers vous-même, mais n'en restez pas là. La prochaine grande étape, c'est des ponts vers autrui.

Les années soixante ont été une époque incroyable. Tout le monde remettait tout en cause et l'enseignement à cette époque-là a été un des grands moments de ma carrière. Mes étudiants ne se contentaient pas de rester assis bien tranquilles et de prendre des notes, ils contestaient tout ce que je disais. Quelle époque pour enseigner et quelle époque pour apprendre! Les années soixante ont été, fondamentalement, une période d'expression, d'action, de désaccord, de remise en question. Et maintenant nous tentons de reconsidérer les années soixante-dix pour nous demander ce qui s'y est passé. Et savez-vous ce qu'on est en train de découvrir? Que les années soixante-dix furent une époque d'introspection. Une époque calme. Le temps pour les gens de rentrer en eux-mêmes après avoir pris conscience qu'il n'y avait plus de voyage *extérieur* à mener. Si nous devions vraiment trouver des réponses, il nous faudrait chercher à l'intérieur de nous-mêmes. Cela fait maintenant presque dix ans que nous cherchons à l'intérieur et tout ce que cela semble avoir produit c'est une foule d'individus égocentriques qui ne paraissent plus capables de se connecter sur l'extérieur. Se peut-il que nous ayions perdu deux décennies?

Le temps de sortir est venu. Le temps de se mettre à construire des ponts vers *autrui*. C'est le deuxième des ponts dont je parlais tantôt. Le salut viendra du travail que nous effectuerons en commun à la poursuite de buts communs et non d'un éparpillement en petits territoires où chacun clame: "J'ai raison." Une des découvertes les plus importantes que j'aie faites ces dernières années, c'est qu'il n'est pas nécessaire que j'aie toujours raison. N'est-ce pas passionnant? Cela vous laisse libre d'avoir raison de temps en temps. Et voulez-vous savoir ce que j'ai découvert d'autre? C'est que je peux avoir raison et vous aussi. Nous pouvons avoir tous les deux raison. Il y a deux personnes qui ont raison! Puis j'ai découvert qu'il peut y avoir deux cents personnes qui ont raison, que l'on n'a pas vraiment raison ou tort, mais qu'il n'existe qu'une vaste zone grise avec toutes sortes de degrés. Les dichotomies sont des phénomènes de distanciation. Trouvons d'abord ce que nous avons en commun. Il n'y a pas dans cette salle deux personnes semblables et pourtant nous avons beaucoup en commun et c'est en partant de ce que nous avons en commun que nous pouvons commencer quelque chose. Si nous pouvons mettre le doigt là-dessus, nous sommes sur la bonne voie. Aujourd'hui il n'est pas un endroit au monde — et cela inclut les endroits les plus reculés comme la vallée du Cachemire, la vallée du Népal ou des villages isolés du Tibet — où nous ne puissions aller en vingt-six heures. Nous sommes tous voisins. Je me souviens que chaque dimanche, qu'il pleuve ou qu'il fasse soleil, le clan Buscaglia avait coutume d'aller à Long Beach. Long Beach est maintenant à vingt-cinq minutes du centre de Los Angeles, mais à l'époque il nous fallait trois heures pour nous y rendre depuis l'endroit où nous vivions. Maintenant tout est si proche!

Il ne peut plus tomber une feuille sans que chacun d'entre nous en soit affecté. Il n'y a pas d'endroit où se cacher. Nous nous affectons tous les uns les autres. Il n'y a qu'une seule grande vibration qui se répand dans toutes les directions. Il vaudrait mieux que nous commencions à bâtir des ponts, sinon les crevasses deviendront si larges qu'il ne sera plus possible de les enjamber.

Il existe un endroit reculé appelé Chayah au centre de la Thaïlande, près de la frontière de la Malaisie. Au milieu d'une grande étendue d'eau se trouve une petite île avec un monastère bouddhiste. Il n'y a pas d'eau potable sur place et on doit amener l'eau en bateau du continent et la mettre dans un grand réservoir. Mon maître bouddhiste, dans ce monastère, essayait de me faire comprendre ce qu'est le provincialisme et, pour ce faire, il m'a raconté une très belle histoire. Il m'a dit: "Après avoir travaillé dur toute la journée, tu rentres au monastère avec une envie folle de boire un peu de cette eau précieuse que, tu le sais, il ne faut pas gaspiller. Tu ouvres le réservoir, tu plonges ta louche et découvres une fourmi dans le réservoir. Tu es furieux! Tu dis: "Comment oses-tu être dans mon réservoir sous mon arbre sous mon ombrage sur mon île et dans mon eau!" Et tu écrases la fourmi. Tu es lié! Ou bien tu réfléchis avant d'écraser la fourmi et tu dis: "Il fait très chaud aujourd'hui et c'est ici l'endroit le plus frais de l'île. Tu ne fais rien de mal à mon eau." Alors tu plonges ta louche à côté de la fourmi et tu bois. Cette fois, tu n'es pas lié. Puis il ajouta: "Il y a aussi la possibilité d'être ce que j'appellerai "dé-lié". Et sais-tu ce que c'est? C'est quand, au moment même où tu ouvres le réservoir et y vois la fourmi, tu ne penses ni au bien ni au mal, ni au juste ni au faux mais tu donnes immédiatement un morceau de sucre à la fourmi." Amour! Nous devons commencer à reconnaître que tu es la seule personne qui puisse me donner le sucre dont j'ai besoin et

123

que je suis la seule personne qui puisse faire la même chose pour toi. Nous sommes tellement moins l'un sans l'autre.

Le thème "Ponts vers demain" est très bon mais je m'inquiète beaucoup plus de maintenant. Un de mes professeurs avait l'habitude de dire que la plupart d'entre nous vivent dans l'illusion. Nous vivons dans ce qui fut hier; nous nous préoccupons de ce qui est arrivé hier. Mais on ne peut rien faire à propos de ce qui s'est passé hier et si vous blâmez encore quelqu'un ou quelque chose qui s'est produit hier, c'est que vous n'avez pas su grandir. Laissez filer hier car si vous ne le faites pas, il s'accrochera à votre cou comme un poids mort et vous entraînera à terre. "Mes parents m'ont fait ça." Savez-vous ce que vos parents vous ont fait? Ils vous ont donné ce qu'ils savaient. Que Dieu les bénisse! Peut-être n'ont-ils pas été parfaits. Ce qui est triste et ce qui fait peut-être que vous ayiez été déçu, c'est que vous avez cru qu'ils l'étaient et qu'ils vous l'ont *laissé* croire. Sage est le parent qui dit à son enfant: "Regarde-moi. Je pleure. Je me sens seul. Nous ne savons pas si ça va marcher ou non, mais nous voulons en discuter avec toi." Je me souviens des fois où papa s'asseyait à la grande table, avec tous ses petits bambini et leur disait: "Écoutez, les enfants, j'ai tout perdu. Nous allons devoir travailler tous ensemble à maintenir les Buscaglia à flot." Quel beau privilège de "travailler ensemble" à faire aller les Buscaglia plutôt que de voir mes parents se cacher dans la pièce d'en arrière et mourir d'anxiété à propos de quelque chose que j'aurais pu sentir sans comprendre ce que c'était.

Je me rappelle du temps où je vendais des magazines de porte en porte. J'ai appris beaucoup en faisant ça. On m'a fermé des portes au nez; des gens me flanquaient dehors. C'était O.K.: tout apprentissage est bon en autant qu'on apprend quelque chose. Et je me souviens que maman disait: "Ça va aller, Tulio, on s'en sortira. Nous avons un jardin. Je peux faire une merveilleuse torte tous les soirs." "Beurk!" nous exclamions-nous tous. Des choux, du pain et de l'eau. Tu parles d'un remplissage! Ça gonfle dans votre estomac et vous ne sentez jamais la faim. Mais être ensemble, travailler ensemble, c'était si merveilleux! Et nous ne pensions qu'à *l'instant présent*. Ma mère qui était vraiment une femme incroyable, s'arrangeait toujours pour trouver quelque chose à vendre et nous rentrions à la maison en nous attendant à du pain et des choux et à la place nous trouvions un festin. Mon père disait: "Qu'est-ce qui te prend, tu deviens folle?" et elle répondait: "Non! Mais c'est *maintenant* que nous avons besoin de joie." Et nous prenions place à table et nous nous empiffrions. "Hier, comme je l'ai entendu dire, est un chèque annulé et demain n'est qu'un chèque à recevoir. Aujourd'hui seul est argent comptant." Dépensez-le comme un fou! Il ne se reproduira plus jamais. Il y a une foule de choses à quoi le dépenser.

Je veux vous lire quelque chose que j'adore. Je l'ai trouvé dans le *Journal de psychologie humaniste*. Cela a été écrit par un homme de quatre-vingt-cinq ans qui avait appris qu'il était condamné. Il écrivait: "Si je devais refaire ma vie, j'essaierais cette fois-là de faire plus d'erreurs. Je n'essaierais pas d'être aussi parfait." Nous avons tous une obsession de perfection. Quelle différence cela fait-il si vous laissez savoir aux gens que vous n'êtes pas parfait? Ils peuvent dans ce cas s'identifier à vous. Personne ne peut s'identifier à la perfection.

Et cet homme ajoutait: "Je serais moins sage que je ne l'ai été au cours de ce voyage-ci. En fait, il y a, je le sais maintenant, très peu de choses que je prendrais aussi au sérieux. Je serais plus fou, je serais moins hygiénique." N'est-ce pas formidable?

Cet homme de quatre-vingt-cinq ans poursuivait: "Je prendrais plus de chances, je ferais plus de voyages, j'escaladerais plus de montagnes, je nagerais dans plus de rivières, je regarderais plus de couchers de soleil, j'irais à plus d'endroits où je ne suis jamais allé. Je mangerais plus de crème glacée et moins de haricots." Nous prenons vraiment un malin plaisir à nous priver. On dirait une sorte d'autopunition. Bien sûr, nous ne pouvons pas faire tout ce que nous voudrions, mais de temps en temps nous avons besoin de faire une folie. Vous allez à la section "gourmet" de votre magasin d'alimentation et vous y voyez quelque chose que vous avez toujours désiré. Vous le sortez des rayons. Mais ça coûte 2,98 $ la boîte et vous vous dites: "Oh, mon Dieu!" et vous le remettez à sa place pour aller acheter plutôt des haricots. Une fois, rien qu'une fois, dites-vous donc: "Ça a l'air bon" et achetez-en six boîtes. Vous le méritez bien.

Mon vieillard condamné ajoutait encore: "J'aurais plus de problèmes réels et moins d'imaginaires." Quatre-vingt-dix pour cent des choses dont nous nous inquiétons ne se produisent de toute façon jamais et pourtant nous continuons à nous faire du souci pour tout. C'est pour cela que les compagnies d'assurances sont les compagnies les plus riches d'Amérique. Elles nous assurent contre tout. Les ponts qui s'écroulent. Les ponts qui se soulèvent. Il disait encore: "J'ai été, voyez-vous, un de ceux qui vivent de façon aseptisée, avec retenue et sainement, heure après heure, jour après jour. Oh, j'ai eu aussi du bon temps et si je devais recommencer, j'en aurais encore plus. En fait, j'essaierais même de n'avoir que du bon temps, à chaque instant, encore et encore." Au cas où vous ne le sauriez pas, c'est de ça qu'est faite la vie. Seulement d'instants. Ne laissez pas filer celui qui passe. "J'ai été un de ces gens qui ne vont jamais nulle part sans un thermomètre, une bouillote, de quoi faire des gargarismes, un imperméable et un parachute. Si je devais tout recommencer, je voyagerais cette fois-là avec bien moins de bagages."

Bouddha a dit un jour une chose incroyable: "Moins vous avez de choses, moins vous avez de soucis." Tout le monde dit: "Oh oui, c'est bien vrai." Et pourtant nous amassons, amassons encore, amassons toujours. Nous avons dans nos armoires des choses dont nous ne nous sommes pas servies depuis des millénaires. Les assiettes que tante Mathilde a apportées sur le *Mayflower*, sortez-les donc. C'est une insulte à celui qui les a faites de les laisser enfermées dans un placard. Servez-vous en, c'est pour ça qu'on les a faites. Rien ne dure éternellement.

Et finalement, le vieillard dont je parle, concluait: "Si je devais tout recommencer, je commencerais à me mettre nu-pieds plus tôt au printemps et je le resterais jusqu'à plus tard en automne. J'enfourcherais plus de manèges, je regarderais plus de levers de soleil et je jouerais avec plus d'enfants, si je devais revivre ma vie. Mais, voyez-vous, tout est fini." Ni vous ni moi ne savons ce qui nous attend, mais nous savons ce qu'il y a là maintenant. C'est le don que vous fait Dieu et la façon dont vous vous en servez est le don que vous faites à Dieu.

La vie est dans votre main. Vous pouvez choisir la joie, si vous voulez, ou au contraire trouver le désespoir partout où vous jetez les yeux. Tout dépend de vous. Pourquoi est-ce que certains voient toujours des cieux magnifiques, de l'herbe tendre, des belles fleurs et des êtres humains extraordinaires alors que d'autres ne parviennent pas à trouver quoi que ce soit de beau? Kazantzakis écrit: "Vous avez votre pinceau et vos couleurs. Peignez-vous donc votre paradis et entrez-y." Peu importent les couleurs dont vous vous servez maintenant, vous pourrez toujours décider d'en changer.

Un dernier point: j'aimerais que nous construisions de nouveaux ponts vers la folie. Je suis fatigué de la santé mentale et tout particulièrement de la définition que nous en donnons. En cherchant "folie" dans le dictionnaire, j'ai trouvé que la définition comprenait: "extase", "enthousiasme" et "rire" (Allez-y voir vous-même si vous ne voulez pas me croire). Cela m'inquiète que nous soyons une société qui s'en remet maintenant au rire en boîte. Quelqu'un fait quelque chose d'insignifiant à la télé et toute l'assistance se plie en deux, et moi je reste assis là à me demander: "Est-ce qu'il y a quelque chose qui ne tourne pas rond chez moi? Je ne trouve pas ça drôle." Je peux me souvenir d'une maisonnée crevant de rire, un rire du fond des tripes, les gens se roulant à terre et martelant le tapis des pieds et des poings. Je ne vois plus jamais ça. Emily Post prétend que dans notre culture les femmes comme il faut ne rient pas, elles étouffent un rire discret. Et bien, tant pis pour Emily! Qu'*elle* étouffe son rire discret. Mais *vous*, riez donc! Nous en savons bien peu sur l'extase et nous parlons toujours de "soulever" l'enthousiasme. C'est ridicule.

Mon maître bouddhiste employait le mot — écoutez-le bien et voyez s'il ne vous prend pas aux tripes — "ravissement". Ravissement! C'est aussi votre droit d'humain, tout autant que la douleur, le désespoir, l'anxiété. Vous avez, en tant qu'être humain, le droit d'éprouver du ravissement avant de mourir. Certains d'entre vous ont déjà éprouvé une grande joie, une grande extase, mais du ravissement? Dans son travail sur la psychosynthèse, Assagioli dit que beaucoup de nos problèmes viennent de ce que nous sommes englués dans la routine, une routine perpétuelle. On fait la même chose de la même façon, jour après jour et évidemment on s'ennuie à mourir. Et la conséquence de cela, c'est qu'on devient généralement soi-même ennuyeux. Assagioli dit: "Brisez la routine; brisez les vieilles façons de faire." Pensez-y. La plupart d'entre nous vivent leur vie exactement de la même façon jour après jour. Nous sortons du lit toujours du même côté. Nous entrons dans la salle de bains, prenons le dentifrice, en mettons sur la brosse à dents et nous regardons dans le miroir en gémissant: "Oh mon Dieu!" Nous entrons sous la douche, nous en sortons, buvons notre café et sortons de la maison toujours par la même porte. Juste une fois, rampez donc autour de votre femme ou de votre mari. "Hé, qu'est-ce que tu fais?", "Je change ma vie!" Ou bien ouvrez grand la fenêtre, sautez par-dessus et courez sept fois autour de la maison en chemise de nuit. "Qu'est-ce que tu fais, Sally?" Répondez joyeusement: "Je fais mon jogging!" Entrez et dites à cette adorable dame qui est votre femme: "Allons prendre notre petit déjeuner en ville, ce matin." Elle dira: "Mais on n'est pas dimanche" et vous répondrez: "C'est vrai, mais faisons-le quand même." Vous verrez comme ce petit déjeuner sera magique.

Mon pont final, à moi: tous ces ponts doivent être bâtis dans l'amour. C'est ce qu'a exprimé si magnifiquement et en si peu de mots Thorton Wilder: "Il y a un pays des vivants et un pays des morts et le pont c'est l'amour. Le seul survivant et le seul sens qui soit."

Je veux vous laisser sur ce qui va suivre: en Inde, chaque fois que vous rencontrez quelqu'un, vous joignez vos mains devant vous en disant "Namaste". Cela veut dire: "J'honore cet endroit de vous où réside l'univers entier. J'honore cet endroit de vous où, si vous vous y trouvez et que je me trouve, moi, en ce même endroit de moi-même, nous ne formons plus qu'un." Namaste.

L'art d'être
pleinement humain

J'aime bien être présenté par quelqu'un qui sait prononcer Buscaglia. C'est comme un opéra de Verdi. J'*adore* ce nom. Il y a plusieurs années, on m'a invité à donner des conférences en Asie. Il était nécessaire d'obtenir l'accord du gouvernement fédéral, parce que je devais aller dans des bases militaires américaines. J'ai rempli les formulaires nécessaires dans un édifice gouvernemental et je les ai remis au fonctionnaire qui devait les vérifier et s'assurer que tout était en ordre. Quand il a fini, il vous appelle au micro. Je savais bien que cela allait poser des problèmes, parce que, quand on pense à ce qu'est mon nom au complet: Felice Leonardo Buscaglia, c'est peut-être très bien pour un air de Verdi, mais ce n'est pas si facile que Joe Smith. Il n'avait pas eu de problème avec Sally Jones, James Brown et le reste, mais j'ai su tout de suite qu'il en était rendu à mon nom quand je l'ai vu prendre mes papiers, les regarder puis se pencher et les regarder encore. Puis il a pris une grande respiration et a commencé par mon prénom usuel, en risquant: "Phyllis?" Je jure devant Dieu que je suis prêt à répondre à n'importe quel nom sauf Phyllis! Ce n'est pas que je n'aime pas ce nom. Phyllis, c'est très joli, mais ça ne me va pas. Enfin, pas tout à fait...

Je ne sais jamais trop par où commencer, parce que je sais que certains d'entre vous ont lu mes livres; je le sais parce que vous m'avez écrit des lettres merveilleuses ou vous avez vu des bandes vidéo de moi et vous savez très bien où j'ai la tête. Et d'autres parmi vous, et c'est très bien comme ça, ne savent pas du tout qui je suis. C'est aussi très bien parce qu'ainsi, ce soir, nous allons faire connaissance. Peut-être qu'un des moments les plus magnifiques de toute ma vie a été le jour où j'ai pris la parole devant une association nationale d'aveugles. Quand j'ai eu fini, un de ces aveugles, un homme magnifique, est venu à moi et m'a dit: "Dr Buscaglia, est-ce que je peux vous déchiffrer en braille?" Est-ce que ça vous est déjà arrivé? C'était comme si une brise fraîche ou un courant électrique passait sur ma peau. Alors nous pouvons communiquer par le braille des mots et si vous voulez plus que cela, je vais rester là et plus tard nous pourrons faire plus. Vous savez que je suis un grand embrasseux d'italien. Maman avait l'habitude de dire: "On peut croire à quelque chose quand on le touche." Alors si vous voulez qu'on vous croie, vous savez ce qui vous reste à faire...

Ce dont je vais vous parler ce soir est un sujet vraiment cher à mon coeur: c'est l'art, oui, littéralement, *l'art* d'être pleinement humain. Je ne sais ce qu'il en est de vous, mais moi j'adore l'idée que je suis un être humain et que j'ai en moi tout le potentiel nécessaire pour être un être humain.

Je me souviens d'avoir été terriblement remué par quelque chose que j'ai lu dans un livre de Haim Ginott. C'est quelque chose de très poignant qu'a dit à Ginott une directrice d'école. Elle lui a dit:

Je suis une survivante des camps de concentration. Mes yeux ont vu ce que personne ne devrait voir. Des chambres à gaz construites par des ingénieurs qualifiés. Des enfants empoisonnés par des médecins qualifiés. Des bébés tués par des infirmières qualifiées. Des femmes et des bébés fusillés par des diplômés de collèges et d'universités. Alors je me méfie de l'éducation. Et voici ma requête: aidez vos étudiants à être humains. Ainsi vos efforts n'aboutiront jamais à faire des monstres instruits, des psychopathes qualifiés ou des Eichmanns cultivés. Lire, écrire et l'orthographe et l'histoire et l'arithmétique n'ont d'importance que si elles servent à rendre nos étudiants humains.

Vous savez ce qui m'est venu à l'esprit? C'est que nous enseignons aux gens toutes les choses imaginables, sauf la plus essentielle, c'est-à-dire la vie. Personne ne vous enseigne la vie.

Vous êtes censés tout savoir à ce propos. Personne ne vous apprend à être un être humain, personne ne vous apprend ce que ça veut dire d'être un humain, personne ne vous montre la dignité qu'il y a à dire: "Je suis un être humain." Tout le monde prend pour acquis que c'est quelque chose qu'on a ou qu'on devrait avoir, par osmose. Et bien, non, ça ne se fait pas par osmose!

J'adore faire des conférences parce que vous rencontrez alors tellement de personnes magnifiques. Tout le monde veut une définition. C'est intéressant, n'est-ce pas? "Dr Buscaglia, pouvez-vous définir l'amour?" Je réponds: "Nooon! Mais suivez-moi, je vais essayer de le vivre."

C'est très difficile de définir l'amour, parce que c'est un concept si vaste, si énorme. Plus je vis dans la joie et la beauté, plus je deviens un grand être d'amour. Chaque jour je deviens un être d'amour de plus en plus grand. Et définir cela, ce serait le limiter. Mais au moins en cours de route ai-je quelque idée d'où j'en suis. Et je sais aussi que si je tends la main, vous me donnerez de nouvelles définitions, de nouvelles caresses, de nouvelles idées et qu'ensemble nous pourrons grandir.

Il y a peut-être deux mille personnes ici, ce soir. Et il n'y en a pas une seule qui n'ait déjà connu la solitude. N'est-ce pas merveilleux? Il n'y en a pas une seule qui n'ait déjà connu le désespoir. N'est-ce pas merveilleux? Il n'y en a pas une seule qui n'ait déjà pleuré. Mais aussi, il n'y en a pas beaucoup qui n'aient jamais ri, qui n'aient jamais connu la joie. Et par tout cela nous pouvons communiquer. Nous sommes pareils, parce que moi aussi j'ai connu tout ça et nous sommes tous engagés dans le même combat: devenir pleinement humains, ce qui est la meilleure chose que nous puissions devenir. Et quel but! Quel but merveilleux.

Pour moi, une des choses probablement les plus excitantes au monde est de réaliser que j'ai le potentiel d'être pleinement humain. Je ne peux être un Dieu, mais je *peux* être un humain qui fonctionne à pleine capacité! Et j'aimerais vous parler ici de quelques-unes des choses que je crois essentielles pour devenir un être humain qui fonctionne à pleine capacité.

Nous devons revenir une fois de plus sur le sujet et je sais que ça va choquer bien des gens, que vous n'allez pas aimer ça, mais je vais le risquer quand même. Je ressens cela très profondément.

Nous devons nous risquer encore à dire: "Je m'aime bien." Vous ne pouvez donner à qui que ce soit ce que vous n'avez pas. Et c'est pourquoi vous devez vous concentrer sur des *acquisitions* à faire. Vous devez devenir la personne la plus magnifique, la plus sensible, la plus merveilleuse, la plus magique, la plus unique, la plus fantastique au monde pour être capable d'avoir toutes ces choses afin de les donner aux autres, de les partager avec eux. Pensez-y. Si je n'ai pas la sagesse, je ne peux vous enseigner que mon ignorance. Si je n'ai pas la joie, je ne peux vous enseigner que le désespoir. Si je n'ai pas la liberté, je ne peux que vous mettre en cage. Mais tout ce que j'ai, je peux le donner. C'est la seule raison de l'avoir. Mais d'abord il faut que je l'aie. Et c'est pourquoi je me voue à être le meilleur Leo que le monde ait jamais connu.

Si je suis le meilleur Leo possible, je peux vous aimer comme le meilleur *vous* possible. Je ne veux pas que qui que ce soit joue à me suivre. Parce que si vous vous mettez à suivre *ma* route, c'est vers *moi* qu'elle va vous conduire et vous vous perdrez. La seule route à suivre, c'est *la vôtre*. Vous êtes cette combinaison magique qui n'existera jamais plus et je me fiche de savoir qui vous êtes, si vous vous sentez exalté, si vous vous sentez seul. Chacun d'entre vous est quelque chose d'unique, quelque chose de spécial. Je souhaite que nous puissions dire cela très tôt aux enfants de façon que ça ne leur prenne pas *toute une vie* à le découvrir! Vous avez un monde unique à faire partager.

Les gens qui ont étudié la perception et la sensation savent bien que chacun voit le monde de façon différente. Et pourtant, ça reste le même monde. Nous n'observons pas un arbre de la même façon. Et pourtant, ça reste le même arbre. Ne serait-ce pas merveilleux de pouvoir partager cet arbre et le voir de deux façons différentes? Rien que l'idée de ça m'envoie sur orbite. Et pourtant j'entends constamment les gens dire: "Qu'est-ce que j'ai à offrir?" Savez-vous ce que vous avez à offrir? Un morceau essentiel du puzzle. À moins que vous n'assumiez votre responsabilité, l'image du puzzle ne sera jamais complète. Je ne verrai jamais votre arbre et je suis convaincu que nous aurons encore de la misère, du désespoir, de la souffrance et toutes ces choses parce que les gens ne se seront pas réalisés, n'auront pas fait partager leur monde. Parce que s'ils l'avaient fait, notre image serait devenue plus claire. Vous avez quelque chose à ajouter à cette tapisserie, à cette toile, quelque chose qui n'appartient qu'à vous. Ne laissez pas passer cette chance. Vous *êtes* merveilleux. Vous *êtes* magique. Il n'y a qu'*un seul* être comme vous.

La prochaine fois que vous passerez devant un miroir, jetez-y les yeux et exclamez-vous: "Mon Dieu, c'est vrai! Il n'y a vraiment qu'un seul moi!" Oh, si nous pouvions en arriver là! Et ce qu'il y a de merveilleux, en plus, c'est que où vous en êtes dans ce "vous" importe peu. Vous ne faites que commencer, parce que, vous savez, personne n'a jamais été capable de trouver les limites du potentiel humain ou de l'humanité en nous. Vous êtes des *possibilités illimitées*.

Erich Fromm dit que le drame de la vie d'aujourd'hui c'est que la plupart d'entre nous meurent avant d'être vraiment totalement né. Ne vous laissez pas passer! Elisabeth Kübler-Ross nous dit que les gens qui crient le plus fort sur leurs lits de mort sont ceux qui n'ont jamais vécu. Ils ont été des observateurs de la vie et non des participants actifs. Ils n'ont pris aucun risque. Ils sont restés sur la touche.

Toutes les fois que nous tendons la main vers quelqu'un, nous courons le risque d'être frappés. Mais nous courons aussi le risque — il y a cinquante pour cent des chances, ce qui est meilleur qu'à Las Vegas — que quelqu'un prenne cette main avec amour.

Une des plus belles choses que j'aie jamais vues s'est produite dans un parc. Il y avait là une maman et un papa qui avaient pris le temps, vraiment pris le temps sur ce programme trépidant et fou de toutes les choses essentielles à faire, d'amener leur petit enfant au parc. Le petit enfant s'avançait vers le bord du lac. Papa vit ça et entreprit de l'arrêter. Maman, qui devait être une personne vraiment unique et extraordinaire, le retint en disant: "Laisse-le aller!" Et il s'avançait vers le lac, ce petit enfant tout juste capable de marcher. Cette histoire finit bien: le bébé ne s'est pas noyé. Je suis sûr que le coeur de maman battait très fort. Mais toute croissance implique des risques.

Je suis un de ces fous qui aime laisser savoir à tous qu'il les voit. Dieu sait combien d'entre nous peuvent se sentir seuls parce que personne ne les voit. Nous sommes sûrs que nous n'existons pas. Alors je me promène sur le campus en disant: "Bonjour.

Salut. Comment ça va?" Les réactions sont incroyables. Certains répondent: "Salut", d'autres, au contraire, répondent avec une certaine colère, comme si je portais atteinte à leur vie privée, ce que je fais sans doute: "Est-ce que je vous connais?" Moi je réponds: "Non. Mais ça serait bien, pas vrai?" Et parfois ils disent: "Non, je ne trouve pas."

Et alors il m'arrive une chose merveilleuse, au cas où vous croiriez que je ne puisse pas être blessé, j'ai des mécanismes de défense tout simplement incroyables. Freud s'en retournerait dans sa tombe. Je m'en vais en pensant: "Bon Dieu, quel dommage qu'ils ne veuillent pas me connaître, je suis si gentil. Alors, demain, quand je les reverrai, je vais leur dire *encore* bonjour pour leur donner une autre chance." Et ça marche remarquablement, voyez-vous.

Quand je les revois effectivement, je dis: "Salut!" Et s'ils me demandent encore: "Est-ce que je vous connais?", je réponds: "OUI, nous nous sommes rencontrés hier!"

Oh, apprendre à risquer de nouveau. Retourner à ce moment de l'enfance où le monde entier était un immense et merveilleux mystère qu'il fallait comprendre. Accrochez-vous à ça. Dites-vous: "Je veux tout connaître. Je veux sentir et toucher et goûter et comprendre tout, et il n'y a pas de temps dans la vie pour faire tout ça, alors il faut que je le fasse dès maintenant." Appréciez chaque moment comme si c'était vraiment le dernier, car ce pourrait effectivement l'être.

Bien des gens considèrent la mort comme le mal suprême. Moi j'en suis venu, heureusement, au point où j'ai fait ma paix avec la mort. Je vois la mort comme une chose très positive, parce qu'elle me dit que le temps m'est compté et qu'elle ne ment pas. La mort nous a dit ça dès notre naissance. Elle ne s'est jamais cachée. Si elle est cachée, c'est que nous l'avons cachée. Personne ne sortira vivant de ce monde. Mais savez-vous qu'il y en a parmi nous qui croient vraiment le contraire? Nous agissons comme si nous avions l'éternité devant nous! "Oh, je ferai ça *demain*", "J'ai toujours voulu escalader une montagne. Je le ferai demain." Peut-être que demain ne viendra jamais.

Mes étudiants disent: "Quand j'aurai fini l'école, j'aurai le temps de lire." Moi je réponds: "Non, ce n'est pas vrai! Si vous ne le faites pas *maintenant*, vous ne lirez *jamais*."

134

C'est maintenant le temps. N'attendez pas à demain pour dire à quelqu'un que vous l'aimez. Faites-le *maintenant*. Ébranlez-les un peu. Prenez le téléphone et faites un interurbain: "Allo, maman? Ici Felice. Je sais qu'il est trois heures du matin, mais j'ai quelque chose d'urgent à te dire: je t'aime."

Alors là, si elle ne fait pas une crise cardiaque, cela peut être un des moments les plus importants de sa vie. Je tombe toujours sur des gens qui disent: "Mais elle le sait déjà que je l'aime." Peut-être bien. Mais *vous-même* est-ce que vous vous lassez jamais d'entendre des choses comme ça?

Dites-le maintenant. Il y a des tas de façons de le dire. Donnez-vous la peine de la toucher. Pressez un peu. Dites-lui à lui aussi. Rentrez chez vous et réveillez les enfants: "*Hé! je vous aime, je vous aime, je vous aime...*" "Mon Dieu, maman est devenue folle!" "Oh oui, je le suis... folle de vous!"

Mais souvenez-vous que tout part de vous et que vous ne pourrez célébrer qui que ce soit au monde avant de vous célébrer d'abord vous-même. Avec toutes vos niaiseries. Avec tous vos oublis. Et même votre capacité de faire mal aux autres.

Un des plus grands attributs que nous ayions, c'est ce merveilleux pouvoir de pardonner. Je vous pardonne d'être moins que parfait. J'exigerai que tout le monde soit parfait le jour où je le serai moi-même. Alors vous n'avez rien à craindre! Alors célébrez-vous, célébrez votre humanité avec joie, émerveillement et magie. Et en même temps célébrez *les autres*. Oh, la joie que j'éprouve à vous célébrer!

La plupart de ceux d'entre vous qui connaissent mes travaux savent que je suis un fanatique des feuilles. Et l'automne est ma saison préférée. L'automne, pour moi, c'est de la pure magie. *J'adore* les feuilles. Elles me parlent tellement. Alors, quand vient l'automne et que je me retrouve entouré de sycomores qui perdent leurs feuilles, j'aime laisser les feuilles là où elles sont tombées. En fait, j'aime les faire entrer dans ma classe et en mettre une sur la table de chacun de mes étudiants. Et je leur dis: "N'est-ce pas incroyable? Une feuille, c'est un vrai miracle!" Et je me mets à parler de la sensation et de la perception en prenant une feuille comme exemple. Alors tous ceux qui n'y avaient pas prêté attention se penchent et ramassent la feuille que j'ai mise sur leur bureau. (Ils ne savaient pas que ça faisait partie du cours.) *À ce moment-là*, elle devient significative. Mais elle l'était pourtant déjà, cette bonne vieille feuille, en elle-même.

Je me souviens d'une merveilleuse jeune fille aveugle qui était dans cette classe. Alors que nous échangions les impressions que ces feuilles éveillaient en nous, quelqu'un a dit: "Comme elle est belle, regardez toutes ces petites nervures." Et tandis que nous parlions de ce que nous voyions, cette jeune aveugle dit quelque chose à quoi aucun de nous n'avait pensé: "N'est-ce pas que ça *sent* bon, une feuille séchée?"

J'aime les feuilles et quand elles tombent je préfère les laisser par terre mais j'ai des voisins très propres, très soigneux. Et sur leur terrain, c'est propre, propre, propre. La maison de Buscaglia est (à leur sens, du moins) sale, sale, sale. Vous voyez? En fait, l'un de mes voisins possède même une de ces machines qui aspirent les feuilles: "Rrraaahhhrrr!" et vous voyez les feuilles qui disparaissent AAAARRRRGHH! Je ne peux pas voir ça. Mes feuilles à *moi* sont sauves.

Une fois, j'étais en train de donner un séminaire chez moi quand mes voisins sont entrés. Ce sont des gens passionnants, des gens merveilleux, mais ils sont propres.

Ils ont frappé, j'ai abandonné un instant mon séminaire pour aller ouvrir. Ils m'ont dit: "Écoutez, Leo, nous savons que les fins de semaine vous voyagez et que le reste du temps vous travaillez à l'université et que vous n'avez pas le temps de ramasser vos feuilles. Nous, nous avons une machine excellente pour ça. Nous allons le faire pour vous!" Bon, voyez-vous, ce sont vraiment des voisins adorables de vouloir faire ça pour moi. Mais j'ai répondu: "Non merci, c'est très bien. Je ne savais vraiment pas que mes feuilles vous dérangeaient. Je vais aller les ramasser." Nous avons parlé encore un peu, puis ils sont partis. Je suis rentré et, évidemment, mes étudiants étaient furieux: "*Qu'ils aillent se faire voir! Vous auriez dû leur dire: c'est mon terrain et je ferai ce qui me...*" et j'ai dit: "*Taisez-vous donc*" (je suis vraiment un professeur non directif), "Allez me ramasser ces feuilles, mettez-les dans des barils et venez les vider dans le salon."

Ils ne voulaient pas le croire. "Vous êtes sérieux?" "*Oui, je suis sérieux!* Au moins personne ne peut encore me dire ce que je dois mettre dans mon salon." Alors nous avons vidé ces choses merveil-leuses sur le plancher du salon et nous nous sommes assis dans les feuilles pour continuer le séminaire. Écoutez, parfois j'ai vraiment besoin de mes voisins et je suis content de les avoir. Parfois en cédant sur une chose sans grande importance, nous obtenons quel-que chose de bien plus important. J'avais encore mes voisins et ils étaient heureux et moi j'avais mes feuilles et j'étais heureux. Et c'était une chose très simple à faire. Savez-vous que la plupart des divorces des séparations ou des ruptures se produisent pour des *choses stupides, insignifiantes, folles!* "Je veux divorcer: elle presse le tube de dentifrice par le milieu! Cela me rend fou!" Mais, bon Dieu, achetez donc deux tubes! "Il laisse traîner ses vêtements partout dans la maison, il me prend pour sa bonne!"

Vous n'êtes sa bonne que si vous le voulez bien! Laissez donc ses vêtements où il les met! Marchez à côté! "Mais que vont dire les voisins?" Et bien, c'est leur problème si jamais ils viennent et disent: "Qu'est-ce que c'est que ça? Six vestes sur..." "Oh, c'est à mon mari. N'est-il pas adorable? Il adore laisser traîner ses vestes par terre. Et moi je les laisse là. Cela lui fait tellement plaisir de les trier le matin."

La prochaine fois que quelque chose vous ennuiera ou vous rendra furieux, réfléchissez-y. Habituellement, c'est une niaiserie. Si vous prenez la peine d'y réfléchir, cela vous fera rire. Et vous pourrez dire: "N'est-ce pas merveilleux d'être un être humain?"

Ce qui m'effraie peut-être le plus dans notre culture, c'est notre manque d'humour. Nous prenons tout tellement au sérieux. Nous avons oublié comment on rit. Souvenez-vous, ceux d'entre vous qui ont mon âge ou plus, à quel point on savait rire à la maison. Je n'entends plus guère de rires maintenant.

Je me souviens de ma mère, vraiment une femme remar-quable; elle était magnifiquement ronde, c'était une grosse dame! Elle adorait manger. Et c'est une qualité qu'elle m'a léguée. Mais Madison Avenue nous dit que pour être attirant, il nous faut être terriblement mince. En fait, cela dépend du pays où l'on vit. Allez en Italie et voyez qui se fait pincer les fesses le plus souvent. Plus il y en a, mieux c'est! Mais je me souviens que parfois ma mère se mettait à rire si fort qu'elle en tombait et se roulait par terre, avec ses cent quatre-vingts livres, et nous riions avec elle.

Mais je n'entends plus guère de rires maintenant. Nous ne rions pas. Les choses ne sont pas drôles. Nous avons oublié comment être joyeux et, pire encore, nous avons oublié comment être fou, nous n'acceptons pas notre propre folie. Regardons les choses en face: chacun de nous est un petit pinson. *Oh, la joie de redevenir gai comme un pinson.*

Soyez fou. Juste à l'occasion. Juste de temps en temps. Et voyez ce qui se passe. La journée s'illumine.

Récemment j'ai été invité à parler devant un millier de bonnes soeurs au Wisconsin. Un millier de bonnes soeurs et Felice! Oh, je suis sûr qu'au ciel maman était en extase: "Mon petit Felice qui parle devant un millier de soeurs!" Oh, quelle merveilleuse fin de semaine d'amour nous avons vécue! Lorsqu'elles m'ont invité, elles m'ont dit: "Nous n'avons pas d'argent mais c'est notre retour à la maison mère et certaines d'entre nous ne se sont pas vues depuis dix ans. Cela va être merveilleux et nous aimerions que vous veniez partager notre amour."

J'y suis allé et chaque fois que je faisais un commentaire sur ce que je voyais, elles faisaient quelque chose à ce sujet. C'était l'automne et l'automne au Wisconsin est une vraie merveille. J'ai dit que je trouvais les feuilles superbes. Alors elles sont toutes sorties me chercher des feuilles et elles m'en ont donné un grand sac plein à ramener chez moi. J'ai passé un commentaire sur ce qui était une des plus grosses citrouilles que j'aie jamais vues. Les citrouilles du Wisconsin sont de véritables monstres. Elles sont ÉNORMES. Et elles m'en ont donné une. Il y avait là une soeur qui faisait un pain digne de la table des plus fins gourmets. J'en ai presque pleuré. Vous devriez me voir devant une bonne table. Je pleure vraiment. Les gens demandent: "Qu'est-ce qui ne va pas, Buscaglia?" "Oh, c'est tellement bon!"

Cette soeur m'a donné deux miches de pain. Et le soir, très tard, juste avant que je monte dans l'avion — c'était un vol de nuit qui partait de Chicago — elles m'ont donné six livres de fromage du Wisconsin. Il n'y avait personne dans l'avion à part les hôtesses et *moi* avec ma citrouille, un sac de feuilles et du fromage. J'avais tout ça avec moi dans l'avion.

Après le "Café, thé ou lait?" habituel, on a baissé les lumières. Il n'y a vraiment rien d'aussi merveilleux que de se retrouver à des milliers de pieds en l'air dans la lumière tamisée, allant de nulle part à nulle part, suspendu là. Et... une folie m'a pris. Je suis allé dans la section centrale, j'ai relevé tous les bras des fauteuils et j'ai répandu mes feuilles sur les sièges. Puis j'ai mis ma citrouille au milieu, avec les deux miches de pain de chaque côté, et j'ai mis du fromage un peu partout. Et puis j'ai sonné l'hôtesse.

Arrive cette jeune femme fatiguée, nonchalamment, s'attendant à servir du café, du thé ou du lait. Et je lui ai dit: "Regardez!" Elle s'est exclamée: "Oh, mon Dieu!" et s'est illuminée comme un arbre de Noël. J'ai dit: "Je veux partager tout cela. On me l'a offert et je veux le partager avec vous et les autres hôtesses, si elles le veulent."

Elle m'a dit: "Un instant", elle est partie et est revenue avec tout le monde et deux superbes bouteilles de vin de Californie et elle nous les a servies dans de vrais verres au lieu de ces trucs en plastique. Ce fut le plus court retour de Chicago qu'aucun d'entre nous ait jamais connu. Et nous avons lancé une formule. Nous avons une réunion annuelle à l'automne. Tout ça parce que quelqu'un a simplement décidé de prendre quelque chose qui aurait pu n'être qu'une mondanité et en a fait un événement un peu magique.

Parce que vous êtes humains, il y a de la magie en vous. Prenez contact avec cette magie. Quand vous sentez monter une idée folle, ne la repoussez pas. Laissez-la sortir. *Rien qu'une fois* et vous m'en donnerez des nouvelles!

Je pense aussi que si nous nous décidons à être humains, il nous faudra reconnaître ce que j'appellerai, faute de mieux, notre particularité, c'est-à-dire prendre conscience que personne n'est meilleur ou pire que les autres. Je pense que nous avons parfois tendance à oublier que tout le monde est humain.

Je raconte toujours l'histoire qui va suivre parce qu'elle a eu énormément de signification pour moi. On m'a sélectionné pour participer à une "rencontre de cerveaux" à St-Louis, avec quinze ou vingt éducateurs de partout aux États-Unis. Pendant trois jours nous avons écouté des communications savantes. Dieu du ciel! Tout ce que je peux dire c'est que si l'avenir de l'éducation en Amérique dépend de ces savants, nous sommes *fichus*! Vers la moitié de ces communications, j'ai décidé que j'en avais eu assez. La folie est montée en moi, j'ai dit: "Excusez-moi, excusez-moi, excusez-moi" et j'ai disparu.

Je suis allé me promener au bord du fleuve et j'ai vu un petit vieillard. Complètement édenté et vraiment très sale, dirions-nous car nous sommes propres — mais, vous savez, tout est relatif — buvant une bouteille de vin bon marché et mangeant un morceau de fromage avec un large sourire sur son visage. Je l'avais presque dépassé quand il me dit: "Bonjour, fiston." Quiconque m'appelle "fiston" est mon copain. Alors je me suis assis à côté de lui et nous avons parlé. Nous avons partagé le vin, le fromage et aussi nos idées. J'ai dit à cet homme: "Vous savez, vous avez l'air si heureux, si satisfait, si équilibré et plein de paix. Avez-vous un secret dans la vie?" Il répondit sans un instant d'hésitation: "Bien sûr que j'en ai un."

Et j'ai demandé: "Voulez-vous me le faire partager?" "Bien sûr, fiston, dit-il, si tu veux vivre heureux toute ta vie, garde toujours l'esprit *plein* et les boyaux *vides*." Voilà de la sagesse! Et personne ne l'avait invité, *lui*, à une rencontre de cerveaux! On aurait dû!

Vous savez, j'ai le sentiment très fort que cette merveilleuse qualité d'humanité, avec toutes ses merveilles, est le don que Dieu vous a fait. Et ce que vous en faites est le don que vous faites à Dieu. Ne vous contentez de rien de moins que d'offrir à Dieu le parfait don que vous représentez vous-même. Et jouissez à mort de lui faire ce don. Merci.

Les enfants de demain

Je suis très excité par le thème de votre colloque. Je pense que, comme moi, vous trouvez que c'est plutôt ridicule et fou de décréter *une* année: année de l'enfant.

Chaque année devrait être l'année de l'enfant, et il est plus que temps d'en prendre conscience. Peut-être que cela fera avancer les choses et que nous pourrons bouger ensemble en reconnaissant que les enfants ont désespérément besoin de nous. Le concept d'enfant, l'enfant de demain, être d'amour ou raté, c'est de cela que je vais discuter avec vous.

Je voudrais commencer par vous lire un texte d'Anthony Storr, tiré de son merveilleux livre: *The World of Children* (L'univers des enfants). Il dit que nous sommes tous des enfants même si la plupart d'entre nous l'ont oublié. Je pense que ce serait bien de pouvoir reprendre contact avec ce que c'était pour nous au début de tout le processus de la vie, quand nous en étions tous encore à déchiffrer le monde. Voir son premier arbre. Chacun d'entre nous a dû passer par là: trouver sa première fleur et réinventer le feu. C'est un long processus et nous sommes encore dedans, ou du moins j'espère que nous le sommes. Nous déchiffrons encore le monde. Il ne nous suffit pas de voir un arbre, nous voulons y grimper, le sentir, l'étreindre, le goûter, le mâchouiller, nous voulons vraiment en *faire l'expérience*. Et c'est ce qui donne à la vie sa beauté et sa magie. Voici ce que dit Storr:

C'est une ignominie que d'être un enfant. Être si petit que l'on peut être pris, trimbalé au gré des autres. Être nourri ou pas. Être lavé ou laissé sale. Être heureux ou pleurer. C'est sûrement une indignité si grande qu'il n'est pas surprenant que certains d'entre nous ne s'en remettent jamais vraiment. Car c'est sûrement une des craintes les plus fondamentales de la personne que d'être traité comme un objet et non comme une personne. Manipulés, poussés d'un côté et de l'autre par des forces impersonnelles, traités comme quelque chose de peu d'importance par les puissants et ceux qui sont supérieurs. Chacun de nous n'est peut-être rien qu'un minuscule atome dans un immense univers, mais nous avons besoin qu'on nous manifeste de quelque façon que nous comptons, que notre individualité exige l'attention. Pouvoir être complètement ignoré en tant que personne est une sorte de mort au coeur de la vie, quelque chose contre quoi nous sommes poussés à lutter de toutes nos forces.

Je pense que ceux d'entre nous qui sont dans des professions où il s'agit d'aider les autres savent, peut-être plus que quiconque, combien c'est dur de trouver son moi, de le préserver et de pouvoir se tenir debout et dire non pas "Je suis" mais "Je suis en train de devenir", car en réalité, à bien des points de vue, nous ne sommes pas encore nés. Et, en autant que je sache, il n'y a pas d'école où on enseigne la vie et il y a bigrement peu de modèles: des gens qui puissent se lever et dire: "Je deviens, je suis. C'est merveilleux. La vie est belle, le monde est magnifique."

Il existe un livre magnifique qui a toujours été un de mes préférés: *L'idiot* de Dostoïevsky. Je ne sais combien d'entre vous l'ont lu, mais un jour que vous aurez beaucoup de temps — c'est un gros volume, mais qui vaut le coup — prenez-le et perdez-vous y: c'est un livre magique. Il y est question d'un certain prince Myshkin, une sorte de saint égaré dans un monde de pécheurs. On dirait que tout ce qu'il touche dans un esprit de bonté se change en peine et en désespoir. Il ne parvient pas à le comprendre. Il fait des crises d'épilepsie et chaque fois qu'il en a une, il devient terriblement clairvoyant. La plume magique de Dostoïevsky décrit cela de cette façon:

Soudain au milieu de la tristesse, de l'obscurité spirituelle et de l'oppression, c'était comme si son cerveau s'illuminait par instants. Et, avec une extraordinaire puissance, toutes ses forces vitales se mettaient soudain à atteindre leur plus haut point de tension. Son esprit et son coeur étaient baignés d'une extraordinaire clarté. Tous les malaises, tous ses doutes, toutes ses anxiétés disparaissaient aussitôt. Mais à ce moment, ces éclairs n'étaient que le prélude de cette seconde fatale où se déclenchait la crise.

Mais chaque fois qu'il a une crise, la clairvoyance lui vient, et à un moment, presque à la fin du roman, tout s'éclaire dans son esprit et il s'écrie: "Oh, mon Dieu! Pourquoi ne le disons-nous pas aux enfants?"

Et, savez-vous, je ferai écho à cela: "Pourquoi ne le disons-nous pas aux enfants?" Pourquoi ne leur disons-nous pas qu'ils ont le choix, qu'ils peuvent devenir des personnes aimantes et que rien ne les force à être des ratés. Parce que, quand vous regardez autour de vous, il y a un nombre considérable de ratés. Je ne sais ce qu'il en est de vous, mais moi cela m'effraie de voir qu'il y a, chaque année, aux États-Unis, plus de vingt-six mille suicides réussis. Les plus récentes statistiques montrent que les crimes violents ont augmenté de sept pour cent dans le pays. Qu'est-il advenu des gens qui se mariaient et pouvaient rester mariés et élever une famille pendant quelque chose comme vingt, trente, quarante ans, cinquante ans même? Quelle est la différence? Et bien, peut-être que la différence c'est que nous avons été élevés dans des jardins entourés de murs. On nous a protégés contre la vie. On ne nous a pas permis de voir ce qu'était la vie, comme si la vie était laide et effrayante et que pour cette raison il faille nous élever derrière des murs artificiels, dans des jardins pleins de fleurs et de merveilles. Ce n'est qu'à l'adolescence que nous escaladons avidement ce mur et que nous découvrons que nous ne sommes pas outillés pour survivre à la réalité.

Nous ne voulons pas supporter la douleur, alors nous prenons des pilules, nous prenons des drogues, nous nous droguons au point d'en perdre la tête, nous nous saoulons. Nous avons peur de vivre, mais nous avons encore plus peur de mourir. Nous blâmons le passé, *nous adorons* blâmer le passé, et nous adorons blâmer tous ceux du passé mais nous ne savons pas quoi faire du présent ou du futur. Nous doutons des autres mais nous doutons surtout de nous-mêmes. Nous avons oublié comment écouter nos propres voix. Nous sommes étrangers à ce qui vient de nous. Nous manquons le présent. Nous le laissons filer. Nous ne savons pas que nous avons le choix et que nous pouvons choisir la joie. Nous manquons de buts et nous ne comprenons pas vraiment ce qu'est la vie. Nous ne nous demandons jamais: "Qu'est-ce que je fais ici?" Est-ce que notre rôle se borne à occuper un certain espace?

J'ai passé beaucoup de temps dans des monastères zen et bouddhistes, et dans des ashrams en Inde pour essayer d'apprendre autant de choses que je pourrais, et de connaître le plus de cultures possibles. J'ai été très chanceux d'être capable d'apprendre qu'il existe des voies. Mais il y a une chose que j'ai vue en Inde et que je n'ai retrouvée nulle part ailleurs et ça s'est passé de façon quasi magique. En arrivant à Calcutta, je n'avais pas fait quatre cents pieds en descendant du train que tout à coup, comme une surcharge de la perception, je vis absolument tout ce qu'il y avait à voir de la vie! J'ai vu la misère, j'ai vu le désespoir, j'ai vu des enfants crevant de faim, j'ai vu des gens aux regards désespérés, j'ai vu la joie, j'ai vu le ravissement. Oui, j'ai vu le ravissement. J'ai vu des fleurs, des danses et de la beauté et j'ai vu la mort. En quatre cents pieds seulement, alors qu'il m'avait fallu tant d'années de vie pour commencer à peine à apprendre ce qu'était la vie.

Et c'est ça que je veux dire quand je dis que nous refusons la vie aux enfants. Nous attendons qu'ils soient adultes pour leur apprendre la mort. Nous faisons croire aux enfants que la vie est vraiment un jardin de roses. Quel désappointement pour eux quand ils constatent qu'il n'en est rien. Nous permettons aux enfants de croire que nous sommes parfaits et quelle terrible expérience c'est pour eux quand ils constatent que nous ne le sommes pas. Qu'est-ce qu'il y a de mal dans l'idée d'enseigner l'humanité en étant humain?

Mais avant de pouvoir apprendre la vie aux enfants nous devons tout simplement réapprendre à parler avec eux. J'aimerais écrire un livre que j'intitulerais: "Comment parler avec les enfants", parce que tout ce que je peux voir dans les relations entre les adultes et les enfants, c'est que nous sommes toujours en train de parler *devant* eux, à travers eux ou au-delà d'eux. Nous ne communiquons jamais *avec* eux. Pour pouvoir vraiment communiquer avec les enfants, il nous faudra pratiquer des flexions du genou. Il nous faudra nous baisser pour être face à face avec eux. Il nous faudra essayer d'entrer dans leur monde et arrêter de leur parler du nôtre. Les écouter. Leur demander de nous dire ce qu'ils voient, ressentent et entendent car, vous pourrez être surpris mais ils peuvent fort bien vous apprendre quelque chose. Et cela peut vous faire reprendre contact avec un peu de la merveille qui était vous et que vous avez oubliée.

Savez-vous ce que j'ai découvert ces dernières années? Que je me soucie plus de *désapprendre* que d'apprendre. Que je dois désapprendre tous les déchets que les gens ont empilés dans ma tête. Et vous êtes pris vous aussi dans le même processus. Avec chaque morceau de déchets que je parviens à écarter de moi, je deviens plus libre: et plus libre je peux devenir, plus je peux devenir quelque chose pour vous. Je vais encore dans les écoles tout le temps parce que, comme je l'ai dit, la chose la plus importante au monde pour moi c'est d'être un professeur. Et qu'est-ce qu'on entend dans les écoles? Des professeurs qui crient encore: "Nous ne sortirons pas de cette classe tant que la file ne sera pas droite." Grosse affaire! Pas d'enseignement mais cette file, il vaudrait sacrément mieux qu'elle soit droite. "Dis donc, Johnny, pourquoi as-tu fait ça?" Mais au nom du ciel! ça nous prend toute une vie pour répondre à cette question! Qu'attend-on que Johnny réponde: "J'sais pas." Est-ce que quelqu'un vous a déjà demandé pourquoi *vous* aviez fait telle ou telle chose? Et quelle serait votre réponse? C'est vraiment une incroyable façon de ne pas communiquer avec les enfants!

J'adore ce que dit Haim Ginott:

Un enfant a droit à des messages sensés de la part des adultes. La façon dont les parents et les professeurs parlent aux enfants aide ceux-ci à savoir ce qu'ils doivent penser d'eux-mêmes. Leurs opinions affectent l'auto-estime et le sentiment de sa propre valeur que développe l'enfant. Dans une large mesure, leur langage détermine sa destinée. Les parents et les professeurs doivent évacuer les stupidités qui se cachent si insidieusement dans leurs discours quotidiens. Par exemple les messages qui disent à un enfant de ne plus croire sa perception, de se débarrasser de ses sentiments et de douter de sa propre valeur. Le prétendu discours "normal" qui prévaut rend les enfants fous. Blâmer et faire honte, prêcher et moraliser, ordonner et commander, exhorter et accuser, ridiculiser et amoindrir, menacer et faire chanter, diagnostiquer et pronostiquer — autant de techniques qui brutalisent, abaissent et déshumanisent les enfants. La santé mentale ne vient que lorsque nous faisons confiance à notre propre réalité intérieure et une telle confiance ne s'apprend que par un processus de communication véritable.

Mais qu'est-ce qu'un enfant doit *vraiment* savoir? J'aimerais vous faire partager quelques-unes des choses qu'il me paraît essentiel de faire savoir aux enfants. Et la première est que nous devons commencer très tôt à faire connaître aux enfants les merveilleuses mines d'or d'imagination qui leur appartiennent en propre. Nous devons les convaincre que dans le monde entier il n'y a qu'un seul être comme eux. Je pense que certains d'entre nous ont oublié ça.

Une des choses qui caractérisent notre société, selon moi, c'est que nous nous sentons plus à l'aise quand nous parvenons à faire entrer tout le monde dans le même moule. Mais vous ne devriez pas vous laisser faire! Regardez les visages des enfants. Je n'en ai jamais vus deux qui soient semblables, même de loin, et j'aime ça. J'aime à penser que chacun d'eux forme cette combinaison unique qui ne se reproduira plus jamais dans toute l'histoire de la personne humaine. Quand vous prenez contact avec ça, vous en retirez un sentiment de fierté. Et, à ce sujet, pensez-vous qu'ils sont là pour rien? Qu'ils sont uniques pour rien? Vous savez, j'aime me représenter le monde comme une tapisserie géante dont chacun d'entre nous doit réaliser une petite partie et si nous ne remplissons pas cette tâche, si nous n'assumons pas cette responsabilité, la tapisserie sera toujours moins belle que ce qu'elle aurait pu être et nous nous en porterons tous plus mal. Je ne veux pas que vous soyez *moi*. Dieu sait qu'un seul "moi" suffit. Et je n'aime pas non plus cette idée qui consiste à vouloir "suivre le gourou". Si vous voulez vous perdre, alors suivez-moi. Si vous me suivez, cela vous conduira à moi et vous allez vous perdre! Mon idée à moi, c'est: "Suivez-vous *vous-même*", parce que lorsque vous vous suivez et atteignez cette essence qui est en vous et que moi j'atteins cette essence qui est en moi, alors un jour vous et moi ne formerons plus qu'un, nous ne serons plus étranger l'un à l'autre.

Alors nous devons apprendre aux enfants qu'ils sont uniques au monde. Nous devons leur montrer qu'ils seront toujours les meilleurs eux-mêmes possibles. Et c'est dur parce que très tôt dans notre vie nous ne croyons pas à cela. Personne ne nous voit, personne ne nous touche.

Nous devons faire comprendre aux enfants, non seulement qu'ils possèdent cette incroyable irréductibilité mais qu'ils ont aussi quelque chose que nous oublions parfois. Ils ont aussi un potentiel. Il y a bien plus en eux à découvrir encore que ce qui a déjà été découvert. Et c'est merveilleux. Peu importe où ils en sont, ils ne font encore que commencer et le grand voyage magique de la vie consiste précisément à faire sortir tout ce potentiel et à découvrir notre merveilleux moi.

Ce n'est que tout récemment que j'ai commencé à comprendre ce que voulait dire une phrase que l'on m'a dite il y a bien des années: "Dans ma maison, il y a beaucoup de pièces." Parce que j'avais pris l'habitude de considérer que ma maison à moi n'était faite que d'un grand salon confortable. Et c'était très bien. Il était bien décoré, propre et bien ordonné. Et il se passait des choses dans ce salon. Je pouvais y recevoir et y vivre. Je pouvais y faire de bonnes choses. Mais un jour il me vint à l'esprit que tout ce qui se trouvait dans cette pièce, quelqu'un m'avait aidé à l'y installer. J'avais eu un millier de décorateurs pour le décorer. Mais d'un seul coup je remarquai aussi qu'il y avait beaucoup de portes dans cette pièce. Un jour j'ai vraiment fait une déprime: je me suis décidé à ouvrir une de ces portes et j'ai vu une pièce sombre et pleine de toiles d'araignées. Cela m'a fait peur et ma première impulsion a été de refermer la porte. Puis je me suis dit que cette pièce faisait aussi partie de ma maison et qu'il était donc de mon devoir de la nettoyer, de la remeubler et d'y vivre. Alors je me suis plongé dans cette pièce et cela a fait toute la différence. C'est maintenant une pièce merveilleuse, bien aérée et j'ai maintenant au moins *deux* pièces dans lesquelles inviter les gens que j'aime. Cette pièce avait sept autres portes et je les ai ouvertes toutes les sept. L'une ouvrait sur la musique, une autre sur l'art, une sur l'amour, une autre sur la beauté et une autre encore sur la joie. Maintenant ma maison a des tas de pièces et chacune de ces pièces a sept portes. Cela n'a pas de fin! Personne n'a jamais été capable de faire le tour des pièces qui composent une maison. On peut continuer sans fin d'ouvrir des portes.

Savez-vous ce qui me chavire vraiment? C'est que nous sommes les seules créatures vivantes qui peuvent penser sur la pensée. Nous pouvons user de symboles symboliques pour penser sur la pensée. Nous pouvons analyser, rêver, créer dans nos esprits: c'est ça que ça veut dire être humain et c'est pourquoi vous devriez éprouver un fantastique sentiment d'émerveillement et de magie.

Je pense que si j'avais un seul souhait à formuler ce serait de *vous* rendre à *vous-même*. Non pas en termes égocentriques mais pour que vous sachiez que vous pouvez faire de cette personne — vous — la plus merveilleuse, la plus remarquable, la plus ouverte, la plus extraordinaire, la plus créatrice personne au monde. Non pas pour emmagasiner tout cela mais pour le donner aux autres car on ne peut donner que ce qu'on a. Si vous êtes ignorant, c'est votre ignorance que vous enseignez; c'est pourquoi vous devez travailler à acquérir la sagesse. Si vous êtes enchaîné, ce sont vos préjugés que vous enseignez; c'est pourquoi vous devez travailler à votre liberté personnelle. Tout vient de vous. Si je fais quelque chose pour moi, je le fais pour vous. Plus je serai proche de m'aimer, plus j'aurais d'amour à vous donner. Je crois qu'il vous faut dire cela très tôt aux enfants.

Je crois aussi qu'il nous faut dire aux enfants que les autres sont là eux aussi. Bon, cela peut paraître un peu fou mais je n'ai découvert que tout récemment un fait pour le moins stupéfiant: il n'y a plus un seul endroit à la surface du globe où nous ne puissions aller — même les endroits les plus reculés comme la vallée du Cachemire — en vingt-trois heures maximum. Cela fait de nous tous des voisins. Auparavant, les gens qui habitaient si loin, on pouvait les oublier. Et c'est d'ailleurs ce qui se passait. Mais ils ne sont plus aussi loin maintenant. Il n'y a plus de murs maintenant. Car on peut facilement les escalader ou les bombarder.

Récemment, on a mené dans une université du Middle-West une intéressante expérience sociologique avec des étudiants, à propos de partage et de don. On a demandé à chaque étudiant d'apporter dix cents et on leur a dit: "Il y a, en Inde, des gens qui meurent de faim. Il y a une épidémie et ils ont vraiment besoin d'aide. Si vous êtes disposé à donner à cette cause, mettez votre dix cents dans une enveloppe et écrivez dessus "Pour l'Inde". Il y a aussi, dans un ghetto des environs des gens, une famille, qui a vraiment besoin de nourriture pour survivre. Si vous voulez aider ces gens, on leur donnera votre argent de façon anonyme. Mettez votre dix cents dans une enveloppe et inscrivez dessus: "Pour la famille pauvre". Et puis, bien entendu, nous n'avons pas de photocopieuse à l'université et il nous en faudrait une pour ceux d'entre vous qui veulent copier leurs travaux et leurs manuscrits et cette machine devrait être facilement accessible. Si vous voulez aider à l'achat d'une photocopieuse, mettez dix cents dans l'enveloppe et inscrivez dessus: "Pour la photocopieuse". Quatre-vingts pour cent de l'argent est allé à la machine à photocopier!

Nous avons cessé de nous préoccuper des autres. Nous avons formé de petits noyaux fermés et nous disons: "Voici les choses dont je dois me préoccuper. Ce qui se passe ailleurs ne me concerne pas." Je pense qu'au contraire vous êtes sur la bonne voie quand vous avez pris conscience qu'il ne peut tomber une seule feuille sans que d'une certaine façon vous en soyez affecté. Il n'y a plus d'endroit où l'on puisse se cacher! Le patron crie après vous. Vous rentrez chez vous et vous criez après votre mari ou votre femme. Votre mari ou votre femme s'en prend aux enfants. Les enfants frappent le chien qui mord, le chat qui urine sur le tapis. Et où est-ce que tout cela a commencé? J'ai besoin de vous et nous ferions mieux de revenir à des sentiments d'appartenance au groupe, pour pouvoir donner un peu afin de recevoir. Nous devons réapprendre à faire confiance, à croire aux autres, et à travailler ensemble.

Il faut être deux pour en voir un seul. Vous voulez savoir qui vous êtes? Regardez dans les yeux des gens qui, autour de vous, vous aiment. Ce sont les seules personnes qui oseront jamais vous dire que vous avez le nez sale. Tous les autres vous laisseront vous promener toute la journée avec votre nez sale. La personne qui vous aime, elle, va vous dire: "Hé, chéri, tu as le nez sale."

Je pense aussi, très fortement, qu'il nous faut parler de la mort aux enfants et arrêter de les protéger et de leur mettre dans la tête l'idée que nous sommes immortels. Nous agissons en fait comme si nous croyions que nous le sommes. Freud a dit des tas de choses remarquables et notamment que beaucoup de nos problèmes et de notre incapacité de vivre viennent de la croyance que nous ne mourrons jamais. Nous pensons que nous avons l'éternité devant nous. Si vous pensez à cela au fond de votre tête, vous vous dites toujours que c'est l'autre qui va mourir, pas vous. Et bien, j'ai des p'tites nouvelles pour vous. Nous allons *tous* mourir! C'est la chose la plus démocratique qui ait jamais existé. Peu importe qui vous êtes, peu importe que vous soyez riche, illustre, peu importe le nombre de diplômes que vous possédez, peu importe que vous ayez gâché votre vie ou que vous en ayez fait quelque chose d'admirable, vous allez mourir. Mais pourquoi avoir peur de cela? On ne craint la mort que lorsqu'on ne vit pas. Mais si l'on est impliqué dans le processus de la vie, on ne gémit ni ne pleure. Si vous avez très bien traité les gens quand ils étaient en vie, vous n'allez pas vous jeter sur leur cercueil en criant: "Ne pars pas, ne pars pas!" Au nom du ciel! Nous ne laissons même pas les gens mourir avec dignité. Nous les laissons mourir dans la culpabilité en leur criant: "Oh, je t'en prie, ne meurs pas."

Quelle idée folle nous nous faisons de la mort. Nous ne voulons pas amener les enfants à des enterrements. Certains d'entre vous se souviennent qu'avant on tenait des veillées funèbres et qu'on leur disait d'aller voir grand-père, d'aller voir grand-mère et de lui dire "adieu". On a expliqué à certains d'entre vous que tout meurt, comme les fleurs en hiver, et que les fleurs repoussent. La mort est un perpétuel et splendide processus de vie. Alors, une fois que vous l'avez vue, vous ne la craignez pas. La mort est une bonne amie, une excellente amie parce qu'elle nous dit que nous n'avons pas l'éternité devant nous et que c'est maintenant qu'il faut vivre. Ainsi vous voyez comme chaque minute est précieuse. Nous lisons cela quelque part et nous nous disons: "Oh oui, c'est bien vrai." Mais vivons-nous de cette façon pour autant? Comme c'est merveilleux pourtant d'être tout entier dans l'instant qui passe lorsque nous regardons une fleur. Et quand quelqu'un vous parle, pour l'amour de Dieu, écoutez-le et ne regardez pas par-dessus son épaule pour voir ce qui se passe d'autre. Les cocktails! Il n'est pas de plus grande insulte. Si vous ne voulez pas être avec moi, *ne restez pas* avec moi! C'est très bien, je puis m'en accommoder. Mais si vous devez être avec moi, *serez-vous vraiment avec moi?* Vous dites: "Je vais aller regarder l'océan." Le regardez-vous vraiment? "Oh quel magnifique coucher de soleil!" Le pensez-vous vraiment, le voyez-vous vraiment, vous rendez-vous vraiment compte qu'il ne se reproduira plus jamais?

La mort nous apprend, si nous voulons bien l'entendre, que le temps de vivre c'est maintenant. C'est maintenant le temps d'attraper le téléphone et d'appeler la personne que vous aimez. La mort nous apprend la joie du moment. Elle nous apprend que nous n'avons pas l'éternité. Elle nous apprend que rien n'est éternel. Elle nous apprend à laisser aller les choses, il n'y a rien à quoi on puisse s'accrocher. Et elle nous apprend à abandonner nos attentes et à laisser demain dire ce qu'il a à dire, parce que personne ne peut savoir s'il va vraiment rentrer chez lui ce soir. C'est, pour moi, un incroyable défi. La mort nous dit: "Vivez maintenant." Disons-le donc aux enfants.

La dernière chose que je veux partager avec les enfants, c'est que la vie n'est pas seulement douleur, misère et désespoir, comme on l'entend aux nouvelles du matin à la radio ou comme on peut le lire dans les journaux. C'est ça qui fait les nouvelles. Mais ce dont nous n'entendons jamais parler, c'est des choses merveilleuses, agréables, fantastiques qui se passent également. D'une façon ou d'une autre nous devons faire connaître aux enfants ces choses-là aussi. Et pour ce faire, nous devons reprendre contact avec notre propre joie, notre propre folie. Nous sommes tous fous! Et si vous ne le croyez pas, c'est que vous êtes encore plus fou que la plupart d'entre nous. L'ennui naît de la routine. La joie, l'émerveillement, le ravissement naissent de la surprise. La routine conduit à l'ennui et si vous vous ennuyez, vous êtes *ennuyeux*. Et vous allez après ça vous étonner que les gens ne veuillent pas être avec vous! Nous pouvons choisir. Nous avons le choix. Vous pouvez choisir la façon dont vous voulez vivre votre vie. Vous pouvez choisir la joie, la liberté, la créativité, la surprise ou l'apathie et l'ennui. Et vous pouvez faire ce choix dès maintenant!

Voici maintenant quelque chose que j'aime vraiment beaucoup et qui résume tout cela très bien. Cela a été écrit par Frederick Moffett du Bureau d'inspection de l'instruction publique de l'État de New York. Cela s'intitule: "Comment apprend l'enfant." Voici:

L'enfant apprend en gigotant des mains et des pieds jusqu'à acquérir certaines habiletés. En s'imprégnant des habitudes et des attitudes de ceux qui l'entourent, en poussant et tirant sur son propre univers. Il apprend ainsi plus par essais que par erreurs, plus par le plaisir que par la douleur, plus par l'expérience que par la suggestion ou ce qu'on lui dit, et plus par la suggestion que par le commandement. Et l'enfant apprend par l'affection, par l'amour, par la patience, par la compréhension, par le sentiment d'appartenance. Il apprend en faisant et en étant. Jour après jour, l'enfant en vient à savoir un petit peu de ce que vous savez, un petit peu plus de ce que vous pensez, de ce que vous comprenez. Ce que vous rêvez, ce que vous croyez, c'est ça, en vérité, que devient cet enfant. Comme vous percevez, obscurément ou clairement, comme vous pensez, confusément ou avec rigueur, comme vous croyez, bêtement ou sagement, comme vous rêvez, de façon terne ou "et voilà quelque chose que j'adore" *dorée*, et comme vous dites, faux ou vrai, c'est ainsi qu'apprend votre enfant.

Il nous faut dire aux enfants qu'ils ont le choix de devenir des perdants ou des êtres d'amour. Car manquer l'amour, c'est manquer la vie. Thorton Wilder dit: "Il y a un pays des vivants et un pays des morts et le pont c'est l'amour. La seule survie et le seul sens qui soient." Disons-le donc aux enfants!

Votre moi intime

Je pense sincèrement que s'il existe, dans le monde entier, *une seule* personne que nous puissions toucher totalement, sans réticence et sans honte, nous ne crèverons jamais de solitude. Une seule personne! Je ne dis pas cinquante, cent ou mille, mais une seule! Peu importe qui est cette personne, que vous la touchiez de femme à femme ou d'homme à homme, peu importe. Mais quelqu'un à qui vous puissiez aller tout étaler et qui vous écoute. Quelqu'un dont vous n'ayiez pas à vous cacher. Quelqu'un à qui vous puissiez dire: "Voici mes sentiments" et qui réponde: "Bon. C'est très bien". "C'est comme ça que je suis!", et qui dise: "Parfait".

Je demande souvent à mes étudiants: "Combien d'entre vous ont une telle personne dans leur vie?" Je ne veux pas connaître la réponse mais seulement que vous y pensiez un peu! À la maison? Dans votre famille? Votre mari? Votre femme? Votre voisin? Et vous, êtes-vous une telle personne pour eux? Peu de gens connaissent vraiment une telle intimité. C'est effrayant.

Mais nous pouvons choisir la joie de l'intimité. Pourquoi pas? Permettez-moi de vous lire quelques-unes des raisons que les gens donnent pour ne pas choisir l'intimité (le plus étonnant dans tout ça, c'est que je me suis retrouvé dans ses réponses, comme vous allez vous y retrouver). Écoutez un peu:

"Je n'ai pas peur de l'intimité; mais j'ai peur d'être blessé."

"Je me lasse de toutes mes relations. Dès que nous nous connaissons l'un l'autre et que la nouveauté disparaît, l'intérêt s'en va."

"Les gens ne veulent pas d'intimité, ils ne veulent que du sexe."

"J'ai peur de laisser quelqu'un me connaître vraiment; car si les gens me connaissaient vraiment, ils seraient horrifiés."

"Je ne crois pas à l'intimité. Je ne pense pas que ce soit possible. Les gens sont trop différents les uns des autres."

"L'intimité me rend toujours mal à l'aise et jaloux. Plus est profond le sentiment que j'éprouve pour quelqu'un, plus sont grands mon sentiment d'insécurité et ma jalousie. Alors je préfère garder mes distances. Ainsi je n'ai pas mal."

"C'est drôle, dit un autre, mais on dirait que je me chicane toujours et que je blesse toujours précisément ceux avec qui je suis intime."

"Chaque fois que je forme une relation intime avec quelqu'un, je me sens dupé. Je sais qu'on peut avoir plus, alors je pars à la recherche de ça et je détruis tout."

"Nous avons tous d'énormes besoins et ce sont tous des besoins différents. Essayer de satisfaire les besoins d'un autre ne fait que compliquer ma vie et j'ai déjà bien assez de problèmes comme ça."

Voilà des commentaires très humains, très honnêtes. C'est vrai que les relations intimes impliquent des risques, c'est vrai que ça fait mal, c'est vrai qu'elles exigent énormément de nous, c'est vrai qu'elles vont exiger le changement, et c'est vrai également qu'elles vont faire surgir nos sentiments les plus profonds et nous faire parfois sentir misérables. Mais, comme je l'ai dit, c'est vrai aussi que la seule alternative à l'intimité c'est le désespoir et la solitude.

Notre société actuelle ne renforce pas l'intimité. Un mariage sur quatre se termine par un divorce. Et en Californie du Sud, la proportion de divorces est presque de cinquante pour cent. Dieu du ciel! Un mariage sur deux va échouer. Des relations qui commencent par des grands sentiments d'amour et de tendresse ne durent que trois mois. Quand les choses deviennent un peu plus difficiles ou déplaisantes, on ne peut plus le supporter et on s'en va. Et puis il y a des livres comme le célèbre *Feel Free* (Sentez-vous libre). Je veux vous lire ce que nous dit ce livre: "Si une relation devient ennuyeuse et terne, sentez-vous libre de la laisser tomber et ne vous sentez pas coupable: les relations durables entre deux personnes ne sont plus possibles de nos jours." Et l'auteur est un psychiatre! Alors, si jamais vous vous disputez, si vous n'êtes pas d'accord, dites simplement: "Va au diable! Je ne vais pas essayer d'arranger les choses

154

avec toi! Pourquoi se donner cette peine? Pourquoi résoudre quelque problème que ce soit? C'est bien plus facile de se trouver quelqu'un d'autre."

George Leonard dit: "Nous sommes capables de placer des satellites en orbite autour de la terre, nous sommes capables d'aller sur la lune, mais notre société n'a pas trouvé de moyen de faire vivre ensemble deux personnes dans l'harmonie pendant plus de sept jours sans qu'elles ne veuillent s'étrangler." On nous dit que l'intimité est dépassée mais moi je dis que *l'intimité est absolument essentielle ou nous allons tous devenir fous*. Allez-y, vivez dans l'isolement si vous le pouvez. Je crois, pour ma part, que l'on peut juger de notre état de santé mentale selon notre capacité d'établir des relations profondes et durables. Ce n'est pas la *quantité* de nos relations qui importe, c'est leur *qualité*.

Il y a plusieurs niveaux d'intimité. Par exemple, je me souviens du temps où je faisais mon doctorat avec des schizophrènes: aucun contact n'était possible. Si vous les touchiez, ils hurlaient "Laissez-moi tranquille!" Ils regardaient par la fenêtre, immobiles, pendant des heures, en contact avec le néant. Un cran au-dessus, il y a ce que nous considérons comme des relations superficielles — une interaction purement formelle comme quand, croisant quelqu'un dans la rue, on dit: "Oh, salut, Mary. Comment ça va?" et elle répond: "Ça va." (Elle est en train de mourir de la lèpre mais elle dit: "Ça va.") Cela vient automatiquement (de toute façon, peu vous importe comment elle va!) "Comment ça va, Min?" et elle répond: "Oh, mon lumbago me fait mourir." Mais vous ne voulez pas l'entendre. Mais alors, pourquoi le demandez-vous? Ne serait-ce pas merveilleux de dire: "Salut, Mary" en la regardant dans les yeux pour lui montrer que vous vous souciez d'elle? Ne demandez pas, à moins que vous ne vouliez vraiment savoir. Alors, si elle vous dit comment elle va, asseyez-vous avec elle, faites-vous un feu et écoutez-la.

Un cran au-dessus, mais là encore pas mal étrange, c'est ce que j'appelle "la parlotte de cocktail" et ça vraiment c'est quelque chose de bizarre. On ne parle que de ces choses sûres qui ne comptent pas vraiment. Êtes-vous déjà allé à un cocktail en disant: "Plaçons-nous au niveau des tripes. Parlons de religion, de

155

politique, de l'amour. Est-ce que Dieu est mort?" On ne vous ré-
inviterait pas, vous pouvez en être sûr!

Un cran au-dessus, encore, c'est ce que Berne appelle "les jeux
que les gens jouent". C'est un passe-temps curieux, ça aussi. On y
joue l'intimité pour obtenir la réaction que l'on veut. Par exemple,
votre mari n'a pas fait assez attention à vous ou vice-versa, alors
vous rentrez à la maison et vous lui demandez: "Qu'est-ce qui ne
va pas, chéri?" Il répond: "Oh, rien" mais vous insistez: "Il doit
bien y avoir quelque chose. Regarde-toi! Tu fais une vraie tête d'enterrement." "C'est rien." "Alors, pourquoi essaies-tu d'en faire
tout un plat?" "*C'est* rien." "Mais enfin, chéri, il doit bien y avoir
quelque chose." "Non." — et le jeu continue comme ça, sans arrêt.

Mais le plus haut niveau, celui où nous pouvons vraiment agir
l'un sur l'autre et connaître une vraie relation, c'est celui dont je
vous parle aujourd'hui: *la véritable intimité*. C'est là que nous
donnons et recevons sans exploiter l'autre. "Je ne veux pas me
servir de toi, je veux t'aimer. Je veux faire l'expérience de toi. Je
veux te connaître. Je veux te sentir, t'éprouver. Je veux croître avec
toi, danser avec toi, pleurer avec toi. Je veux te caresser." Mais ça,
comme je l'ai déjà dit, ça va vous prendre toutes vos énergies.

Rechercher l'intimité c'est courir un risque et cela peut faire
mal. Mais la seule façon dont vous puissiez jamais vous voir tel que
vous êtes et vous développer, c'est à l'intérieur d'une relation
intime. Dans mon livre: *Love* (L'amour), j'écrivais: "Quand je
t'aime et que tu m'aimes, nous sommes comme un miroir l'un pour
l'autre et en nous réfléchissant dans ce miroir nous voyons l'infini."
Si je veux apprendre quelque chose sur moi, ce ne sera pas en vivant
seul. Ce sera dans vos réactions à mon égard, dans les réactions de
chacun d'entre vous, et si je déplais à tout le monde, cela veut dire
qu'il faudrait peut-être que je m'examine un peu. Nous en connaissons combien de ces gens qui blâment tout le monde sauf eux-
mêmes? La société est contre eux, la secrétaire est contre eux, leurs
enfants sont contre eux. Dieu lui-même est contre eux. Et bien,
voyez-vous, si c'est vrai, n'est-ce pas parce qu'il y a quelque chose
en eux qui repousse les gens? Peut-être devraient-ils s'examiner un
peu. Et une des meilleures façons de se voir, c'est dans l'image de
vous que dessinent les réactions des autres à votre endroit.

Je pense que l'autre élément important dans le souci que l'on a des autres, c'est l'engagement qu'on leur manifeste. C'est le meilleur remède à la solitude. N'est-ce pas formidable de savoir qu'en rentrant à la maison, il y aura quelqu'un pour vous accueillir? Je ne sais combien d'entre vous connaissent les écrits de Joan Didion. C'est un écrivain admirable et très sensible que presque personne ne lit. Son dernier livre s'intitule: *A Book of Common Prayer* (Livre de la prière commune): c'est une histoire incroyable. Son grand thème, c'est la femme libérée, non pas au sens courant, mais au sens de "cessons d'exploiter les femmes; prenons conscience qu'elles ne se laisseront plus exploiter."

Un de ses livres plus anciens s'intitule: *Play it Like it Lays* (Joue-le comme ça vient). Elle y décrit une très jolie starlette d'Hollywood dont tout le monde use et abuse. Le metteur en scène se sert d'elle, le producteur se sert d'elle, les musiciens aussi et elle devient tout doucement folle. Elle devient, littéralement, une commodité, quelque chose que l'on utilise et qu'on jette. Elle crève de solitude et ne parvient pas à trouver des gens honnêtes. Chaque fois qu'elle croit en avoir trouvé un, il la poignarde dans le dos. Il y a un magnifique petit passage que j'aimerais vous lire parce que je pense qu'il aide à comprendre la solitude au niveau des tripes que, tous, si nous avons l'honnêteté de le reconnaître, nous éprouvons parfois:

Elle les regardait aller au supermarché et connaissait tous les signes. À sept heures le samedi soir, elles faisaient la queue à la caisse en lisant les horoscopes ou *Harper's Bazaar*. Et dans leur chariot il n'y avait qu'une côtelette d'agneau, peut-être deux boîtes de nourriture pour chat et le journal du dimanche, la première édition avec toutes les bandes dessinées sur le dessus. Elles étaient parfois très jolies, avec leurs jupes tombant à la bonne longueur, leurs lunettes de soleil de la bonne teinte et peut-être rien qu'un peu de vulnérabilité et de crispation autour de la bouche. Mais elles étaient là, avec leur côtelette d'agneau, leurs deux boîtes de nourriture pour chat et le journal du matin. Pour ne pas laisser paraître ces signes-là elle-aussi, Maria faisait toujours son marché pour une maisonnée entière: des litres de jus de pamplemousse, des boîtes de sauce aux piments verts, des lentilles séchées et des nouilles alphabet, des rigatonis et des légumes en boîte et des boîtes de détergent de dix kilos. Elle connaissait tous les signes auxquels on reconnaît la solitude et n'achetait jamais de petit tube de dentifrice, ne laissait jamais tomber un unique magazine dans son chariot. La maison de Beverly Hills regorgeait de sucre, de gâteaux de maïs, de roulés congelés et d'oignons d'Espagne mais Maria mangeait du fromage cottage.

Comme nous avons besoin les uns des autres!

Une autre chose, aussi, à propos de l'intimité, c'est qu'elle agrandit notre univers. J'aurais aimé avoir un tableau pour vous montrer ça. Je pense que c'est une chose magnifique à laquelle il nous faut réfléchir. Voici un "je" et ce "je" rencontre "tu" et ils vivent ensemble parce qu'ils sont attirés l'un par l'autre et possèdent des points communs et ils partagent. Ce partage devient leur "nous". En continuant de partager, ils acquièrent de plus en plus de "nous". "Tu" reste s "tu" et "je" reste "je". Ils ne disparaissent jamais mais ils développent leur "nous" *ensemble* et c'est ça qui les unit.

Malheur à vous si vous vous donnez totalement à l'autre. Vous êtes perdu à jamais. Gardez-vous comme les autres se gardent. Puis rassemblez les "ils" et formez-en un "nous". Puis travaillez à ce "nous" et il deviendra de plus en plus grand tandis que le "tu" et le "je" deviendront eux aussi de plus en plus grands jusqu'à former d'énormes cercles concentriques qui s'élargissent à l'infini! L'intimité est ce merveilleux "nous". Et s'il vous arrive un jour de perdre ce "nous" particulier, il vous restera encore un "je" et des souvenirs tendres sur quoi bâtir.

Je travaille dans une université où bon nombre d'épouses travaillent pour payer les études de leurs maris. Je ne donne pas souvent des conseils mais plutôt un tas d'alternatives et, dans ce cas, je préviens ces femmes: ne vous contentez pas de rester assise toute la journée à taper sur une machine à écrire dans un bureau ennuyeux et terne, pendant que votre mari prend du bon temps avec toutes sortes de nouvelles idées intéressantes. Dites-lui: "Écoute, mon vieux, une relation est un partage moitié-moitié. Tous les mercredis soir, je sors. Tu peux m'aider en faisant le ménage."

Il vous faut vous développer, faire entrer de la nouveauté dans chaque journée. Votre principale responsabilité, en cours de route, est à l'égard de vous-même. Parce que si vous n'en prenez pas conscience, vous ne pourrez rien apporter à quiconque. On ne peut donner que ce qu'on a. Si vous devenez encore plus vivant, dansant votre chemin dans le monde, vous balançant du haut des arbres et faisant des choses folles, vous devenez excitant et vous le restez.

Donc, c'est la *similitude* qui nous rapproche mais c'est la nouveauté qui nous maintiendra unis. Soyez plein de sagesse, soyez stimulant, excitant, partagez de nouvelles idées, croissez, développez-vous. Que l'on ne puisse jamais prévoir ce que vous allez être!

Quand j'étais conseiller auprès des parents, j'ai eu affaire une fois à un couple qui m'a raconté l'histoire suivante et c'est la vérité vraie. Ils avaient élevé trois enfants. Ils avaient travaillé comme des fous et lorsque leur plus jeune fille à son tour se maria, après la cérémonie, rentrés chez eux et assis l'un en face de l'autre, le mari regarda sa femme et lui dit: "Mais qui es-tu donc, au nom du ciel?" Cela arrive plus souvent que nous ne le pensons! Nous sommes si occupés à gagner la vie des autres que nous oublions que c'est la nôtre qui est essentielle. Asseyez-vous donc avec lui, de temps en temps, et faites quelque chose de fou, comme manger du caviar à la chandelle. Si vous n'aimez pas le caviar, prenez donc un hamburger de McDonald! Mais allumez une chandelle et mettez une musique romantique! Ouvrez une bouteille de vin et prenez du bon temps! "Ce moment *nous* appartient. Nous ne répondrons même pas au téléphone." Faites cela même à minuit — de toute façon, c'est la meilleure heure. Nous avons oublié comme c'est bon de regarder se lever le jour.

Une autre chose qui détruit l'intimité, c'est le manque de changement. Nous avons peur du changement. Mais l'intimité a besoin du changement. Cette intimité change, tout ce qui s'y trouve est en état de changement. Vous ne pouvez vous attendre à ce que les autres restent les mêmes; ils vont changer eux aussi!

En outre, on ne peut s'*attendre* à l'intimité. On ne peut entretenir *aucune* attente dans une relation avec autrui. Personne ne peut être ou faire toujours ce que vous souhaiteriez qu'il fasse. Tout nous vient comme une surprise et, si l'on y pense bien, tout découragement que l'on peut éprouver vient de ce que quelqu'un n'a pas répondu à *notre* attente. Pensez-y! Chaque fois que vous vous sentez déprimé c'est parce que quelqu'un ne vous a pas téléphoné ou ne s'est pas souvenu de votre anniversaire. Mais si l'on s'en souvient de votre anniversaire, alors vous dansez autour de la table, vous faites la roue, le grand écart, etc.! Mais si l'on ne s'en souvient pas, ça ne fait rien non plus. Cela exige surtout que vous vous montriez spontané dans la façon dont vous vivez vos relations. Voyez ce qui se passe. Riez à gorge déployée de ce qui préoccupe les autres. "Cette vieille branche ne s'est pas souvenu de mon anniversaire. Et bien, je vais m'acheter un cadeau à *moi-même* et ce sera même mieux car, comme ça, j'aurai exactement ce que je veux." Le prévisible est ennuyeux. Si vous voulez être fascinant, soyez imprévisible. Quant à moi, la seule chose sur laquelle vous puissiez compter c'est mon imprévisibilité. Vous ne pouvez compter sur ce que je vais faire ou dire. Je change sans cesse et j'aime ça. Quand mes étudiants lèvent la main et disent: "Mais ce n'est pas ce que vous avez dit mardi", je réponds: "Je sais bien, mais depuis mardi dernier je me suis développé. Voulez-vous donc que je sois aujourd'hui le Leo de mardi dernier?"

Dans vos relations, montrez vos *sentiments*. Si vous avez envie de pleurer, pleurez donc à chaudes larmes! Si vous avez envie de rire, riez à gorge déployée. Criez quand vous avez envie de crier. Roulez-vous par terre. Surprenez tout le monde!

Au nom du ciel, n'*attendez* pas pour communiquer vos sentiments. Je pense qu'un des éléments les plus destructeurs de nos relations et de l'intimité que nous pouvons vivre est notre incapacité à communiquer ce que nous éprouvons dans le moment. Je dis toujours aux gens de ne jamais avoir de brèves disputes; pensez-y toujours comme à quelque chose d'interminable. L'ennui des disputes c'est qu'elles sont généralement finies avant d'avoir pu régler quoi que ce soit, avant que nous sachions vraiment de quoi nous discutons. Mais plus vous discuterez, plus vous connaîtrez les sentiments profonds de l'autre. Alors, quand ils en arriveront à quitter la pièce, poursuivez-les! Dites: "Attends! Je ne comprends pas. Continuons à parler!" Vous allez finir par découvrir que l'objet de votre dispute est généralement plutôt ridicule.

Si nous avons jamais eu besoin les uns des autres, c'est bien maintenant. La famille se désintègre, le taux de divorces augmente, les relations sont purement formelles et, pour la plupart, sans signification. Le taux de suicides double, en particulier chez les jeunes. L'intimité n'est pas une chose simple. C'est un grand défi à notre maturité. Mais c'est aussi notre plus grand espoir.

Choisissez la vie

Pour moi, la chose la plus importante que nous ayons, c'est *la vie*. Et où il y a de la vie, il y a de l'espoir, comme le dit le vieil adage. Alors peut-être que si nous pouvons en arriver à *choisir* la vie, ce ne sera pas aussi difficile que nous pourrions le croire. Et pourtant, il y a tant de gens qui ne choisissent pas la vie. Il y a peu de temps un de mes étudiants est venu me voir. Il était vraiment abattu. Il me dit: "Vous et vos idées sur la vie! Vous me rendez malade. Vous dites: "Choisissez la vie." Mais, au nom du ciel, pourquoi le ferais-je? C'est la vie qui m'a choisi, *moi*. Je n'ai pas *demandé* à naître. On m'a mis sur cette terre et puisque je n'ai pas choisi de vivre, je ne vois pas pourquoi je devrais me sentir obligé de choisir la vie."

Chaque année, des milliers de personnes vont dans des hôpitaux psychiatriques abandonner leur vie entre les mains de médecins et de thérapeutes. D'autres l'abandonnent en disant: "Vivez donc ma vie *pour* moi", au lieu d'accepter le don incroyable qu'est la vie et de la vivre *pleinement*.

Je ne sais si vous êtes au courant, mais on observe actuellement la croissance d'un phénomène appelé "syndrome des enfants battus": on bat les enfants à un point inimaginable. Tout récemment, à Los Angeles, une petite fille a eu les yeux arrachés — des choses quasi incroyables. Et il y a une autre folie qui se développe et qui, pour moi, est presque incompréhensible: on bat les vieillards. Nous *battons* les personnes âgées. Des enfants battent leurs pères et leurs mères vieillissants.

On a fait une enquête auprès de gens de soixante-cinq ans et plus — on en a questionné des milliers — et seulement vingt pour cent d'entre eux affirmaient qu'ils étaient "heureux". Les autres se considéraient comme des "victimes". Est-ce vers cela que nous allons? Est-ce cela la vie? Vivre pour être au bout du compte des victimes?

Il y a des tas de gens qui vont parlant de la mort, du désespoir et de la misère. Si c'est ça que vous cherchez, vous pouvez le trouver partout. Lisez votre journal. Ouvrez vos téléviseurs. Mais vous pouvez aussi choisir de dire que la vie est *bonne*, que la vie est *magnifique* et qu'il nous faut la *célébrer*.

Avez-vous jamais pensé à aller voir ce que dit le dictionnaire d'un mot comme "vie"? Je vais vous lire ce que j'y ai trouvé parce que c'est absolument magnifique: "La vie est la qualité qui distingue un être animé et fonctionnant d'un être mort." N'est-ce pas *magnifique*? Mais ça n'aide pas beaucoup, n'est-ce pas? Il y a une autre définition et celle-là, je l'adore. La voici: "La période pendant laquelle quelque chose est utile." Je me suis dit que si l'utilité est ce qui fait que nous sommes vivants ou morts, il y a un nombre considérable de morts qui se promènent parmi nous. Mais la définition que je préfère, c'est la troisième: "Franchir ou passer une période de temps." Vous savez, la plupart d'entre nous ne font que passer le temps. Il n'en est pas beaucoup qui soient vraiment en vie, qui vivent pleinement, dans le vrai sens de ces expressions. Le fait est que, j'en suis sûr, tant que vous remettez votre vie entre les mains des autres, vous ne vivrez jamais. *Vous devez prendre la responsabilité de choisir et de définir votre propre vie.*

Je crois vraiment que la plupart des gens ont *peur* de la vie. Je ne sais pas pourquoi. Nous avons peur d'être ce que nous sommes! Nous éprouvons des impressions merveilleuses, folles et nous n'en tenons pas compte. Vous voyez quelqu'un de vraiment attirant et vous vous dites: "Je vais lui dire qu'elle est vraiment superbe." Puis vous vous dites aussitôt: "Oh non, je ne peux pas faire ça." Alors elle passe toute sa vie sans savoir qu'elle est très belle! Et c'est une honte, parce que si nous ne vivons pas pleinement, nous empêchons les autres de vivre pleinement eux aussi!

Nous avons peur de vivre la vie et c'est pourquoi nous n'expérimentons pas, nous ne voyons pas, nous ne ressentons pas. Nous ne *risquons* pas! Nous ne nous soucions pas des autres! Et ainsi nous ne vivons pas, parce que vivre, c'est s'impliquer activement. Vivre, c'est se salir les mains. Vivre, c'est sauter en plein milieu de tout. Vivre, c'est se casser la figure. Vivre, c'est aller au delà de soi-même... jusqu'aux étoiles!

Mais vous devez décider vous-même et pour vous-même. "Que veut dire la vie, pour moi?" Je suis convaincu que si nous passions autant de temps — non, seulement *le quart* de ce temps — chaque jour à penser à la vie, à vivre et à aimer que nous en passons à préparer un repas, nous serions *incroyables*!

Mais la vie a une façon merveilleuse de résoudre ce problème. Cela me fascine toujours de voir que quand la vie n'est pas vécue, elle *explose* en nous. C'est comme essayer de retenir un couvercle quand la vapeur est prête à sortir. Quelque chose va se produire, j'en suis *convaincu*. Vous allez tomber dans des extrémités de peur, de souffrance, de solitude, de paranoïa ou d'apathie. Autant de signes que vous n'êtes pas en vie, que vous ne vivez pas! Alors, si vous éprouvez un de ces sentiments-là, retroussez vos manches et dites-vous: "Mettons-nous à vivre." La minute où vous commencez à vous impliquer dans la vie, *la vapeur s'échappe* et vous voilà sauvé. Ce n'est pas facile, mais la vie vous fait savoir qu'elle doit être vécue. Comme c'est merveilleux!

Les gens viennent me voir en disant: "Tout semble bien pour vous. Mais si la vie est si belle, comment se fait-il qu'il y ait la mort, la souffrance, la misère et toutes ces choses négatives? Pourquoi faut-il que des enfants souffrent? Pourquoi y a-t-il des meurtres, des viols, des guerres? Pourquoi, pourquoi, pourquoi?"

Je réponds: "Et comment diable voulez-vous que je le sache?" Des hommes plus grands que moi posent ces questions depuis des années. Mais savez-vous ce que j'ai fait, moi? J'ai arrêté de poser des questions et je me suis mis à vivre avec des réponses et cela a fait toute la différence.

Pourquoi la mort? Je ne sais pas, *moi*. Pourquoi la souffrance? Je souhaiterais qu'il n'y en ait pas, mais je ne sais pas pourquoi il y en a. Si je passais ma vie à chercher des réponses à ces questions, je ne vivrais jamais.

Mais je dis à ces gens que j'en sais un petit peu sur la vie. Je sais qu'il y a une chose qu'on appelle la joie, parce que je l'ai *éprouvée*. Qu'il y a une chose qu'on appelle *la folie douce* parce que je l'ai vécue. Et je sais qu'il existe une chose qui s'appelle l'amour

163

parce que j'ai *aimé*. Et je sais qu'il existe une chose qu'on appelle l'*extase* parce que j'ai connu l'*extase*. Et je sais aussi — parce que j'ai connu des gens qui l'ont éprouvé — qu'il existe une chose qui s'appelle le *ravissement*. Oh, j'adore ce mot: "ravissement"! *Recherchez le ravissement!* Je refuse de mourir avant d'avoir appris ce qu'est le ravissement!

Une des choses que je sais, par ailleurs, c'est que vous pouvez vous donner ces choses. Vous pouvez les créer. Toute votre vie, on vous a *donné* votre "moi". Vous êtes *devenu* vous-même. Vous avez appris à *être* vous-même. Et ce qui est merveilleux c'est que, en tant qu'éducateur je peux vous le certifier, tout ce qui peut être appris peut être désappris et réappris d'une nouvelle façon. Alors si vous voulez être quoi que ce soit, vous pouvez l'*être*, à condition que vous acceptiez de vous salir les mains, de souffrir un petit peu, de lutter un petit peu et d'y travailler un petit peu parce que ça ne vient pas naturellement. Il faut y travailler. Tout est là!

J'aime à penser que le jour où l'on naît, le monde nous est donné en cadeau de naissance. Une *boîte fantastique* entourée de rubans *incroyables!* Et certains ne se donnent même pas la peine de défaire les rubans, encore moins d'ouvrir la boîte. Et quand ils ouvrent la boîte, ils s'attendent à n'y voir que beauté, merveilles, extase. Ils sont surpris de voir que la vie est aussi souffrance et désespoir. Qu'elle est solitude et confusion. Tout cela fait partie de la vie. Je ne sais ce qu'il en est de vous, mais je ne veux pas laisser passer la vie. Je veux connaître chacune des choses qui se trouvent dans cette boîte. Cette petite boîte s'appelle "Souffrance". Et bien, elle est à moi, elle aussi et je vais ouvrir la boîte "souffrance" et je vais connaître la souffrance. Et cette petite boîte là s'appelle "Solitude". Et vous savez ce qui se passe quand j'ouvre cette boîte marquée "solitude"? *J'éprouve la solitude.* Et quand vous me dites: "je me sens seul", je peux comprendre un peu de *votre* solitude et alors nous pouvons nous rencontrer et nous tenir les mains, ces mains de solitude. Je veux connaître toutes ces choses. Parce que je *sais* que je puis aussi *apprendre* le ravissement. S'il est là, je le trouverai. Je sais que j'ai déjà été capable de changer la peine en joie. Et vous pouvez le faire, vous aussi. J'ai été capable de prendre l'anxiété et de la changer en vérité. Et vous pouvez le faire, vous aussi. Il n'y a rien de ce que je peux faire que vous ne puissiez faire, vous aussi. Je ne suis pas un surhomme. Tout ce que je peux faire, vous pouvez le faire, vous aussi. Et certains d'entre vous peuvent même le faire bien mieux que moi. Si vous ne l'avez pas, ce n'est pas parce que vous *ne l'avez pas*, c'est parce que vous ne travaillez pas à l'avoir. C'est *là* et c'est *à vous*. Nous pouvons changer le désespoir en espoir et c'est magique. Nous pouvons effacer les larmes et les remplacer par des sourires.

Deux sortes de grandes forces sont à l'oeuvre: les forces extérieures et les forces intérieures. Nous avons très peu de contrôle sur les forces extérieures telles que les tornades, les tremblements de terre, les raz-de-marées, les désastres, la maladie et la douleur.

Mais ce qui importe vraiment, ce sont les forces *intérieures*. Comment est-ce que je *réagis* à ces désastres-là? Sur *ça*, j'ai un contrôle total. Croyez-le ou non. Il y a plusieurs années il y a eu un grave tremblement de terre à Los Angeles. C'était à l'aube. J'ai entendu un énorme craquement et mon salon s'est effondré. Dans le hall d'entrée a surgi un nuage de poussière. J'aime vraiment vivre, tout comme vous, alors ma première réaction a été: "Buscaglia, tire-toi de là en vitesse!" Je suis sorti, tout abattu, en pensant: "Ma belle, ma merveilleuse maison a disparu et toutes ces choses que j'avais accumulées, disparues elles aussi, pour toujours."

Je suis devenu très *calme* et je me suis assis sur la galerie d'en arrière. La poussière n'arrêtait pas d'entrer et il y avait des petites secousses continuellement. J'ai vu mes voisins de l'autre côté de la clôture et je leur ai dit: "Salut!" Ils se sont exclamés: "Leo! Ta maison!" et j'ai répondu: "Oui, je sais. Il y a quelque chose qui ne tourne pas rond dans ma maison mais je ne vois pas encore ce que ça peut être et je ferais aussi bien d'attendre un peu."

Alors nous nous sommes mis à rire. Plus rien ne marchait dans ma maison, mais mes voisins, eux, avaient encore du gaz et pouvaient faire du café. Nous nous sommes assis près des arbres jusqu'à ce que le soleil se lève. Alors nous sommes entrés dans la maison pour examiner les dommages. Mais je ne pouvais rien y faire. Faire une crise d'hystérie, d'accord, mais prendre contact avec mes propres sentiments et accepter le fait accompli, ça c'était possible.

Les gens me demandent toujours: "Comment avez-vous vraiment commencé à aimer la vie?" Et bien, je ne sais pas vraiment. Comment sait-on quand quelque chose commence? Si vous pensez que je suis monté au sommet d'une montagne du Népal et que j'y ai eu une grande vision, je suis désolé de devoir vous décevoir. Ce serait merveilleux de pouvoir vous dire ça, mais ce n'est pas vrai. Je *ne sais pas* quand ça a commencé mais quelque chose me dit que ça a peut-être commencé avec Tulio et Rosa, mes deux incroyables parents. C'étaient les gens les plus fous du monde. Tous les deux. Je regrette seulement qu'ils ne soient plus parmi nous parce que j'*adorerais* les partager avec vous. Ils étaient si fous. Ils vivaient sur un grain de folie absolument superbe. J'imagine que c'est d'eux que dès le départ nous avons tous un peu appris à être fous, de cette merveilleuse folie que l'on peut toucher du doigt et qui vous fait fonctionner encore quand tout le reste est si maladivement sain, si follement sage!

Tout le monde dit: "Ce Buscaglia est fou." Vous devriez voir la réputation que j'ai à l'université... "Il est dingue." Mais c'est merveilleux parce que ça me donne une énorme liberté de mouvement dans mon comportement. Quand on vous prend pour un dingue vous pouvez vous tirer de presque tout, alors qu'autrement on appellerait les flics.

Papa est mort il y a cinq ou six ans. Chaque fois que je vais à San Francisco, j'éprouve un énorme sentiment de nostalgie parce qu'il *adorait* cette ville. Maman et papa avaient coutume d'aller à North Beach parce que, pour eux, c'était un peu l'Italie. Ils mangeaient des pâtes jusqu'à s'en faire éclater, parlaient italien et reprenaient contact avec leur culture avant de revenir dans l'immense terrain vague qu'est Los Angeles.

C'était pour nous un événement merveilleux que ce voyage à San Francisco. Ils emmenaient toujours tous les *bambini* avec eux; ils n'allaient jamais nulle part sans eux. Ils entassaient tout le monde dans la vieille petite Chevrolet. Je me souviens que nous avions l'habitude de nous suspendre à l'extérieur des vitres. Maman aimait voyager avec son petit confort: elle emmenait des chaises spéciales. Nous nous arrêtions en route, dans les zones de repos, là où la plupart des gens grignotent des sandwichs, des cacahuètes ou des bricoles de ce genre. Mais pas maman: elle, elle faisait cuire des gnocchi. C'était fête! Puis nous nous entassions à nouveau dans la voiture, avec le fourneau, le réfrigérateur et la machine à faire les pâtes. Cela nous prenait des *jours* pour atteindre San Francisco. Je pensais alors que c'était à deux mille milles de Los Angeles.

J'espère que nous sommes tous capables de faire la paix avec nos papas, nos mamans, nos frères et soeurs et ceux que nous aimons avant qu'ils meurent. Papa avait appris qu'il allait mourir du cancer. Alors, je suis allé lui dire:

"Papa, je veux faire quelque chose avec toi pendant le temps qui reste. Si tu le veux toi aussi, je veux rester avec toi tout ce temps-là. Où veux-tu aller? Veux-tu retourner en Italie?

— Oh, non, non, non, non. C'est ici mon pays, maintenant. Mais j'aimerais bien aller à San Francisco."

Alors nous nous sommes entassés dans la voiture et nous avons roulé jusqu'à San Francisco. Pendant cinq jours de gloire nous avons écumé les rues. Et nous avons mangé, à un point! Cinq repas par jour! Nous avons fait toutes sortes de choses ensemble.

Et savez-vous ce qu'il voulait faire d'autre? Cela va vous montrer quel fou il pouvait être. Il adorait les machines à sous de Las Vegas, alors il a voulu aller y jouer: pas jouer gros jeu mais seulement taquiner un peu les machines à sous. J'ai dit à l'hôtesse qui était là: "Vous voyez cet homme, là, assis devant cette machine à sous et jouant avec tant de sérieux? Veillez à ce qu'il ne manque jamais de pièces." Je lui ai donné des dollars et des dollars et elle laissait tomber cinq dollars et lui s'écriait: "Je gagne! Je gagne depuis le début de la soirée!" Ne me dites pas qu'il ne savait pas ce qui se passait — c'était un homme bien trop brillant pour ça — mais c'était merveilleux. Il n'avait jamais eu autant de plaisir à jouer aux machines à sous!

Quoi qu'il en soit, quand il est mort, ce fut très difficile pour moi, comme ça le sera pour vous, de dire adieu à quelqu'un qu'on aime profondément. Je me souviens d'être revenu de l'enterrement complètement abattu. Mais en arrivant sur le seuil de ma maison, j'ai vu un grand bouquet de fleurs et un gigantesque gâteau au chocolat, avec un petit mot d'un ami: "Leo, ceci pour te rappeler qu'il existe encore de belles choses et des bonnes choses à manger." Vous voyez, je n'ai pas pu empêcher papa de mourir quand le temps est venu, mais les forces intérieures m'ont aidé à dire: "Oui, c'est bien."

Mon père était le genre de personne qui donne tout ce qu'elle a. Tout. Il n'avait jamais rien. Quand nous arrivions à nous en sortir un peu, à être capables d'acheter des chaussures et d'autres choses, il trouvait aussitôt un moyen de donner encore son argent. Alors nous passions notre temps à avoir puis à ne pas avoir. Mais maman était capable de cuisiner des choses merveilleuses à partir de presque rien. Nous avions du *pan e choi*: ce n'est que du pain, du bouillon et des choux. On le cuit au four et, dans l'estomac, ça *gonfle énormément* et vous en oubliez que vous avez faim! Alors, quand ça allait mal, nous avions toujours du *pan e choi*.

Je me souviens d'une fois où mon père était vraiment abattu. Et, incidemment, il ne nous cachait jamais la vie. Nos parents nous laissaient toujours savoir quand ils étaient abattus, malheureux et qu'ils avaient peur. Ils ne nous ont jamais fait croire qu'ils étaient des rochers de Gibraltar. Ils nous ont toujours laissé savoir qu'ils étaient humains et je leur en suis reconnaissant. Ce n'était pas des symboles de perfection; c'était des symboles d'humanité!

Je me souviens qu'il s'était assis et nous avait dit que son associé était parti avec tout leur argent et qu'il ne savait même pas d'où viendrait notre prochain repas.

Maman avait une folle manie: elle adorait rire. Et ce qu'il venait de dire lui parut très drôle. Mon père était enragé contre elle! Elle riait comme une folle, les larmes lui coulaient le long des joues. Et savez-vous ce qu'elle a fait? Nous étions tous sortis et, quand nous sommes revenus à la maison, ce soir-là, elle avait préparé un banquet tel que nous en faisions généralement pour un baptême ou un mariage: antipasto, pâtes, veau, tout!

Mon père dit:

"Mais au nom du ciel, qu'est-ce que c'est que ça?"

Elle répondit:

"J'ai tout dépensé pour ça.

— Tu es *folle!*

— C'est *maintenant* que nous avons besoin de joie, pas plus tard. C'est maintenant que nous avons besoin d'être heureux. Tais-toi et mange!"

N'est-ce pas intéressant?

Nous nous sommes assis. C'était il y a des années, mais je vous jure que je n'oublierai jamais ce dîner, le dîner de misère de maman. Et, vous savez, nous avons survécu! N'est-ce pas fou? Nous avons survécu. Regardez, je suis là! Et papa a vécu jusqu'à quatre-vingt-six ans.

Alors, bien sûr, il existe des forces extérieures, mais ce qui compte vraiment c'est la façon dont *personnellement* vous réagissez à ces forces extérieures. Vous pouvez apporter la joie au coeur du désespoir. Croyez-le! Essayez ça la prochaine fois!

Il y a une chose dont je suis certain: le malheur aime la compagnie. Non seulement il l'aime, mais il la *réclame!* Le malheureux veut que vous soyez malheureux, vous aussi. Et, mon vieux, ils y travaillent, je vous en fiche mon billet. "Ne t'avise pas d'être heureux." Et bien, *moi*, ils ne m'entraîneront pas là-dedans. S'ils aiment la compagnie, je serai leur compagnie, mais je serai une *joyeuse* compagnie, pas une compagnie malheureuse.

Pour cela, nous avons beaucoup de choix à faire. Et l'un des plus importants c'est de se "choisir soi-même". Choisissez-vous vous-même.

Arrêtez de vous haïr. Arrêtez de vous démolir. Mettez vos bras autour de vous-même et dites: "Tu sais, t'es au poil! Peut-être que tu perds tes cheveux, mais tu es tout ce que j'ai!"

Quand vous arrivez à faire la paix avec vos faiblesses, c'est gagné! Elles ne sont pas si grosses que ça puisqu'elles ne sont qu'une petite partie de vous.

Vous devez vous choisir vous-même. Je suis sûr que les gens qui s'enlèvent la vie, et ceux qui ne *vivent* pas vraiment sont fondamentalement les gens qui n'éprouvent aucun respect pour eux-mêmes. Je ne sais quand vous vous êtes fait dire cela pour la dernière fois mais je veux, moi, insister très fort: *vous êtes un miracle.*

Cela me stupéfie toujours. Tous ces visages différents... tous si merveilleux, tous si extraordinaires. Des yeux différents, des nez différents, des bouches différentes. Vous êtes si différents que l'on peut vous identifier par vos empreintes digitales! Si cela ne suffit pas à vous montrer à quel point vous êtes unique!

Pourquoi vous a-t-on créé si unique? Pour que vous puissiez devenir comme tout le monde? Je ne pense pas. Je ne pense pas que ce fut là l'intention de Dieu. Je pense que vous avez été créé aussi unique parce que vous avez une contribution unique à apporter. Consacrez votre vie à découvrir quelle est cette contribution. Développez cette contribution et partagez-la avec moi, parce que dans le partage nous deviendrons tous deux beaucoup plus. C'est votre responsabilité, votre devoir de devenir tout ce que vous êtes. Quand vous vous perdez, il ne reste plus rien.

Maintenez votre dignité; maintenez votre intégrité. Personne ne peut vous détruire sinon *vous-même*. Les autres peuvent vous voir différemment mais vous seul savez qui vous êtes. *Soyez-le*, et avec fierté. "Je suis moi." Souvenez-vous de la formule de Médée, à la fin de la magnifique pièce qui porte son nom. On lui demande: "Médée, que reste-t-il?" et elle répond: "Ce qui reste? Il reste *moi!*" Et c'est une chose admirable, parce que vous êtes tant de choses.

Chacun de nous est une histoire. N'est-ce pas stupéfiant? Nous avons fait étude sur étude: dans une famille avec le même père et la même mère, l'un des enfants peut devenir un saint et l'autre un démon. Pourquoi? Est-ce que ça ne nous révèle pas quelque chose sur ce que chacun a de spécial, sur la façon dont chacun perçoit les choses différemment? Chacun de vous est venu ici ce soir avec un univers différent dans la tête, une histoire personnelle différente. Certains d'entre vous ont eu des parents merveilleux, aimants, tendres et doux. D'autres ont eu des parents qui ont essayé mais échoué. D'autres encore ont eu des histoires incomplètes, pleines de failles. D'autres enfin des histoires complètes et excitantes. Mais vous êtes tous venus ici ce soir.

Voilà un autre grand "pourquoi?" Comment cela se fait-il? Qu'avons-nous tous de commun qui a pu nous rassembler ce soir? Je ne sais pas mais je suis sûr que c'est là. Il y a *quelque chose*. J'aime à penser que c'est quelque chose de magique. Et quelle merveille, pensez-y un peu! Vous avez amené avec vous votre histoire unique. Et vous avez aussi une histoire émotionnelle qui n'appartient qu'à vous. Certains d'entre vous sont, en ce moment même, très seuls et désespérés. Certains, en ce moment même, sont en pleine confusion. Certains sont amers. Certains sont joyeux. D'autres sont en pleine extase. Certains d'entre vous apportent toutes sortes de merveilleuses vibrations. Toutes sont valables.

Toutes sont bonnes. Toutes sont magnifiques. Embrassez-les toutes: elles font toutes partie de vous. Le mystère c'est qu'elles ont pu nous réunir ce soir. Ne nous demandons pas pourquoi.

Nous appartenons à une société qui analyse *tout*. Quelqu'un vous dit: "Je t'aime" et vous répondez: "Définis un peu tes termes!" Nous en sommes presque arrivés au point où nous ne savons plus comment éprouver pleinement quelque chose. Tout ce qui nous vient doit passer à travers un système d'écrans étranges et quand ça nous atteint enfin ce n'est plus ce que *c'est* mais ce que *nous* voulons que ce soit. Ainsi, nous ne changeons pas. Nous ne croissons pas, nous ne mûrissons pas. Nous continuons à faire la même chose jour après jour... Mais vous êtes une histoire. Vous êtes une histoire unique. Vous êtes une histoire merveilleuse! Mais, quelle que soit cette histoire, elle est finie, passée. Aimez-la et embrassez-la. Réinventez le pardon. Vous ne serez jamais capable de choisir la vie avant d'avoir appris à pardonner! Pardonnez aux gens qui vous ont fait du mal en *apprenant* à leur pardonner et en disant: "Bon, ça va." Parce que si vous ne le faites pas, vous allez porter ces choses comme un fardeau sur votre dos et elles *vous feront tomber*. Quand vous apprenez à pardonner et à faire grâce, vous pouvez vous débarrasser de ce fardeau et toutes les énergies que vous consacriez à tenir ce poids en place, vous pouvez maintenant les consacrer à croître et à devenir magnifique. Alors, ne promenez pas votre passé avec vous comme un poids mort. *Laissez-le filer!* Apprenez de lui et laissez-le filer.

Vous savez, Eugene O'Neil a dit quelque chose de très beau. Écoutez:

Aucun de nous ne peut guérir ce que la vie nous a fait. C'est fait avant même que nous puissions réaliser ce que c'est, puis ça vous fait faire toute votre vie des choses qui s'interposent constamment entre vous et ce que vous aimeriez être. Et de cette façon il semble que vous vous perdiez à jamais.

Alors, vous êtes un passé, mais vous êtes aussi un *futur*. Vous le savez bien. Mais qui peut dire ce que sera le futur? Personne. Alors pourquoi s'inquiéter de ce futur? Les seuls qui deviennent riches en se préoccupant du futur, ce sont les gens des compagnies d'assurances. Ils nous assurent. Dieu préserve! Car si quelqu'un ne nous assure pas, c'est bien un assureur. Il nous met dans la tête toutes sortes d'idées étranges sur la nécessité de nous protéger contre toutes sortes de choses et nous nous préoccupons d'être préoccupés.

Mais vous êtes aussi un présent. Vous êtes un "maintenant". Avec de la volonté, de l'intelligence, du désir et du ravissement, vous pouvez devenir tout ce que vous voulez être à partir de maintenant.

Cela va peut-être vous paraître très très naïf, mais je crois sincèrement que si vous deviez ce soir décider d'"être"... bon, mettons que ce soir, en partant, vous allez vous dire: "Je vais découvrir ce que ça veut dire d'aimer la vie" ou "Je vais découvrir ce que ça veut dire d'être une personne aimante et, à partir de ce soir, je me mets à me comporter comme une personne aimante. Chaque fois que je commencerai à dire quelque chose de négatif, je me fourrerai le poing dans la bouche!" Ce qui vous arriverait dans les trois ou quatre prochaines semaines serait tout simplement fabuleux. Incroyable.

Vous en *avez* le pouvoir. Vous pourriez le faire. Nikos Kazantzakis dit: "Vous avez vos pinceaux, vos couleurs, *peignez-vous votre paradis* et *entrez-y*." Et si c'est l'enfer que vous voulez peindre, allez-y, peignez-le, mais ne venez pas m'en blâmer, n'allez pas blâmer vos parents, la société et, au nom du ciel, n'allez pas blâmer Dieu... Assumez pleinement la responsabilité que vous avez d'avoir créé votre propre enfer.

Nous sommes un passé? Oui. Nous sommes un futur? Oui. Mais ce à quoi nous devons nous consacrer avant tout, le plus important, si nous devons *choisir* la vie, c'est de choisir la vie au présent! Dès *maintenant*! Parce que c'est ça qui compte. Parce que nous sommes *aussi* un potentiel. Mais afin de pouvoir développer ce potentiel, nous devons nous débarrasser de notre "moi autodestructeur". Paul Reps appelle ça "l'arsenal de l'anti-moi". Et Dieu sait si nous en sommes pourvus! Nous devons nous débarrasser des "ne fais pas" et des "jamais", des "je ne peux pas" et des "non" — quel mot négatif!, nous devons nous débarrasser des "impossible" — rien n'est impossible. Nous devons nous débarrasser des "sans espoir" — rien n'est "sans espoir". Ce sont des mots d'*imbéciles*, pas des mots de personnes intelligentes. Effacez-les de votre vocabulaire. Ne dites jamais: "Jamais"! "Impossible? Mais bien sûr que si que c'est possible."

Les plus grands rêves qu'aient accompli des hommes et des femmes ont été considérés comme des impossibilités, mais quelqu'un a *prouvé* que cet impossible-là était possible. Des gens ont été déclarés mourants et se sont relevés pour dire: "Allez au diable. *Je* ne vais pas mourir" et ils ne sont pas morts. Non, ils ne sont pas morts! Lisez donc le livre de Norman Cousin: *Anatomy of an Illness* (Anatomie d'une maladie). On l'avait déclaré presque mort. On lui avait dit qu'il n'avait qu'un ou deux mois à vivre. Au lieu de cela, il écrit maintenant des articles pour le *Saturday Review;* il donne des conférences partout dans le monde; il vient juste de terminer un livre. Il enseigne à temps plein. Il est actif et extraordinaire: il refuse tout simplement de mourir!

Dites "oui" à la vie! "Oui" à l'émerveillement, à la joie, au désespoir. "Oui" à la souffrance, "oui" à ce que vous ne comprenez pas. Essayez "oui", essayez "toujours", essayez "possible", essayez "à espérer". Essayez "je le *veux*". Et essayez: "je peux".

Je suis convaincu que c'est notre insuffisance qui nous cause nos plus grandes souffrances. Devenez tout ce que vous êtes. Embrassez-le. Mais ça ne suffit pas. Vous pouvez vous dire: "On dirait que c'est beaucoup" mais ne vous arrêtez pas car c'est le travail de toute une vie de découvrir de nouvelles choses à apprendre, de nouvelles capacités, une nouvelle créativité. Vous pourriez vivre cinq cents ans et produire encore comme un fou.

Mais si vous voulez changer plus vite, de façon plus magique, vous devez changer ce "je" et l'élargir en "nous". Vous devez m'y inclure. Je suis vraiment fatigué de la génération du "je-moi" et je pense que vous l'êtes aussi.

Mais pour pouvoir vous inclure dans ma vie, je dois être capable d'abandonner un peu de moi. Et c'est bien, parce que j'y gagne tellement au change.

Une de mes plus grandes passions, ce sont les arbres et les feuilles. Je suis un fanatique des feuilles et je ne m'en cache pas. Quand je vais dans l'Est où les feuilles sont dans toute leur gloire et leur majesté, je deviens dingue. Je me souviens être allé voir un de mes étudiants qui vit en Nouvelle-Angleterre: il voulait que je voie ces feuilles en automne. Écrivez ce soir dans votre journal: "Je ne manquerai l'automne en Nouvelle-Angleterre sous aucun prétexte. Je laisserai tomber mon travail. Je m'accorderai ce cadeau et j'emmènerai avec moi les gens que j'aime pour partager cette magie avec eux!"

Alors, voilà, je roulais en voiture avec mon étudiant et je n'arrêtais pas de m'exclamer: "Oh, arrête la voiture! Oh, Dieu du ciel! Regarde ça!" — je perdais littéralement la tête! Je ne pouvais pas le supporter, je n'avais jamais vu quelque chose de semblable! Cela nous manque, à Los Angeles. Ici, les feuilles sèchent et tombent, point. Là-bas, les arbres ont des feuilles rouges, dorées, bleues, pourpres, brunes, magenta et noires — oui, il y a des feuilles noires — et tout ça sur le même arbre! Croiriez-vous cela? C'est une sorte de miracle!

Je me suis tourné vers ce *brillant* étudiant, un gradué — mais que ce fait ne vous abuse pas. Il y a une chose que j'ai apprise voilà bien des années et c'est que l'éducation n'a pas le moindre effet. Certains des gens les plus stupides que je connaisse ont un doctorat. *Moi* aussi, j'en ai un. Quoi qu'il en soit, je me suis tourné vers ce brillant étudiant pour lui demander "Comment cela se fait-il?" Il vit là, il a vécu là toute sa vie. "Comment se fait-il que cette feuille ait choisi d'être noire et celle-ci d'être jaune?"

Il a répondu: "Je ne sais pas. C'est comme ça, c'est tout." Alors, j'ai dit: "Non, ce n'est pas tout! Il doit y avoir une bonne raison à cela et je veux la connaître. Emmène-moi tout de suite à la bibliothèque!"

Il s'est exclamé: "Mon Dieu, vous n'avez pas changé." Alors nous sommes allés à la bibliothèque et nous avons cherché et, savez-vous, j'ai trouvé que c'était de la *magie*. Maintenant, *moi* je le sais, mais je ne vous le dirai pas.

Mais le fait de connaître la raison scientifique de ce changement de couleurs ne rend pas cela plus spirituel ou moins. Cela demeure magique. Cela demeure merveilleux.

Pour choisir la vie, nous devons vouloir risquer encore, aimer encore. Pouvez-vous imaginer quelque chose de plus important que ça? Pour quoi travaillons-nous? Pour quoi luttons-nous? Pour quoi souffrons-nous? Pour quoi espérons-nous? Pour l'amour. Pour la vie. Manquer cela sera toujours notre plus grande perte.

Mais si vous acceptez de risquer, d'être blessé, de *souffrir*, vous connaîtrez l'amour.

Van Gogh a dit une chose magnifique: "La meilleure façon d'aimer la vie, c'est d'aimer beaucoup de choses." N'est-ce pas que c'est formidable? La meilleure façon d'aimer la vie, c'est d'aimer beaucoup de choses. Si vous voulez savoir quelle sorte de personne aimante vous êtes, écoutez le nombre de fois dans une journée où vous dites: "Je déteste", "Je déteste ça", "Oh, remportez ça, je déteste ça", "Je déteste ce genre d'individus", "Je déteste ce genre de choses", au lieu de dire: "J'aime." Vous vous prétendez un être d'amour? Combien de fois vous entendez-vous dire: "J'*adore* ça"? "J'*adore* les fleurs!" "J'*adore* les enfants", etc.

Vous devez aussi être capable de supporter, d'accepter la mort. Nous devons faire notre paix avec la mort pour pouvoir choisir la vie, parce que la mort est une excellente amie. Elle nous dit que nous n'avons pas l'éternité devant nous. Et si vous voulez la vie, il vaudrait mieux vivre tout de suite! Parce que si vous attendez, peut-être ne sera-t-elle plus là.

Il y a une chose merveilleuse dans cette démocrate qu'est la mort, c'est que personne ne peut savoir quand elle va venir. Et c'est donc pour vous un défi de vivre *à chaque instant* comme si la mort était là pour vous dire: "Je suis là! Je suis là! Je suis là!" Il n'y a rien que nous refusions plus, dans notre société, que l'idée de la mort. Je n'ai jamais vu de gens plus craintifs de la mort qu'aux États-Unis. Et savez-vous pourquoi? *Parce que nous ne vivons pas!* Si nous vivions, nous n'aurions pas peur de la mort.

Si vous viviez chaque instant, chaque instant que Dieu fait, lorsque sonne votre heure, vous ne crieriez pas, vous ne hurleriez pas. Demandez à ceux qui étudient la mort qui sont les gens qui meurent heureux. Ce sont ceux qui ont essayé de connaître la vie.

La mort est un défi. Elle nous dit de ne pas perdre de temps. Elle nous dit de croître, elle nous dit de devenir! Elle nous dit de nous avouer dès maintenant les uns aux autres que nous nous aimons. Elle nous dit de nous abandonner nous-mêmes *dès maintenant*! Il existe un livre magnifique intitulé *Il Leopardo* (Le léopard)*. Il parle d'un noble sicilien qui *a vécu* avec passion! Cet homme croyait que la chose la plus belle au monde, c'est "La

---

* Il s'agit plutôt, vraisemblablement, de *Il Gattopardo*, (Le guépard) de Giuseppe Tomasi Di Lampedusa (1896-1957). (N.d.t.)

donna" — la femme. Il avait passé sa vie à admirer la beauté, et tout particulièrement la beauté féminine. Il avait aussi travaillé à maintenir sa famille unie, mais sans perdre jamais de vue la magie, la beauté de toute femme. Il n'était pas, pour lui, de femme laide. Il devient très très malade et, à ce moment, il se trouve qu'il est en Italie du Nord. Un Italien du Sud, un Sicilien, ne pourrait jamais *imaginer* mourir en Italie du Nord. Il dit: "Ramenez-moi à la maison. Ramenez-moi à la maison! Je veux revenir chez moi mourir dans ma famille." Alors on installe ce vieil homme dans un train pour traverser toute l'Italie. C'est un voyage magnifique, durant lequel l'auteur décrit sa souffrance et son désespoir. Il rentre chez lui parce qu'il sait qu'il va mourir. Il arrive à Rome et, entendant tous les bruits et l'agitation de la gare, il ouvre le rideau et jette un regard au dehors. C'est alors qu'il voit la femme la plus *incroyable*, la plus magnifique qu'il ait jamais vue. Elle est *toute* en brun, avec un énorme chapeau brun orné d'une grande plume brune, et des gants de cuir bruns qui montent jusque-là. C'est la femme la plus élégante qu'il ait jamais vue. Il la regarde et dit: "Madonna mia!" Même dans son état. Elle se retourne et lui sourit, et le train quitte la gare. Il ne peut plus chasser la vision de cette femme de son esprit.

Au chapitre suivant, il est en train de mourir et toute sa famille est autour de lui. Tout le monde pleure. On lui donne les derniers sacrements, la porte s'ouvre soudain et voici qu'entre la dame en brun. Avec toute l'élégance du monde, elle traverse la famille assemblée et s'approche de son chevet. Elle lève la main et la lui donne, cette main magnifique gantée de brun. Il la regarde et dit: "C'est *toi* que j'attendais."

N'est-ce pas merveilleux? Il n'y a rien à craindre de la mort. Rien à craindre. C'est le plus grand défi qui nous soit fait. Si vous vous souvenez que nous ne vivons pas éternellement, vous pourrez vous tourner vers votre voisin et, sans plus attendre, lui dire: "Tu es fantastique. Merci d'être toi." Vous pourrez aussi attraper le téléphone et dire: "Allo, maman! Tu sais, nous nous disputons souvent, et tout ça, mais je t'aime", et raccrocher.

Alors vous voyez, la vie, vivre, c'est le travail de toute une vie. Je me souviens d'avoir lu que Kierkegaard a dit: "La vie ne peut être comprise qu'après coup", en faisant retour sur elle. Vous savez, c'est merveilleux mais *vous devez* vivre au contraire *vers l'avant*. Alors, peut-être ne sommes-nous pas capables de la comprendre, mais je suis sûr pourtant qu'il est nécessaire de la comprendre. Mais il est *nécessaire* surtout de la *vivre*. Plongez-vous dans les boîtes. Ouvrez-les toutes. Dites: "Elles sont toutes à moi. C'est ma prérogative, j'ai des droits sur elles." Vous êtes le don que Dieu vous a fait.

Je veux terminer par une magnifique petite chose que j'ai trouvée dans un livre de Joan Atwater: *The Simple Life* (La vie simple). C'est très joli et très court et ça résume en quelque sorte tout ça. Elle écrit:

Nos vies sont écrasées et vivre nous paraît souvent une chose terriblement compliquée. Les problèmes de ce monde sont si incroyablement complexes et nous voyons bien qu'il n'existe pas de réponses simples. Cette complexité nous laisse souvent avec un sentiment d'impuissance. Et pourtant, de façon étonnante, nous continuons, jour après jour, en désirant toujours, de façon à moitié inconsciente, quelque chose de plus simple, quelque chose qui ait plus de sens.

Alors, la façon dont nous envisageons nos vies et la vie devient terriblement importante. C'est à nous d'apporter à notre point de vue cette authenticité, cette simplicité, ce caractère direct, cette clarté sans faille. Si une chose comme la vie, vivre pleinement la vie, vous intéresse — (n'est-ce pas une jolie façon de le dire? Si vivre pleinement la vie vous intéresse) — alors c'est à vous qu'il revient de l'apprendre et de la vivre.

Bien sûr nous pouvons nous parler, nous pouvons travailler ensemble, et nous pouvons apprendre ensemble, mais au bout du compte, c'est à chacun d'entre nous individuellement qu'il revient de définir sa propre vie. Car c'est votre vie, à vous seul, pas à qui que ce soit d'autre. Et il n'y a pas d'autre voie.

Choisissez la vie!

Enseignez la vie
aux autres

Je veux vous raconter une chose très intéressante qui s'est produite dans ma vie. Certains d'entre vous savent que, le jour de la Saint-Valentin, je suis en quelque sorte devenu un héros national. Et c'est vraiment une chose merveilleuse que d'être associé à l'amour, alors je ne me plains pas. Mais on m'appelle des quatre coins du pays pour me demander de participer à des entrevues à la télévision ou dans les journaux. Les gens des magazines viennent m'interviewer. Un jour par an, je deviens un héros. Mais cela m'attriste de penser qu'il nous faut réserver un jour pour rappeler à tout le monde d'aimer. C'est un peu comme quand on réserve un jour pour fêter les mères. Chaque jour devrait être la Fête des mères. Chaque jour devrait être la Fête des soeurs, la Fêtes des frères, des grand-mères, la Fête de l'oncle Louis. Je ne sais vraiment pas pourquoi il nous faut choisir des jours pour ça, mais j'imagine que c'est une bonne occasion pour se faire rappeler l'amour.

Je prends beaucoup de plaisir à observer les réactions des gens à la Saint-Valentin. Près de chez moi il y a un grand centre d'achats et j'y suis allé, ce jour-là, pour acheter des cartes à envoyer à certaines de mes secrétaires et à des amis. Je voulais que ce soient des cartes vraiment spéciales et j'ai pris beaucoup de temps à les choisir. Mais j'observais en même temps le comportement des gens.

J'ai vu un homme arriver au pas de charge à un magnifique comptoir plein de petits coeurs rouges, de toutes sortes de choses souriantes et de signes qui proclamaient: "Amour". Il s'est mis à chercher dans les cartes comme s'il devenait fou. Et il n'arrêtait pas de dire: "Nom de Dieu!" Il voulait acheter un coeur à sa femme. Et, tout en cherchant, il dit: "Tu parles d'une corvée! Pourquoi diable faut-il que nous fassions tout ça?" Et j'ai répondu: "Mais alors, pourquoi le faites-vous, vous?" Il s'est exclamé: "Comment ça, *pourquoi* je le fais? Si je ne le fais pas, elle va me *tuer*."

Quelques minutes plus tard, une très jeune femme est entrée, je lui ai souri et elle m'a souri. Je lui ai dit: "Heureuse Saint-Valentin!" Et elle m'a dit: "Vous savez ce que je fais ici? Vous n'allez pas le croire mais c'est mon patron qui m'envoie acheter un valentin pour sa femme." Et elle a ajouté: "Mon vieux, moi je vous garantis que si mon mari envoyait une autre femme m'acheter une carte, je le *tuerais*." Nous voilà au milieu de coeurs et de gages d'amour et en l'espace de cinq minutes on nous parle de deux meurtres prémédités! Et brusquement j'ai découvert la raison pour laquelle je me promène en disant de "choisir l'amour" et de "choisir la vie".

Vous savez qu'indépendamment de tous mes voyages aux quatre coins du pays et de toutes les folies que je peux faire, je suis fondamentalement un enseignant et j'aime être cela plus que tout au monde. J'ai appris, il y a très très longtemps, que personne n'a jamais appris quoi que ce soit à qui que ce soit. C'est un "ego trip". Je pourrais bien être l'homme le plus sage de la terre et vous dire tout ce que je sais, si vous ne voulez pas le savoir, vous ne l'apprendrez pas. Je sais cela parce que je suis toujours en train de crier et de hurler aux oreilles de mes étudiants et je sais bien qu'ils sont capables d'avoir l'air captivés. Ils me regardent avec l'air de dire: "Eh ben, mon vieux, t'es drôlement intéressant!" Mais rien ne se passe. Cela leur rentre dans les oreilles, ça ressort sur leur papier mais je sais qu'ils sont souvent en train de penser à ce qu'ils vont mettre ce soir pour sortir. Diffuser de l'information est une chose, mais apprendre c'est une décision que *vous seul* pouvez prendre. Je ne peux pas la prendre à votre place. À Stanford, Bandura, qui mène actuellement toutes ces merveilleuses recherches sur l'apprentissage, nous répète sans cesse que nous apprenons par des *modèles*, pas parce qu'on nous *dit* d'apprendre. Nous apprenons en regardant, en observant, en choisissant d'essayer quelque chose de ce que nous avons vu. C'est ainsi que nous apprenons. C'est un processus volontaire de découverte. Cela m'inquiète de voir que nous exigeons toujours de nos enfants qu'ils apprennent l'amour, la responsabilité, la joie de vivre et que nous ne leur en donnons guère l'exemple. Nous n'avons à leur montrer que des gens qui grognent au milieu des coeurs et d'autres qui envoient leurs secrétaires acheter des valentins à leurs femmes.

Il y a une annonce de télévision qui m'inquiète vraiment. C'est une publicité qui recommande de ne pas oublier nos parents. Une publicité pour un service où tout ce que vous avez à faire, c'est de téléphoner et ils prennent un cadeau et l'envoient à vos parents, où qu'ils soient. L'annonce montre deux adorables vieillards. On sonne à leur porte, ils se précipitent et reçoivent ce cadeau qui a été choisi pour eux par le premier venu! Ce n'est pas un *cadeau*, ça. Gardez-le donc, votre "cadeau"!

Et qu'est-ce que vous pensez de statistiques comme celles-ci? Dans une récente étude sur la santé mentale, seulement vingt pour cent des gens interrogés en Amérique ont dit qu'ils aimaient la vie qu'ils menaient et qu'ils étaient heureux. Vingt pour cent! Un sur sept parmi nous aura besoin de l'aide d'un psychothérapeute avant d'avoir quarante ans. Un mariage sur trois se terminera par un divorce. Et on dit qu'avant l'an deux mille ce sera un sur deux, un divorce sur deux mariages. Et je viens de prendre connaissance d'une statistique qui m'a vraiment démoli: on donne chaque année, aux États-Unis soixante millions d'ordonnances pour des Valiums!

Quand nous donnons ce genre d'exemples, que voulons-nous que les gens qui nous entourent, et en particulier les enfants, avec qui nous travaillons, puissent en tirer?

Les gens me disent toujours: "Oh oui, mais vous, Buscaglia, vous avez eu beaucoup de chance d'être élevé dans le foyer que vous avez eu." Je souris quand on me dit ça. Et c'est vrai que j'ai eu de la chance. J'ai eu un papa incroyable, merveilleux et une maman folle. Elle était fantastique! Elle apportait toujours la joie, la musique, la beauté et la compréhension dans la maison. Papa, lui, était très sérieux.

Je n'arrêtais pas d'apprendre d'eux. Je ne savais pas que cette femme était si étonnante. Personne ne s'était jamais arrêté à me le dire. Mais j'apprenais. J'apprenais la fierté. Nous étions très, très pauvres. Certains d'entre vous peuvent comprendre ce que ça signifie. Mais ce n'est pas tout. Tout l'argent du monde ne pourrait acheter ce que j'ai appris. Mais ce ne fut pas que de la joie, de la fierté, du bon temps.

Je me souviens, j'étais un petit garçon vraiment fluet et l'éducation physique était pour moi un cauchemar. J'avais si peu de coordination que je n'ai jamais pu apprendre à lancer un ballon. J'avais des jambes minces comme des allumettes et de longs bras maigres. Des grands yeux, c'est tout ce qu'on voyait de moi. Et je me présentais en classe d'éducation physique dans ces shorts de trois tailles de trop parce que maman n'était pas bête: "Tu vas grandir, alors prends-les grands." Et je me retrouvais dans ces grands trucs larges qui flottaient autour de mes genoux. Deux prunelles perdues dans un costume de gym. Et me voici là, en ligne avec tous les autres et voilà le costaud, le macho qui va être capitaine de l'équipe. Et l'autre costaud macho là-bas, c'est lui le capitaine de l'autre équipe. Et ils commencent à choisir, vous vous souvenez? "Je prends *lui*", un costaud sort des rangs. "Je prends lui" et la ligne diminue. Et vous vous mettez à prier: "Mon Dieu, faites que quelqu'un me prenne, *moi*. Ne me laissez pas être *le dernier*." Et chaque fois, j'étais le dernier. Je me souviens qu'il y avait moi et un magnifique, incroyable, petit juif plutôt gros. Le "rital" et le juif. Toujours les deux derniers. Et les autres s'élançaient et frappaient des coups sûrs sans arrêt et moi j'arrivais au bâton avec ma petite prière: "Rien qu'une fois, mon Dieu, faites que je la frappe *en plein par-dessus la clôture*." Mais jamais ça n'arrivait. Dieu avait d'autres chats à fouetter.

Mais qu'est-ce que j'apprenais de ces modèles-là? J'apprenais que je n'étais pas dans le coup, que je n'étais pas capable de faire ce que faisaient les autres garçons. J'ai attendu d'avoir dix-sept ans pour que quelqu'un me dise: "Tu *peux* lancer une balle. Qu'est-ce qui ne va pas chez toi? C'est facile. Attends, je vais te montrer comment on fait." Et je me suis demandé pourquoi on ne me l'avait pas dit plus tôt. Tant d'années de souffrance et de désespoir, tant d'années passées à haïr mon corps. J'avais un corps convenable. Il était juste un peu maigre. Maintenant j'ai un corps convenable. Il est juste un peu gros. Mais je l'adore. On nous enseigne chaque jour sans savoir ce qui se passe. Je travaille sans arrêt avec des enfants. Vous savez que c'est ma vie. Et sans arrêt j'entends: "J'peux pas faire ça. Je suis borné." Et je demande: "Qui t'a dit que tu es borné?" "Mon professeur." "Mon père."

Oh, j'aimerais bien mettre la patte sur eux. J'aimerais bien les présenter à mon professeur favori, dont je parle sans cesse. Si jamais vous la trouvez, dites-le moi. Je m'envolerais pour le Népal pour pouvoir la serrer dans mes bras, cette merveilleuse Miss Hunt! Pour elle, jamais personne n'est borné. Tout le monde a quelque chose d'unique qui n'appartient qu'à lui et elle sait ce que c'est. Elle pesait trois cents livres! Trois cents livres d'unique, de souci d'autrui, d'amour, de compréhension totale. Oh, quand Miss Hunt vous serrait dans ses bras et que vous disparaissiez en elle... Elle vous aurait fait apprendre n'importe quoi. Et *n'importe quand*! Quel exemple!

Ainsi, chaque jour nous sommes un exemple pour nos enfants. Mais la question que je ne cesse de poser, c'est: quelle sorte d'exemple leur offrons-nous? Comment pouvons-nous exiger des enfants qu'ils deviennent des personnes aimantes quand de telles personnes ils n'en voient guère? Comment pouvons-nous exiger qu'ils soient des êtres responsables, soucieux d'autrui et qui s'impliquent quand ils n'ont guère sous les yeux d'exemples d'engagement, de souci d'autrui et d'amour? Ce qu'ils voient, ce qu'ils apprennent, c'est ce qu'ils vont mettre en pratique, C'est ça que nous obtiendrons d'eux. Alors j'aimerais vous parler de quelques-unes des choses dont nous pourrions vouloir leur donner l'exemple. Et pour faire ça, nous devons dire: "Je veux être le meilleur des exemples. Je veux donner l'exemple de la vie."

Je suis vraiment stupéfait quand je lis des statistiques qui montrent que seulement vingt pour cent de la population américaine choisirait la vie. Tant de gens me répètent encore et encore: "Je n'ai pas demandé à naître." Cela fait pitié de voir cela, alors qu'il y a tant de choses dans la vie. Je ne peux même pas prendre quoi que ce soit pour acquis. Je deviendrais fou. J'aime avec cette intensité parce qu'il y a tant de choses à connaître, et à voir, et à faire et à sentir et à mâchouiller, tout particulièrement à mâchouiller!

Je vais vous montrer à quel point je suis vraiment naïf. Avez-vous jamais été frappé par le fait suivant? N'êtes-vous pas stupéfaits que les carottes goûtent les carottes et que les radis goûtent les

radis? Et qu'en les mélangeant, en en faisant une sorte de macé-
doine, on puisse obtenir un troisième goût? Moi je suis très frappé
par des choses comme ça.

J'étais à Albany récemment et j'étais passé de quatre-vingt-
trois degrés Fahrenheit à moins quinze. Et tout le monde me
disait: "Oh, pauvre vous!" Et je répondais: "Qu'est-ce que vous
racontez? Regardez, il neige et il y a de la glace par terre: je ne vois
pas ça tout le temps. Je veux célébrer ce temps." Alors ils étaient
convaincus: c'était toujours ce même vieux fou de Buscaglia.

Une des premières choses que nous devrions enseigner aux
enfants — et nous ne pouvons l'enseigner à moins d'en être convaincus nous-mêmes — c'est que chacun de nous est une chose
"sacrée". Je suis stupéfait quand je regarde un public ou que je rencontre des gens de voir la mine d'or qu'il y a là. Stupéfait par le
simple fait de vous regarder et de voir tous ces visages incroyables,
ces yeux brillants, ces cheveux roux, blonds, bruns, ces calvities.
Pouvoir dire qu'il n'y en a pas deux parmi vous qui soient semblables, c'est stupéfiant. Il nous faut dire cela très tôt aux enfants,
avant qu'ils perdent leur individualité.

Pourquoi protégeons-nous les enfants contre la vie? Ce n'est
pas étonnant que nous ayons peur de vivre. On ne nous dit pas ce
qu'est vraiment la vie. On ne nous dit pas que la vie est joie et merveille et magie et même ravissement, si l'on parvient à s'y impliquer suffisamment. On ne nous dit pas que la vie est aussi souffrance, misère, désespoir, malheur et larmes. Je ne sais ce qu'il en
est de vous, mais moi je ne veux *rien* manquer de tout ça. Je veux
étreindre la vie et je veux découvrir ce qu'elle signifie. Je ne voudrais
pas traverser la vie sans savoir ce que sont les larmes. C'est pour ça
que j'ai des glandes lacrymales. Si je ne devais pas pouvoir pleurer,
je n'en aurais pas. C'est très bien de pleurer un petit peu. Je trouve
toujours que les larmes lavent mes yeux.

J'adore l'oeuvre de Martin Buber et tout particulièrement son
concept de "je" et de "toi". Il dit que chacun de nous est un toi et
que quand nous entrons en relation les uns avec les autres nous
devons agir comme des choses saintes, parce que nous sommes
vraiment spéciaux. Alors, quand je suis en relation avec vous, vous
êtes un toi. Buber dit que le plus souvent nous formons nos relations
sur la base d'un je et d'un ça. N'êtes-vous pas furieux parfois d'être

traité si souvent comme un "ça"? Moi je n'hésite jamais à crier, à hurler: "Je ne suis pas une chose! Je suis *moi*. Je suis Felice Leonardo Buscaglia. Je suis seul de mon genre. Ne regardez pas *à travers* moi. J'ai de la *dignité*." Tant que nous entrons en relation avec les gens en tant que "je" et "tu", dit Buber, il y a *dialogue*. Quand nous traitons les gens comme des "*ça*" face à un "je", ça devient un *monologue*. Je ne veux pas me parler à moi-même. Je veux parler avec *vous*. Et je veux que vous, vous parliez avec moi. Nous avons de la dignité. Les enfants doivent apprendre ça et ils doivent l'apprendre *très tôt*.

Ils doivent aussi apprendre qu'ils ne se trouveront pas en cherchant à l'extérieur d'*eux-mêmes*. Ils doivent chercher *à l'intérieur*. Ce n'est pas une quête facile de trouver ce que vous avez d'unique pour le partager avec les autres, car, toute votre vie, ce sont les autres qui vous disent qui vous êtes. Vous êtes-vous déjà demandé si vous étiez vraiment vous-même? La plupart d'entre vous sont ce que les autres leur ont dit qu'ils étaient. Et peut-être que certains d'entre vous ont été assez sages pour s'accrocher au fait que les autres vous voulaient sans doute du bien mais que ce qu'ils vous disaient être ne correspondait peut-être pas à ce que vous êtes *vraiment*, parce que vous vous sentez mal à l'aise dans le rôle que l'on veut vous faire jouer. Alors vous laissez tomber ce rôle. Vous vous dites: "Je vais essayer de trouver qui je suis, *moi*" et si vous faites ça, ce sera votre plus grand défi. Vous n'aurez plus de paix mais aussi, incontestablement, vous ne vous ennuierez jamais.

La découverte de soi est comme toutes les découvertes. Ce n'est jamais facile, mais vous ne pouvez compter sur les autres pour y voir clair.

J'adore cette histoire des Soufis. Un homme appelé Mullah se trouvait à quatre pattes dans la rue, en train de chercher quelque chose par terre. Un ami vint à passer qui lui demanda:

"Mullah, que fais-tu donc à quatre pattes dans la rue?

— Je cherche les clés de ma maison. Je les ai perdues.

— Oh, montre-moi donc à quel endroit tu les as perdues et je me mettrai moi aussi à quatre pattes pour t'aider à chercher.

— Oh, je les ai perdues dans ma maison.

— Mais, au nom du ciel, pourquoi alors les cherches-tu ici?

— Oh, c'est parce que c'est mieux *éclairé* ici."

La plupart d'entre nous se cherchent dehors, dans la lumière. Mais vous ne vous trouverez pas là. Il vous faudra plutôt vous mettre à quatre pattes à l'intérieur, là où c'est parfois sombre et plein de fantômes; c'est là que vous découvrirez toutes ces merveilleuses choses qui sont en vous. Il y a en vous bien plus de choses non réalisées encore que de choses réalisées. Et vous pouvez continuer d'en chercher de nouvelles, encore et toujours, à jamais. Einstein se plaignait, au moment de sa mort, d'avoir réalisé si peu de lui-même.

Et c'est vrai de chacun de nous. Il n'est pas nécessaire d'être Einstein. Mais savoir que vous êtes illimité, c'est là votre plus grand défi. Découvrez tout de cette merveille qui est en vous et développez-la et redressez-vous fièrement et continuez à chercher. Et n'ayez pas peur d'échouer. C'est normal. Point n'est besoin d'être parfait.

Quelqu'un m'a prévenu très gentiment avant que j'arrive: "Faites attention, il y a un câble là, et deux marches, plus loin. Faites attention de ne pas trébucher." Et j'ai répliqué: "Ne serait-ce pas très drôle si j'arrivais là, dans toute ma gloire, devant des milliers de gens et que je tombe sur le...? Dans ce cas, si quelqu'un dans la salle pensait que je suis quelqu'un de spécial, il serait édifié." Je suis simplement très heureux d'être une personne humaine comme moi, une personne qui apprend.

Je pense aussi que nous devons enseigner aux enfants l'importance des autres et leur dire qu'ils ne pourront grandir en ce monde sans embarquer les autres. Plus ils s'incorporeront d'univers, de ces univers uniques qui n'existent que dans chaque individu, plus ils pourront devenir. Nous devons leur enseigner à faire à nouveau confiance aux autres, parce que nous avons tous une peur morbide les uns des autres. Nous élevons des murs de plus en plus haut, nous posons des verrous de plus en plus solides. Abattez les murs! Tous les jours je vois à quel point nous nous méfions les uns des autres, et ça fait mal.

Nous devons apprendre à faire à nouveau confiance, à croire encore. Bien sûr c'est un risque, mais tout comporte un risque. Nous devons, pour commencer, ne pas nous contenter "d'être" à nouveau. Nous devons être *humains*, et il y a une différence. Les bouddhistes racontent une merveilleuse histoire à propos d'une fourmi dans un réservoir et des différentes attitudes que l'on peut avoir à l'égard de cette fourmi. Ils disent que la première personne regarde dans le réservoir, voit la fourmi et lui dit: "Que fais-tu dans mon réservoir?" Et il écrase la bestiole. "Squish." Plus de fourmi. *Égoïsme*. La personne suivante regarde dans le réservoir, voit la fourmi et lui dit: "Je sais qu'il fait chaud aujourd'hui, même pour des fourmis. Tu ne fais rien de mal. Vas-y, continue à rester dans mon réservoir." *Tolérance*. Et la troisième personne arrive et ne pense même pas à se mettre en colère ou à se montrer tolérante. Elle voit la fourmi dans le réservoir et spontanément lui donne une poignée de sucre. Cela, c'est l'*amour*. Quand vous en arrivez au point où vous n'avez plus besoin d'analyser, c'est gagné. La réaction spontanée. Quelqu'un est là, sur la route, qui a besoin de moi. Je m'arrête. Quelqu'un doit entrer sur l'autoroute, je le laisse passer. Quelqu'un pleure et je demande: "Est-ce que je peux vous aider?" Quelqu'un m'a demandé, lors d'une entrevue: "Mais qu'arrive-t-il quand vous allez dire quelque chose aux gens et qu'ils vous répondent de vous mêler de vos affaires?" Et il y a d'ailleurs des chances que vous obteniez ce genre de réaction. Et bien, on n'aime pas pour être aimé en retour. On *aime* pour *aimer*. On le fait parce que c'est naturel de tendre la main et de donner du sucre à la fourmi. Qu'est-ce que vous y perdez? Tant de gens qui ont du potentiel ont peur de vous laisser voir ce qu'ils sont. Tant de beauté se perd parce que nous avons peur.

Je pense aussi qu'il est important de parler aux enfants de la continuité de la vie. Nous vivons dans une société stratifiée. Les petits enfants sont mis ensemble. Les adolescents sont mis ensemble. Les jeunes mariés aussi. Et si vous restez célibataire vous perdez vos meilleurs amis. Les vieillards, au nom du ciel! les vieillards sont mis ensemble. Et où donc un enfant apprendra-t-il que la vie est un voyage? Que la vie est une continuité?

J'ai eu beaucoup de chance, étant enfant, que ma maison soit toujours pleine de gens: des grand-mères et des grands-pères, des enfants nouveau-nés, des femmes enceintes et des nouveaux mariés. Je pourrais vous en raconter des histoires là-dessus. Tous dans la même maison! Et nous avons appris de bonne heure que la vie est une continuité et qu'elle n'est pas stratifiée. Nous avons vu des vieillards et nous savions qu'un jour nous aussi nous serions vieux. Nous avons vu des gens mourir et nous avons commencé à apprécier la vie. Mais quand vous ne voyez pas ça, vous ne savez pas que ça existe et vous en êtes effrayé à mort. La plupart d'entre nous sont horrifiés par la mort. Nous ne savons pas mourir ou vivre avec dignité. Si vous avez vécu avec dignité, vous mourrez avec dignité. Ne vous en faites pas pour ça.

Une des lettres les plus fascinantes que j'aie reçues cette année venait d'une femme qui était en train de mourir: elle n'avait plus que trois ou quatre mois à vivre. Et tout tournait dans sa lettre autour de "je" et "moi". Mais je pouvais sentir que c'était un être merveilleux et sensible. Elle ne savait tout simplement pas comment prendre la mort. J'ai pris une chance et je lui ai répondu: "Vous savez, au lieu d'attendre la mort à ne rien faire, vous devriez tirer le meilleur parti possible de ces quelques jours, de ces quelques mois qui vous restent, et *vivre*, vivre pleinement! Voyez ce qui se produit quand vous *faites* quelque chose. Allez à l'hôpital des enfants malades. Il y a là une aile réservée aux petits enfants qui eux aussi sont en train de mourir. Allez donc les voir."

Grâce à Dieu, elle l'a fait. Et la merveille des merveilles c'est que ce sont les enfants qui lui ont appris à mourir à *elle*. Dès qu'elle est entrée, les petits enfants sont venus à elle et lui ont demandé: "Tu vas mourir, toi aussi?" Aucun adulte n'avait jamais osé lui demander une telle chose. Non seulement était-elle en train de mourir mais elle crevait de *solitude*. Je ne sais pourquoi, mais elle a répondu: "Oui, je vais mourir." Un enfant lui a demandé: "Est-ce que t'as peur?" Et elle a répondu: "Oui." "Pourquoi t'as peur? Tu vas voir le Bon Dieu." N'est-ce pas intéressant? Tant d'entre nous disent que quand nous mourrons nous allons aller voir Dieu et pourtant nous crions, nous hurlons de terreur quand vient la mort. C'est une dynamique très intéressante qui mériterait une étude.

Une petite fille lui a demandé: "Est-ce que tu vas amener ta poupée?" Cette femme est encore en vie et elle travaille toujours et je ne pense pas qu'elle se préoccupe trop de savoir quand va venir la mort. Il y a encore des choses à faire. Il lui reste du temps. L'âge n'a rien à voir avec la sénilité. C'est croire qu'on n'a plus la moindre alternative qui rend sénile. Tant qu'on a la vie, on peut vivre jusqu'au jour de la mort. Mais les enfants doivent savoir quelque chose de ça. Ils doivent le *voir*. Nous leur cachons les enterrements. Nous ne les laissons pas voir les corps. Nous ne leur donnons pas de réponse quand ils demandent: "Qu'est-ce qui est arrivé à mon chien?" "Qu'est-ce qui est arrivé à grand-maman?" "Elle est partie en voyage." Les petits enfants apprendront ce que vous leur enseignerez. Ils reproduisent l'attitude de leurs parents. Si leurs parents sont effrayés à mort, ils le seront aussi. Et ce que je dis n'est pas un mot d'esprit.

Et puis, une autre chose qui est essentielle c'est que les enfants apprennent qu'ils ont le choix. Et ils vont croire qu'ils ont le choix uniquement si vous leur donnez des alternatives. Les gens qui se suicident, par exemple, sont des gens qui ont un point de vue extrêmement étroit sur la vie; ils n'ont aucun choix. Chaque année, à l'université, dans le temps des examens finals, il y a des tentatives de suicide. Ce sont toujours des jeunes femmes et des jeunes hommes merveilleux qui s'ouvrent les veines parce qu'ils ont peur d'échouer. Pouvez-vous croire que quelqu'un se méprise suffisamment pour abandonner sa vie à cause d'un examen? Je demande toujours à mes étudiants: au nom du ciel, que pouvez-vous faire d'autre? D'accord, le suicide est une alternative envisageable — mais que pouvez-vous faire d'autre? Ayez donc de l'imagination!

Les gens disent toujours qu'une des raisons pour lesquelles nous aimons à amasser des richesses c'est que ça nous donne plus d'alternatives. Mais c'est fou! Le taux le plus élevé de suicide, c'est chez les riches qu'on le trouve. Si vous n'avez pas d'alternatives *maintenant*, vous aurez beau avoir tout l'argent du monde, vous n'aurez pas plus d'alternatives.

Je me souviens aussi que quand nous étions petits, la grande affaire de chaque semaine, que nous attendions toujours avec impatience, c'était d'embarquer dans une vieille Chevrolet. Peut-on imaginer une aussi grande famille dans une Chevrolet? Son toit était bourré de toutes sortes de merveilles parce que maman, dans sa splendeur, aimait avoir son confort. Nous allions à Long Beach et ça nous prenait presque deux heures pour y arriver. Nous chantions tout le long du voyage. Nous chantions tous les opéras. Maman était une chanteuse. Elle nous avait appris. Alors un jour nous chantions *La Bohème*. Un autre jour *La Traviata*. Une famille dingue, avec son ombrelle, quelques chaises et des boîtes. Maman ne se contentait jamais de sandwichs. Nous faisions cuire des spaghettis sur la plage. Pouvez-vous croire ça? De l'antipasto aussi. Les gens nous regardaient, stupéfaits! Nous arrivions sur la plage et il nous fallait presque deux heures pour tout déballer. Maman prenait le vent: "Bon, mettez l'ombrelle ici et les chaises là, à l'abri du vent, face au soleil." Nous arrangions tout puis piquions une tête dans l'océan, nous nous séchions ensuite et nous nous changions. Oh, je me souviens de cette époque merveilleuse. Et pourtant nous étions si pauvres, d'un point de vue monétaire. Nous étions loin d'avoir *tout*. Et tous ces gens autour de nous qui avaient *tant* nous regardaient étonnés: "Qu'est-ce que c'est que ces phéno-mènes?" Mais nous avions des alternatives à la pauvreté. Nous avions des choix, ou du moins c'est ce que nous croyions, dans notre naïveté. Mais qu'est-ce que ça peut faire que vous soyez naïf et stupide pourvu que vous viviez, que vous soyez plein de vie? Je ne pense pas que nous étions si stupides que ça. Nous étions plein de vie et c'était plaisant.

Je me souviens que nous avons voulu emmener papa à Hawaï avant qu'il meure. Nous savions qu'il allait mourir. Et nous avons trouvé un vol très bon marché. C'était dans une section baptisée: "sans fioritures". C'était une de ces sections où l'on ne vous *regarde* même pas, alors il y est encore moins question de vous *nourrir*. Ils ne faisaient que vous fourrer à l'arrière de l'appareil. Mais nous, on s'en fichait. C'était parfait pour nous. Nous avons traversé la première classe pour aller à l'arrière.

On pouvait acheter son plateau de repas. N'oubliez pas ça, *vous!* Ne soyez pas si snobs. Vous n'avez pas toujours eu tout ce que vous avez maintenant. Papa a dit: "Et après? Nous allons nous faire cuire notre dîner nous-même!" Je me souviendrai toute ma vie de ce que nous avions à manger, c'était si dément. Nous étions assis là, ma soeur et moi et ma nièce et les autres — nous occu-pions toute une rangée — et papa. Il a ouvert la boîte. Il avait fait du poulet à l'ail et au romarin. La première classe salivait à quatre-vingts rangs de là! Je me souviens que les hôtesses n'arrê-taient pas de venir nous demander: "Qu'est-ce que vous avez là?" Il avait aussi des champignons à l'ail marinés. Oh, c'était un dîner si *spécial!* Personne sur ce vol n'a aussi bien mangé que nous. Et nous avons partagé avec tout le monde. Dès que quelqu'un se retournait pour nous regarder, nous lui disions: "Voulez-vous un morceau de poulet?" Vous *avez* le choix. Vous pouvez choisir la joie plutôt que le désespoir, le bonheur plutôt que les larmes. Vous pouvez choisir l'action plutôt que l'apathie, la croissance plutôt que la stagnation. Et vous pouvez vous choisir vous-même. Et choisir la vie. Et il est temps que l'on vous dise que vous n'êtes pas à la merci de forces plus grandes que vous. C'est vous, au contraire, qui êtes pour *vous la plus grande* des forces. Alors, vous ne pouvez pas faire ça pour *moi*, mais vous pouvez le faire pour *vous*.

Les gens disent: "Oh, Buscaglia, vous êtes tellement naïf! Aller dire que l'on peut choisir la joie!" Mais essayez, pour voir. La prochaine fois que vous vous trouverez dans une situation où vous pouvez vous retrouver à hurler au visage de quelqu'un, essayez donc de sourire. C'est stupéfiant. Certains d'entre vous m'ont déjà entendu parler de cet homme, à l'aéroport, qui criait à qui voulait l'entendre qu'il devait sortir de là même si, à cause du blizzard, c'était impossible. Et il y avait aussi, ce jour-là, dans le même aéroport, une petite dame qui avait rassemblé tous les enfants pour permettre aux mères surmenées d'aller manger tranquilles. C'est le genre de choix que *vous* pouvez faire. Et j'ajoutais: "Pourquoi choisir de crier? Cela ne fait que revenir sur vous et vous donner des ulcères ouverts, alors que vous pourriez plutôt rendre les autres heureux?" Un homme que j'ai rencontré plus tard m'a dit qu'il n'avait jamais pensé à ça auparavant, aussi surprenant que cela puisse paraître. Après m'avoir entendu dire ça, il se trouva un jour à Chicago, l'endroit où s'était produite mon histoire. C'est un endroit merveilleux pour les aventures, Chicago. Si vous passez assez souvent par là, il y a de fortes chances que ça vous arrive. Cet homme m'a raconté qu'il était arrivé par temps de blizzard et on lui avait dit qu'on allait le conduire à sa destination par autobus, parce qu'il n'y avait pas d'autre moyen de quitter l'aéroport cette nuit-là. Il y avait sur son vol deux femmes en chaises roulantes. Elles ne se connaissaient même pas l'une l'autre. Chacune était de son côté. Il m'a dit: "J'ai pensé à Buscaglia. Il semblait me dire: "Alors, ne reste pas assis là comme ça, fais quelque chose!" (Cela, c'était tout à fait ce que disait maman.) Il m'a dit qu'il est allé voir chacune de ces dames pour leur dire:

"Est-ce que vous allez où je vais?

— Oui.

— Et vos bagages?

— Eh bien... nous ne pouvons sortir de nos chaises roulantes et il n'y a pas de préposé et...

— Je vais m'occuper de vous."

Il est allé chercher leurs bagages, les a mis dans l'autobus et a aidé les dames à embarquer. Et il m'a avoué: "Je n'avais jamais connu un tel bonheur de toute ma vie! Ce fut une merveilleuse expérience, une expérience pleine de joie." C'est ça, un choix!

Parlons du risque maintenant, parce que le risque c'est épatant. Une fois que vous vous êtes mis au risque, votre vie entière en est changée. Le changement et la croissance ne se produisent que lorsque vous êtes prêt à risquer et à faire des expériences avec votre propre vie. Vous n'êtes jamais sûr de rien. Tout est un risque. Je me souviens qu'il y a bien des années, j'ai vendu tout ce que je possédais — contre l'avis de la plupart des gens. Je voulais voyager autour du monde. Je voulais entendre la cloche des temples du Népal qui sonne clair comme le cristal. Je voulais m'asseoir dans un petit restaurant de riz en Thaïlande et parler aux gens ou au moins les serrer dans mes bras. Et je l'ai fait. J'ai vendu ma police d'assurance, ma maison, ma voiture, tout ce que je possédais. Et je suis parti. Les gens disaient: "Oh mon Dieu, tu as abandonné un emploi sûr. Tu ne retrouveras plus de travail. Tu vas crever de faim en rentrant." Je suis rentré avec environ dix cents dans mes poches. Je n'ai pas crevé de faim, j'ai appris. Et les choses que j'ai apprises étaient tellement plus importantes! J'en ai appris beaucoup sur les attitudes. À Bangkok, on dit *mah-pen-lai*. J'entendais les gens dire *mah-pen-lai* à tout bout de champ. Je me demandais: "Qu'est-ce que ça peut bien vouloir dire?" Finalement, quand j'ai eu fait connaissance avec des Thaï, je leur ai dit: "Il y a une phrase que j'entends sans arrêt partout, au marché, à l'aéroport, dans les musées, sur les canaux, sur les rivières, c'est *mah-pen-lai*. Qu'est-ce que ça veut dire?" Ils ont eu un sourire indéfinissable et m'ont dit: "Cela veut dire: "Ça va bien, ça n'a pas d'importance." Et brusquement ça m'est venu. Dieu du ciel! Pas étonnant qu'on appelle la Thaïlande "le pays du sourire", si tant de gens peuvent dire: "Ça va bien, ça n'a pas d'importance." Et j'ai pensé à notre culture où *tout a de l'importance*.

"Comment ça, ça n'a pas d'importance? Si vous pensez que ça n'a pas d'importance, c'est que vous êtes frivole!" Non, ça n'a pas d'importance. Le monde continuera bien à tourner sans vous. De toute façon, quatre-vingt-dix pour cent des choses qui nous inquiètent n'arrivent jamais. Mais nous nous faisons du souci, nous nous inquiétons, nous nous rongeons. Nous nous inquiétons même de nous inquiéter!

Chaque fois que je parle, je risque. Je vais toujours vers les gens les bras grand ouverts, en disant: "Vous me connaissez." Je ne leur dis pas: "Cooomment allez vououous?" Dieu tout puissant!, je suis un de ces fous qui ont pris le risque de serrer le doyen dans leurs bras. Personne ne fait ça! Le doyen trône derrière un bureau qui a un mille de long et deux milles de large. Et vous vous asseyez de l'autre côté et vous dites: "Oui, M. le doyen, oui, M. le doyen, oui, M. le doyen." C'est ça qu'on fait avec un doyen. On ne le *serre* pas dans ses bras. Eh bien, j'étais assis là un jour et il me disait toutes sortes de choses vraiment gentilles. Et j'ai pensé: "Quel chou! Je parie qu'il adorerait que je le prenne dans mes bras." Alors, je me suis levé et j'ai dit: "Doyen, c'est merveilleux!" Et je me suis rué sur lui qui était assis dans une chaise pivotante. Il a fait "Aaagh!" Alors je l'ai entouré de mes bras et je l'ai serré — à la plus grande horreur de mes collègues. "Mon Dieu, Leo est encore plus fou qu'on ne le pensait!" Voyez-vous, je suis toujours constant et chaque fois que j'ai revu le doyen après ça, je lui ai dit: "Salut, doyen" et je l'ai serré dans mes bras. Et je sais qu'il aimait ça parce qu'un peu plus tard il s'est mis à se blottir dans mes bras! Personne n'est trop grand pour ça. Tout le monde veut être étreint. Tout le monde en a besoin. Cela fait du bien au métabolisme. C'est ça le risque!

Je veux vous lire ceci:

"Rire, c'est risquer de passer pour un fou." Eh bien, et après? Les fous s'amusent comme des fous.

"Pleurer, c'est risquer d'être pris pour un sentimental." Oh oui, je suis sentimental. J'adore ça! Pleurer, ça peut aider.

"Tendre la main à quelqu'un, c'est risquer de s'engager." *Risquer* l'engagement? Moi, je *veux* être engagé.

"Montrer ses sentiments, c'est risquer de dévoiler son véritable moi." Mais qu'est-ce que je pourrais bien avoir d'autre à montrer?

"Mettre ses idées et ses rêves sur la place publique, c'est

risquer de se faire appeler naïf." Oh, on me donne des noms bien pires que ça.

"Aimer, c'est risquer de ne pas être aimé en retour." Je n'aime pas pour qu'on m'aime en retour.

"Vivre, c'est risquer de mourir." Je suiś prêt à ça. Ne vous avisez pas de verser une seule larme si vous apprenez que Buscaglia a éclaté ou qu'il est tombé raide mort. Dans un cas comme dans l'autre, c'est avec enthousiasme qu'il l'aura fait.

"Espérer, c'est risquer le désespoir et essayer, c'est risquer l'échec." Mais des risques *il faut* en prendre, car le plus grand risque, dans la vie, c'est de ne *rien* risquer. Celui qui ne risque rien ne fait rien, n'a rien, n'est rien et ne devient rien. Il peut bien éviter la souffrance et le chagrin, mais il ne pourra tout simplement pas apprendre et sentir et changer et grandir et aimer et vivre. Enchaîné par ses certitudes, c'est un esclave. Il a abandonné sa liberté. Seul celui qui *risque* est vraiment libre. Essayez ça, vous m'en direz des nouvelles.

En parlant d'amour

Nous n'avons rien qu'une heure, alors allons-y. N'est-ce pas incroyable que cette causerie soit diffusée par satellite*? Vous et moi, ensemble. Et la première chose que je vais faire avant que nous partions par satellite, maintenant que vous avez vu mon nouveau veston, c'est de l'enlever.

Il y a peu de temps un de mes voisins m'a parlé d'une petite église près de chez moi où se passaient des choses magnifiques, pleines de spiritualité. Il voulait m'y emmener pour que j'en fasse l'expérience. Alors j'ai dit que j'adorerais ça et nous y sommes allés. À peine avions-nous ouvert la porte de l'église que tout le monde se précipita sur moi. On me prenait la main, on me tapait sur l'épaule et on me caressait les cheveux. Là , sur le seuil! Puis ils nous ont fait entrer. Il y avait beaucoup de chants, de mouvements et de danses: une vraie célébration. Mais le point culminant ce fut quand le pasteur se leva et dit: "Mes amis, aujourd'hui c'est frère Jonathan qui va dire le sermon et le sujet est la foi." Le petit frère Jonathan se leva. Il faisait environ 1,60 m. Il se tint là devant tout le monde pendant une minute, joignit les mains et dit: "Foi, foi, foi, foi, foi, foi." Puis il se rassit! Le pasteur se leva avec un grand sourire et dit: "Merci, frère Jonathan, pour cette magnifique causerie sur la foi." Je pensai en moi-même, un jour je vais devenir plus sage et quand j'irai parler aux gens, comme ce soir, de l'amour, je joindrai mes mains et je dirai: "Amour, amour, AMOUR, AMOUR, AMOUR, amour, amour" *et puis je rentrerai chez moi!* Ce sera

---

* Cette causerie a été diffusée par satellite sur le réseau des télévisions publiques des États-Unis. (Note de l'éditeur.)

notre plus belle soirée. Mais je ne suis pas encore sûr de moi à ce point là, je vais passer *une heure* à vous dire ce que cet homme a dit en une minute.

Je suis vraiment préoccupé par le fait que nous avons tous besoin d'amour, que nous y aspirons et qu'on en voit si peu autour de nous. J'ai suivi un cours de thérapie par le jeu. C'était pour les petits enfants. Parce que nous, les adultes, nous pouvons nous servir du langage comme thérapie et nous pouvons, par la parole, nous frayer un chemin vers la santé. Mais avec les enfants, la façon la plus naturelle c'est de jouer avec eux. Vous amenez des enfants dans une pièce et vous leur donnez toutes les petites choses avec lesquelles ils peuvent jouer leurs histoires et vous leur dites: "Voyons voir, parlons, soyons ensemble, partageons." Et vous faites tout ça dans le cours de l'action. On m'avait donné une petite fille émotivement perturbée. C'était la première fois que je travaillais avec un enfant aussi jeune. Elle avait cinq ans. Elle faisait toutes sortes de choses incroyables. Dieu merci, nous sommes en train de découvrir que même les petits bébés au berceau savent ce qui se passe. Maintenant nous parlons de grandes choses comme "la stimulation infantile". Les bonnes mères connaissaient ça depuis des années quand elles tenaient leurs enfants, qu'elles les aimaient, les berçaient, les faisaient sauter et rebondir aux quatre coins de la pièce plutôt que de les laisser tranquilles de peur de les gâter.

Quoi qu'il en soit, Lelani était très active et pendant plusieurs jours elle a fait quelque chose qui me troublait. Elle prenait des morceaux de pâte à modeler et les roulait pour en faire des petits bonshommes. Puis, après les avoir finis au complet, elle faisait PAN! Et elle disait "maman". Elle en faisait un autre, puis PAN! et elle disait "papa". Elle passait ainsi toute sa famille. Puis elle a voulu que ce soit *moi* qui le fasse! Alors, comme je suis un thérapeute d'enfants absolument terrible — vraiment abominable, vous savez, parce que je m'impliquais tellement dans ces enfants alors que j'étais censé rester là à réfléchir: "Tiens, Lelani a démoli sa mère" — je n'ai tout simplement pas pu le faire. Je me sentais en quelque sorte impliqué et je lui ai demandé: "Lelani, comment se fait-il que tu démolisses tous les gens que tu aimes?" Elle m'a regardé avec une sorte d'indignation, comme si elle pensait "pauvre imbécile", et elle a dit: "Parce que ce sont les gens qui sont toujours en train de me faire du mal."

Cinq ans! Alors, comme je suis, une fois de plus, un très mauvais thérapeute, je lui ai dit: "Mais moi je t'aime et je ne te fais pas de mal." Et elle a répondu: "C'est pasque t'es fou." Cinq ans et elle avait déjà appris que l'amour peut faire mal. Cinq ans et elle avait déjà appris que si vous aimez sans condition, c'est que vous êtes fou.

Et depuis ce temps-là j'ai participé à des tas d'émissions télévisées pour adultes et nous ne sommes pas tellement loin de ça, même maintenant. Le téléphone sonne, je dis "Allo" et une voix dit: "Hé, Buscaglia, où est donc cette chose qu'on appelle l'amour*? Je vis dans une petite maison de chambres sur Melrose et je suis seul comme un rat. Mais je n'ai pas le courage de briser ma solitude, ou alors je ne sais pas comment faire. Où est l'amour?"

Alors ça ne me gêne pas d'aller n'importe où dire: "Parlons de l'amour." Cela m'est égal. Et si vous pensez que je suis fou, tant mieux parce que ça me donne les coudées franches dans mon comportement. Et nous acceptons les gens qui sont fous, nous leur pardonnons. Mais je veux partager avec vous des statistiques pas si folles qui me préoccupent et qui, je l'espère, vous préoccupent aussi.

Savez-vous qu'il y a aux États-Unis environ vingt-six mille suicides chaque année? En particulier pour quelqu'un comme moi qui pense que la plus grande perte au monde c'est la perte de potentiel humain, cela me donne envie de crier, de dire: "Hé, *un instant!* Ne savez-vous pas qu'il existe d'autres alternatives?" Et savez-vous que beaucoup de ces suicides sont le fait de personnes qui ont plus de soixante-cinq ans? Peut-être que ça nous en apprend un peu sur la façon dont nous traitons les personnes âgées, sur la façon dont nous les considérons et sur le fait que nous formons une société qui déteste tout ce qui est vieux. Nous ne voulons pas de ça autour de nous. Nous le mettons en pièces. Nous l'envoyons au loin pour ne pas avoir à le regarder, au lieu de l'accueillir et de prendre con-

---

* Allusion ironique à la chanson de Cole Porter: *What is this thing called love?* (N.d.t.)

science que le vieux peut être magnifique* et que les gens qui ont perdu le sens de l'histoire vont avoir un jour à revivre ça eux-mêmes. Un de ces jours, vous en serez là, *vous aussi*, et, à moins que nous ne fassions dès maintenant quelque chose à ce sujet, on va vous remiser quelque part, vous aussi. Cela m'inquiète aussi de voir que, bien que le taux de suicide le plus élevé se situe chez les gens de soixante-cinq ans et plus, le taux qui augmente le plus vite, c'est celui des adolescents. Des enfants de treize, quatorze, quinze ans qui ne savent pas encore ce que c'est que la vie et auxquels on n'a jamais dit à quel point ça pouvait être merveilleux et magique et plein de spiritualité et excitant. Et ils arrêtent tout. C'est fini pour eux. Il n'y a pas de seconde chance!

Savez-vous qu'aux États-Unis une personne sur sept aura besoin d'une forme quelconque de psychothérapie avant l'âge de quarante ans? Un, deux, trois, quatre, cinq, six, sept: vous!, un, deux, trois, quatre, cinq, six, sept: vous! Mais ça n'a pas lieu d'être. Ce n'est pas nécessaire! Vous avez en vous toutes les ressources pour vous guérir et, de toute façon, c'est ce qu'il va vous falloir faire. Alors, autant commencer tout de suite.

Ne manquez pas l'amour. C'est un don incroyable. J'aime à penser que le jour de votre naissance, on vous donne le monde comme cadeau de naissance. Cela m'effraie de voir que si peu de gens se donnent la peine ne serait-ce que de défaire le ruban! *Arrachez-le! Enlevez vite le haut du couvercle*! C'est *plein* d'amour et de magie et de vie et de joie et d'émerveillement et de souffrance et de larmes. Toutes ces choses qui sont votre cadeau d'être humain. Pas seulement les choses vraiment heureuses — "Je veux être heureux tout le temps." — non, il y a aussi beaucoup de souffrance, beaucoup de larmes. Beaucoup de magie, beaucoup de merveilles, beaucoup de confusion. Mais c'est ce que ça veut dire. C'est ça, la vie. Et tout ça est si excitant. Entrez dans cette boîte et vous ne vous ennuierez jamais.

Je vois des gens qui disent constamment: "Je suis un être d'amour, je suis un être d'amour, je suis un être d'amour. Je crois vraiment en l'amour. J'y tiens mon rôle." Et puis ils crient après la

---

* Allusion à divers slogans ("Black is beautiful", "Small is beautiful", etc.) des années 70. (N.d.t.)

serveuse: *"Où est l'eau?"* Je croirai en votre amour quand vous me le montrerez en action. Quand vous pourrez comprendre que tout le monde enseigne l'amour à tout le monde, à chaque instant. Et quand vous vous demanderez "Suis-je le meilleur professeur", si votre réponse est "oui", parfait; mais allez-y voir de plus près, écoutez le nombre de fois par jour où vous dites: "J'aime" au lieu de "Je déteste". N'est-ce pas révélateur que les enfants, dans leur apprentissage du langage, apprennent toujours le mot "non" avant d'apprendre "oui"? Demandez donc aux linguistes où les enfants entendent ce mot. Peut-être que s'ils entendaient plus de "j'aime, j'aime, j'aime", ils le diraient plus tôt et plus souvent.

Il y a tellement longtemps que je me préoccupe de l'amour que j'ai consulté des centaines de manuels de psychologie et de sociologie, cherchant auprès des professionnels qui devraient être les gens concernés par ça, ce qu'ils avaient à dire. Et, savez-vous que le mot n'apparaissait même pas dans les index? Cela vous dit à quel point nous pensons à l'amour. Quand j'ai écrit mon livre: *Love* (l'amour), ce fut très curieux, parce que mon éditeur me dit: "Oh, Leo, il va falloir que vous changiez le titre: je suis sûr qu'il a déjà dû servir." Je lui ai dit: "Pourquoi ne pas le déposer quand même et voir ce qui se produira?" Alors nous avons entrepris les démarches pour l'enregistrer et j'ai obtenu le "copyright" pour "L'amour"! Il existe des livres intitulés *L'amour et la haine, L'amour et le désir, L'amour et la peur, La joie et la puissance de l'amour*, mais personne n'a jamais pensé à un livre qui s'appellerait tout simplement: *L'amour*. L'A M O U R. C'est un si beau mot. C'est un mot si vaste. Un concept sans limites.

Qu'est-ce qu'une personne aimante? C'est d'abord quelqu'un qui s'aime lui-même. Je dis ça si souvent et les gens disent: "Oh, oui, vous avez tellement raison", mais ils *ne le font tout simplement pas*. Vous ne serez jamais capable d'aimer qui que ce soit d'autre tant que vous ne vous aimerez pas vous-même. Wiesel, le merveilleux écrivain juif, a écrit une chose superbe dans un livre intitulé: *Souls on Fire* (Les âmes en feu). Voici:

Quand nous mourrons, quand nous irons au ciel rencontrer notre Créateur, il ne nous demandera pas pourquoi nous ne sommes pas devenus des messies. Pourquoi nous n'avons pas découvert le remède à telle ou telle chose. La seule chose qu'il va nous demander, à cet instant crucial, c'est: pourquoi n'es-tu pas devenu *toi-même?*

C'est ça votre toute première responsabilité car, si ça ne l'était pas, pourquoi donc serions-nous tous si incroyablement uniques? Chacun est différent. Chacun a quelque chose à donner, quelque chose que personne d'autre au monde ne possède. Est-ce que ça ne suffit pas pour vous enthousiasmer à propos de vous-même? Et aussi pour vous faire dire à vous-même "Mon Dieu, il faut que je trouve ce que c'est."

Je dis ça à mes étudiants et ils s'étonnent: "Moi? Je n'ai rien d'utile à offrir." Eh bien, si vous croyez ça et que vous écoutiez les autres, peut-être vous convaincront-ils que c'est vrai. Je ne comprends pas pourquoi les gens sont toujours en train de nous descendre au lieu de nous encourager à devenir parce que celui qui devient donne aux autres un univers qu'on ne saurait obtenir par une autre voie. Je suis, quant à moi, probablement inscrit dans le *Livre des records Guinness* pour les étreintes. Savez-vous qu'il n'est pas deux seules personnes qui étreignent de la même façon? Vous avez l'étreigneur doux qui, en quelque sorte, flotte dans vos bras. Il y a le sportif qui fait vlam! Le tapeur de dos qui vous assène des claques: Bam! Bam! Bam! L'amoureux et sa tendresse qui disparaît en vous et se met à frétiller. Ne venez pas me dire que cela peut devenir ennuyeux d'étreindre!

Mais une des choses les plus difficiles que vous aurez à faire — et ce devrait être pourtant la plus simple — c'est d'*être vous-même*, de découvrir qui vous êtes et ce que vous avez à offrir. Puis vous consacrer à la tâche de développer cela de façon à pouvoir l'offrir aux autres, parce que c'est la seule raison au monde — offrir — pour laquelle nous ayions quoi que ce soit. Ce qu'il y a de merveilleux dans le "moi", c'est qu'il n'a rien de concret. Ce que vous allez laisser derrière vous n'a rien de tangible. C'est ça qui est merveilleux. C'est une grande chose spirituelle. C'est ce que vous êtes. Et si vous le développez, vous le laisserez à tous ceux que vous toucherez. Et *ils deviendront* plus. Mais ça va être une rude bataille.

Sous les traits de l'amour se profile souvent la plus grande atteinte à la personne humaine, parce que nous donnons toujours notre amour sous conditions. "Je t'aimerai si tu obtiens des bonnes

200

notes." "Je t'aimerai si tu es gentil et si tu rencontres mes exigences." J'aime à penser qu'il y a dans ce monde au moins *une* personne qui ne dise pas: "Je t'aimerai si..." — et, voyez-vous, c'est ça que devraient être les familles. Robert Frost a écrit: "Un foyer, c'est l'endroit où, quand vous vous présentez, on vous fait toujours entrer." Et on ne dit pas: "Je t'avais bien dit que tu n'aurais pas dû faire ça." Mais au contraire, maman et papa vont chercher les pansements et disent: "Assieds-toi. Je vais te faire un pansement... essaie encore." Une seule personne. Je n'en demande pas beaucoup. Soyez cette personne pour quelqu'un. Et quand on vous offre ça à vous, acceptez, parce que c'est tout aussi difficile de l'accepter que de le donner. Certains d'entre nous trouvent même beaucoup plus difficile de recevoir que de donner.

La bataille la plus difficile que vous aurez jamais à livrer, c'est la bataille pour être tout simplement *vous-même*. Vous allez devoir la livrer toute votre vie dans un monde où les gens se sentent plus à l'aise si vous ne pouvez être là que pour leur plaire. Mais si vous abandonnez votre "moi", il ne vous restera plus rien. Mais si nous parvenons à rassembler nos affaires, nous pourrons devenir tout ce que nous sommes. Et c'est seulement alors que nous pourrons dire: "Je suis. Je deviens. Je suis un être d'amour parce que je te donne tout ce que je suis, sans écran de fumée. Et je me donne gratuitement." Quelle belle chose à dire. Ne manquez pas ça. Ne vous manquez pas *vous-même*. Quelque part en chemin, rencontrez-vous vous-même. Serrez-vous la main et dites: "Salut. Où diable étais-tu passé pendant toutes ces années? Bon, maintenant que nous sommes réunis, nous pouvons entreprendre notre route." Et vous allez découvrir que vous n'avez pas de fin. Votre potentiel est sans limite. On n'a jamais été capable de découvrir les limites du potentiel humain. Vous pouvez apprendre à toucher comme vous n'avez jamais touché auparavant. Regarder comme vous n'avez jamais regardé auparavant. Entendre comme vous n'avez jamais entendu auparavant. Sentir comme vous n'avez jamais senti auparavant! Vous faire "vous-même" comme vous ne l'avez jamais fait auparavant! Et après avoir fait tout ça, vous constaterez que vous n'êtes encore rendu nulle part. Vous en avez encore et encore et encore, et tout cela à développer et à donner. C'est merveilleux! Enfin, lorsque vous vous présenterez à cette glorieuse porte et qu'on vous demandera: "As-tu été toi-même? Es-tu devenu toi-même?", alors vous pourrez dire: "Oui!"

J'ai fait un voyage en avion récemment. Je voyage beaucoup et j'adore vraiment les aéroports. Certaines personnes les détestent. Moi, ce que je déteste c'est de m'y rendre, mais les aéroports en eux-mêmes, je les adore, parce que j'en apprends plus là sur le comportement humain qu'en tout autre endroit du monde. Regardez les gens! Ne vous laissez pas envahir par l'ennui. Arrêtez de ne regarder que les vols qui s'en vont. Regardez tout ce qui se passe dans un endroit pareil, la dynamique de la vie.

Quand je suis entré dans l'avion, je me suis assis à côté d'un jeune homme qui semblait tout avoir. Il allait dans une université du Colorado. Il a commencé à me parler. Tout ce qu'il disait tournait autour de "je", "me", "moi". "Je n'aime pas ça," et "L'école, c'est pour les imbéciles", et "Les profs puent" et "Le monde est horrible", "L'Amérique..." À la fin, moi qui suis un conseiller pas directif pour deux sous, je l'ai interrompu: "Taisez-vous donc! Vous êtes-vous rendu compte du nombre de fois au cours des cinq cents derniers milles où vous avez dit: "moi" et "je"? Et "nous", ça existe, non?" Après une longue pause, il a demandé: "Qui êtes-vous?"

Pour faire contraste, il y a mon expérience de l'an dernier à l'aéroport O'Hare de Chicago, qui a été complètement bloqué par la neige, *enseveli* littéralement sous la neige, pendant deux jours et deux nuits complets. J'étais là. En fait, je vais vous dire quelque chose: notre avion a été le dernier avion autorisé à atterrir. Après quoi on a annoncé que non seulement plus aucun avion ne partirait mais qu'en plus nous ne pouvions quitter l'aéroport à cause d'un très fort blizzard. Nous étions bloqués dans l'aéroport. Mais on nous a dit que toute la nourriture était gratuite et que c'était "bar ouvert". C'était le paradis! Mais il y avait quand même encore des gens pour courir partout crier aux hôtesses: *"Faites-moi sortir de cet aéroport! Il faut que je sois à Cincinnati!"* Et je voyais le visage des hôtesses dire: "Mon vieux, tu parles si j'aimerais ça te renvoyer à Cincinnati!"

Pour faire contraste avec ces gens qui hurlaient et exigeaient de sortir de là séance tenante, il y avait une femme merveilleuse. Elle était allée voir toutes les mères qui voyageaient avec leurs enfants pour leur dire: "Confiez-moi vos enfants. J'ai toujours voulu être une monitrice de jardin d'enfants et je vais en ouvrir un ici. Je vais leur raconter des histoires de sorcières et pendant ce temps-là, allez donc prendre un verre et manger quelque chose."

Et vous auriez dû voir cette femme, dans l'aéroport, avec tous ces enfants autour d'elle, tandis qu'elle leur racontait des histoires. C'était la même situation, le même blizzard. Quelle était la différence entre le gars qui criait et la femme qui avait mis sur pied un jardin d'enfants? Un choix, ce n'était que ça. Un choix incroyable, merveilleux, magique, un choix personnel. Je vous reconnais. Et je veux vous aider parce que c'est ma joie, ça aussi. Et pas seulement ça: vous savez, on peut faire beaucoup de mal en donnant, donnant, donnant sans cesse. Certains de vous le savent bien. Parfois le plus beau cadeau que vous puissiez faire, c'est de garder votre cadeau. Mais dans le cas dont je vous parle, comme c'était beau! Donner. Partager. Parce que vous l'avez! Et parce que vous avez pris la décision qu'à partir de maintenant vous alliez donner tout ce que vous aviez à donner, que vous alliez rendre la vie plus facile à *autrui*.

J'ai fait partie de ces privilégiés qui ont eu la chance de voir le Dalaï Lama du Tibet lors de sa visite aux États-Unis et j'aurais aimé que vous puissiez tous prendre contact avec cet homme. Et vous reviendrez me parler de foi, foi, foi!, après ça. Il est arrivé sur l'estrade, a regardé cet immense auditorium plein de gens et nous nous sommes tous comme fondus dans sa chaleur. Et pourtant, si quelqu'un a le droit d'être amer, si tant est que l'on puisse avoir un tel droit, c'est bien lui. Vous savez ce qu'il a dit? Il a dit: "Notre plus grand devoir, notre devoir principal, c'est d'aider les autres." Puis il a souri légèrement et il a ajouté: "Et, je vous en prie, si vous ne pouvez pas aider les autres, voudriez-vous au moins avoir la bonté de ne pas leur faire de mal?"

Vous savez, si chacun d'entre nous, ce soir, se disait à lui-même: "Bon, ce n'est tout simplement pas dans ma nature d'aller aider les autres. Je ne peux pas faire ça. Mais je me promets à moi-même que je ne ferai jamais de mal à personne, du moins volontairement." Si chacun faisait ça, *Dieu du ciel, quel endroit merveilleux deviendrait le monde!* Chaque fois que vous sentez le fiel monter à votre bouche, enfoncez-y le poing! Après quelque temps, cela deviendra pour vous une seconde nature de mordre un invisible poing. Enfin, vous n'aurez même plus besoin de ça. C'est le résultat qu'on obtient en étant positif, parce que le positif amène le positif. Nous entendons ça sans arrêt et nous en rions mais tout le monde aime celui qui aime. Nous pensons que c'est quelqu'un d'un peu fou mais nous aimons bien l'avoir dans nos parages. Alors, c'est merveilleux de pouvoir tendre la main parce que quand vous donnez et que vous recevez, vous obtenez une image vraiment positive. Et c'est la seule façon réelle que nous ayons de pouvoir nous voir et de croître à partir de ça!

Quand nous devenons deux et puis trois et puis quatre, vous rendez-vous compte de tout ce que nous obtenons de plus? Quand je vous fais entrer dans ma vie, j'ai quatre bras au lieu de deux. Deux têtes. Quatre jambes. Deux possibilités de joie. D'accord, deux possibilités de larmes également mais je peux être là quand vous pleurez et vous pouvez être là quand je pleure, parce que personne ne devrait jamais pleurer tout seul.

Et personne ne devrait jamais mourir tout seul. Savez-vous qu'à Los Angeles, il existe un service où vous pouvez louer quelqu'un pour 7,50$ de l'heure pour qu'il reste auprès de vous pendant que vous agonisez de façon que vous n'ayiez pas à mourir seul. C'est dégoûtant! Si vous êtes à l'article de la mort et que vous n'ayez pas *une seule* personne pour vous tenir la main, posez-vous des questions sur la vie que vous avez menée. Personne ne devrait mourir seul. Et si vous voulez faire entrer des gens dans votre vie, il va falloir que vous fassiez un pas vers eux, que vous preniez un risque. Réapprendre à faire confiance!

J'adore l'histoire du gars qui roule sur une route très étroite, à deux voies seulement, à travers la montagne, et qui arrive à un virage très très dangereux. Et juste au moment où il va prendre son virage, arrive à toute allure une femme dans une voiture. Elle le voit, passe la tête par la portière et lui crie: *"Porc!"* Et il dit: "Espèce de..." et lui crie à son tour: *"Truie, truie!"* Il est alors rendu dans son virage et à la sortie, il heurte... un porc!

Nous ne croyons plus les gens qui nous veulent du bien! Essayez donc une fois d'entrer sur une des autoroutes qui mènent à Los Angeles. Moi, je suis là dans ma voiture et je vois tous ces gens avec sur leur visage: "À mort Buscaglia! Grrr! Grrr! Grrr!" Et c'est curieux parce que quand je ralentis pour permettre à quelqu'un d'entrer sur l'autoroute, ce que j'adore faire étant donné que je ne suis jamais trop trop pressé, je dis "Vas-y". Et savez-vous qu'ils ne me croient pas? Je me fais presque assommer parce qu'ils restent incrédules: "Moi, moi!?" "Oui, toi, toi, vas-y, entre!" Ils n'ont pas perdu leur journée. Quelqu'un les a laissés entrer sur l'autoroute!

Mais nous ne devenons vraiment humains qu'en tendant la main, en risquant, en faisant confiance aux autres, en les faisant rentrer. J'ai déjà raconté ce qui va suivre, je l'ai même écrit. Mais c'est tellement extraordinaire que ça me donne une grande joie rien que d'en parler. Voilà: il y a dans mon cours un grand nombre de choses qui sont, comme je les appelle, "volontairement obligatoires". Beaucoup d'entre vous connaissent pas mal de ces "obligations volontaires". Il en est une qui est très "volontairement obligatoire", c'est que chacun fasse quelque chose pour quelqu'un d'autre. Parfois, certains étudiants me disent: "Que voulez-vous dire, faire quelque chose pour quelqu'un? Qu'est-ce qu'il y a à faire?" Je viens proche de les étrangler mais je me retiens et je me contente de tonner: "Qu'est-ce qu'il y a à faire?"

L'un de ces étudiants est venu me voir. Son nom est Joël. Et il est devenu célèbre parce que je raconte cette histoire très souvent. Il adore que je le fasse et il m'a donné la permission de la raconter. Il m'a vraiment dit: "Qu'est-ce qu'il y a à faire?" et je lui ai répondu: "Viens avec moi, Joël." Pas loin de l'université, il y a une maison de convalescence et je l'y ai amené. Tout le monde devrait faire ça; si vous voulez voir votre futur, allez dans une maison de convalescence. À l'intérieur, quand nous sommes entrés, il y avait des tas de personnes âgées couchées sur leurs lits, en vieilles robes de chambre de coton, les yeux au plafond. La sénilité ne dépend pas de l'âge. Elle vient de ne pas être aimé et de ne pas se sentir utile. Tant que vous serez utile, vous ne serez jamais *vieux!* Ne dépendez pas des autres. Faites-le vous-même. Restez actif. *Trouvez-vous* des choses à faire! Et des choses qui aient un sens. Alors, quand vous approcherez de cent soixante-dix ans, vous direz: "Buscaglia avait raison." Quoi qu'il en soit, nous sommes entrés et Joël a regardé autour de lui pour finir par dire: "Mais qu'est-ce que je pourrais bien faire ici? Je ne connais rien à la gérontologie." J'ai dit: "Bon!

Tu vois cette dame, là? Vas donc lui dire bonjour." "C'est tout?"
"C'est tout."

Cette dame avait dû être envoyée par Dieu. Il est allé près d'elle et lui a dit: "Euh, bonjour!" Elle l'a regardé avec une certaine suspicion pendant un instant, puis elle lui a demandé: "Êtes-vous un parent à moi?" Et comme il répondait que non, elle a dit: "Bon! Je déteste mes parents. Assieds-toi, mon petit."

Et il s'est assis et ils se sont mis à parler. Oh mon Dieu!, les choses qu'elle a pu lui dire! Comme je l'ai déjà dit, quand nous perdons le sens de l'histoire, nous sommes condamnés à tout répéter, encore et encore. Cette dame avait connu tellement de choses merveilleuses sur la vie, l'amour, la douleur, la souffrance. Et même sur la mort proche, avec laquelle il lui fallait faire une sorte de paix. Mais personne ne voulait l'écouter! Il se mit à retourner la voir une fois par semaine et très vite ce jour fut connu comme le "jour de Joël". Dès qu'il arrivait, les vieillards se rassemblaient autour de lui.

Et vous savez ce que cette merveilleuse dame a fait? Elle a demandé à sa fille de lui apporter une jolie robe de soirée. Et un jour elle se mit là, sur son lit, revêtue, pour Joël, d'une magnifique robe de satin au décolleté très profond. Et elle s'était faite coiffer, ce qui ne lui était pas arrivé depuis des siècles. Pourquoi vous faire coiffer si personne ne vous voit? Et les gens de cette maison de convalescence ne vous regardent pas. Ils se contentent de vous *faire* des choses. Je ne veux pas qu'on m'en fasse. Ne me faites pas de faveur. Regardez-moi plutôt et dites-moi: "Comment ça va, Buscaglia?", en pensant vraiment à ce que vous dites, plutôt que de *faire* quelque chose pour moi.

Des choses merveilleuses se mirent à arriver, le jour de Joël. Et probablement le plus grand triomphe de ma carrière d'enseignant ce fut le jour où, me promenant sur le campus, je tombai par hasard sur Joël suivi, tel le joueur de flûte de la légende, d'une trentaine de petits vieux s'en allant clopin-clopant vers un match de football!

Qu'est-ce qu'il y a à faire? Regardez donc autour de vous. Qu'est-ce qu'il y a à faire? Il y a, à côté de vous, une personne solitaire à toucher. Il y a une vendeuse débordée qui a besoin que vous lui disiez qu'elle est extraordinaire. Qu'est-ce qu'il y a à faire?

Rien de bien énorme. Rien que des *toutes petites* choses qui font la différence. Des petites choses, les unes à côté des autres.

Je vais vous lire quelque chose qu'à écrit Elisabeth Kübler-Ross dans son dernier livre intitulé: *Death: The Final Stage of Growth* (La mort: dernière étape de la croissance). Elle écrit:

L'important, c'est de prendre conscience que, si nous comprenons pleinement qui nous sommes ou ce qui va se passer quand nous mourrons, c'est notre destin de croître en tant qu'êtres humains, de regarder à l'intérieur de nous-mêmes pour y trouver notre "moi" et bâtir sur la source de paix, de compréhension et de force qu'est ce "moi". *Puis* (c'est moi qui souligne), se tourner vers les autres avec amour, respect et volonté de les guider avec patience, dans l'espoir de ce que nous pourrons devenir ensemble.

Je ne peux pas faire ça tout seul. Il faut être deux pour en voir un seul. Et quatre le voient encore plus clairement. Et cette salle au complet le voit encore *plus clairement*. Si nous mettons vraiment à l'oeuvre les énergies de notre amour, nous pourrions faire décoller Sacramento. La première ville du monde à décoller par satellite sans l'aide de rien d'autre que la puissance de l'amour humain!

Et voilà encore ce dingue de Buscaglia qui dit des choses folles. Mais je le crois! Et une autre chose que nous devons faire en tant que personnes qui aiment, c'est de nous libérer des mots. La tyrannie des mots. Les mots sont des trappes. En apprenant, vous vous êtes laissé prendre dans ces trappes avant d'être assez vieux pour pouvoir écrire votre propre dictionnaire. Ainsi les gens vous ont dit qui haïr, qui aimer, ce qui est important, pourquoi ça l'est, tous ces mots-là. Et vous l'avez cru. Et vous êtes encore pris là-dedans.

Vous savez, un mot fait venir en vous des tas de choses. Vous croyez que ce n'est rien qu'un exercice intellectuel? Balivernes! Chaque fois que vous *entendez* un mot, vous entendez une définition de dictionnaire mais vous *ressentez* aussi quelque chose à l'intérieur de vous. Pensez-y un peu. *Communiste, catholique, juif.* Vous voyez? *Noir. Chicano.* Et quand ces mots sont mentionnés, ils font surgir en vous des sentiments liés à quelque chose qui ronge, quelque chose que vous avez appris il y a des *années*, quelque chose que vous n'avez *jamais redéfini*. Et trop souvent, ils sont pleins de haine, de préjugés et de destruction, parce que vous n'avez jamais pris la peine de les redéfinir.

J'ai appris ça très tôt dans ma vie parce que mes parents étaient des immigrants italiens. Ils étaient arrivés dans ce pays avec *rien!* Absolument rien. Ils se sont installés à Los Angeles et y ont élevé leur famille. Et pendant longtemps nous ne savions même pas d'où viendrait ce que nous aurions à manger. Ils ont travaillé, tous les deux, travaillé et travaillé, nuit et jour. C'était merveilleux à voir. Ils nous ont appris ce que c'est que le travail, ce que c'est que la responsabilité. Et nous ne nous contentions pas de rester là à rien faire. Nous avions tous quelque chose à *faire*. Nous faisions vraiment partie intégrante d'une famille.

Mais nous ne parlions pas l'anglais. Nous étions les "ritals" du voisinage et notre présence allait faire baisser la valeur des propriétés. Je me souviens que j'allais à l'école, parlant à peine l'anglais mais couramment l'italien. Et j'avais appris par coeur sept opéras au complet. Mais, à l'école, les enfants m'appelaient "rital" et "spaghetti". Je me souviens d'être rentré à la maison et d'avoir demandé à mon père: "Papa, qu'est-ce que c'est qu'un "rital"?" "T'inquiètes pas, Felice, t'inquiètes pas. Cela ne veut rien dire. Les mots ne peuvent pas te faire de mal." Mais, voyez-vous, au contraire, ces noms m'ont *fait* du mal. Ils me faisaient mal parce que les gens ne voulaient pas de moi. Et vous savez ce qu'ils m'ont fait d'autre, les mots? J'ai passé des tests avec des éducateurs qualifiés et ils ont décidé que, parce que je ne parlais pas l'anglais, j'étais retardé mentalement. Une autre gentille étiquette! Alors on m'a mis dans une classe d'enfants retardés mentalement et ce fut la meilleure éducation que j'aie jamais reçue! Je me souviens de très peu de professeurs, mais de *celle-là*, je m'en souviens. C'était une sorte de Brunnhilde, grande, énorme. Vous savez, le genre 92-66 97 cm. Oh, et vous parlez d'une personne aimante! Elle se fichait bien que je sois un rital! Elle avait l'habitude de venir se pencher sur moi. Je me souviens que je disparaissais en elle. Quelle chaleur dans tout ça! Elle me prenait dans ses bras, me touchait, me voyait et, mon vieux, on peut dire que j'ai produit pour elle! J'écrivais des tas de choses, tant et si bien qu'on a décidé qu'il y avait eu une grave erreur d'orientation dans mon cas. Et on m'a envoyé dans l'ennui: ils appelaient ça une classe "normale".

Mais ce qu'il y avait de triste, c'est que nos voisins ne venaient jamais nous voir. Mon père et ma mère venaient d'un magnifique petit village au pied des Alpes italo-suisses, un village où tout le monde aimait tout le monde, et quand Felice était malade on lui faisait du bouillon de poulet et on allait à l'église faire brûler des cierges et prier pour lui et quand Felice allait mieux, on donnait une grande "festa" pour tout le monde. Il n'y avait pas de problème existentiel du genre: "Est-ce que j'existe?" Et ici, nom de Dieu!, nous ne savons même pas qui sont nos voisins et nous nous en fichons royalement! Nous faisons trente milles à travers la ville pour aller voir des amis. Nous ne disons même pas bonjour aux gens qui habitent la maison d'à côté. C'est étrange.

Mais, vous savez, ces gens ont beaucoup perdu en me collant des étiquettes et en en collant à ma famille. Ils sont passés à côté du fait que maman était une magnifique sorcière. Elle avait un remède pour tout: l'ail. Et savez-vous ce qu'elle avait l'habitude de faire? Quand nous allions à l'école, le matin, elle nous faisait tous aligner et nous accrochait un petit sachet d'ail autour du cou. Et moi je protestais: "Maman, ne fais pas ça, ça *pue!*" Et elle répliquait: "*Tais-toi!*" Elle fut la toute première des éducateurs non directifs. J'allais à l'école avec mon ail et je n'ai jamais été malade un seul jour. Je recevais même des certificats spéciaux pour cent pour cent de présence en classe. Évidemment, j'ai ma petite théorie à ce sujet: c'est que personne n'osait m'approcher d'assez près. Mais maintenant, je suis devenu plus sophistiqué: plus d'ail autour du cou mais des rhumes, la malaria, *tout*. Maman avait aussi coutume de faire quelque chose qu'on appelle la *polenta*, pour les rhumes. Elle le faisait bouillir, l'étendait sur un linge à fromage, ajoutait de l'huile d'olive par-dessus et vous collait le tout sur la poitrine. Parce qu'elle nous aimait. Elle chantait aussi, tout le temps. Elle adorait l'opéra. Et elle en chantait. Un jour c'était *Carmen*, le lendemain *La Traviata*. Toute cette musique magique, toute cette joie, tous ces rires, toute cette nourriture! Nous étions si nombreux qu'il nous fallait installer des chevaux de bois avec des planches par-dessus pour pouvoir asseoir tout le monde autour de la table.

Oh, et papa avait une merveilleuse technique d'éducation. Absolument épatante. Personne ne pouvait quitter la table avant de lui avoir dit ce qu'il avait appris de *nouveau* ce jour-là. Nous trouvions ça *horrible*. Et quand mes soeurs et moi nous lavions les mains dans la salle de bains, je leur demandais: "Qu'est-ce que vous avez appris?" Elles répondaient: "Rien du tout!" Et alors je disais: "On ferait mieux d'apprendre quelque chose en vitesse." Et nous prenions place à table, nous mangions des choses merveilleuses, des choses dont l'odeur seule devait terrifier nos voisins! Puis papa se renfonçait dans sa chaise et se versait un verre de vin. Il frisait sa petite moustache — elle faisait une magnifique petite boucle — et il demandait: "Felice, qu'as-tu appris aujourd'hui?" Nous avions appris par coeur quelque chose dans l'encyclopédie et nous répondions: "La population du Népal s'élève à trois millions, quatre cent..." et il disait: "Ah bon?" Et, enfant, je me souviens que je pensais: tu parles d'un toqué! Et je demandais à mes amis: "Est-ce qu'il faut que tu dises quelque chose de nouveau, chaque jour, à ton père?" Et ils répondaient: "Mon père?, mais je ne le *vois* même pas!" Puis mon père regardait à l'autre bout de la table et demandait à maman: "Savais-tu ça, Rosa?" Et elle répondait: "Tu parles! Je ne sais même pas où c'est, le Népal!" Alors on allait chercher l'encyclopédie et on regardait où se trouve le Népal. C'était tellement plaisant. Et chacun de nous avait toujours quelque chose à partager avec les autres. Et encore maintenant, alors que Felice fait ses cent heures de travail chaque jour et qu'il se traîne jusqu'à son lit, quand il est couché, il entend papa lui demander: "Felice, qu'as-tu appris aujourd'hui?" Et si Felice ne peut rien trouver à répondre, il entend la voix de papa qui fait: "Encyclopédie." J'apprends quelque chose et je peux m'endormir.

La vie n'est pas un voyage en soi. Ce n'est pas un but. C'est un processus. On y arrive pas à pas, pas à pas, pas à pas. Et si chaque pas est un émerveillement, si chaque pas est magique, la vie le sera. Et vous ne serez jamais de ces gens qui atteignent la mort sans avoir jamais vécu. Parce que vous n'aurez jamais rien manqué. Ne regardez pas par-dessus l'épaule des gens. Regardez-les dans les yeux. Ne parlez pas *devant* vos enfants. Prenez leur visage dans vos mains et *parlez-leur*. Ne faites pas l'amour à un corps, faites l'amour à une personne. Et faites ça maintenant. Parce que cet instant ne va pas durer éternellement. Il disparaît très vite et il ne reviendra jamais. Trop tard! Mais il y en a encore un million d'autres à venir.

Un de mes collègues a fait une grave crise cardiaque. Il avait près de cinquante-deux ans. Sa femme a appelé leur fille, qui vivait en Arizona, pour lui demander de venir tout de suite. Elle avait vingt-deux ans. Elle a loué une voiture à l'aéroport de Los Angeles et s'est engagée sur l'autoroute où elle a eu un grave accident qui l'a tuée sur le coup. Elle avait vingt-deux ans et elle est *morte*. Et son père, lui, s'en est sorti. On ne peut jamais savoir. C'est un grand mystère, un merveilleux mystère et la seule chose que nous soyons sûr d'avoir c'est ce qui est là, au moment même. Ne le manquez pas. Le vivre intensément, c'est ça l'amour.

J'aimerais terminer par quelque chose sur quoi je suis encore en train de travailler. C'est quelque chose que j'appelle "un début".

Chaque jour, je me promets à moi-même que je n'essaierai pas de résoudre d'un seul coup tous les problèmes de ma vie.

Et que je n'attendrai pas non plus que tu les résolves, toi.

Prenez ça mou, vous ne pouvez devenir le parfait être d'amour dès demain. Mais peut-être que, la semaine prochaine...

Chaque jour, j'essaierai d'apprendre quelque chose de nouveau sur moi et sur toi et sur le monde où je vis, pour pouvoir continuer à vivre toute chose comme si elle venait de naître.

Vous n'êtes jamais la même personne. Après ce soir, vous serez différent. Et en foulant les feuilles qui jonchent le sol, en partant d'ici, vous allez être différent. Et demain matin, après le petit déjeuner, vous serez encore différent. Même si ça veut simplement dire que vous allez être un tout petit peu plus gras.

Chaque jour, je dois me souvenir de communiquer ma joie tout comme mon désespoir, pour que nous puissions nous connaître mieux l'un l'autre. Chaque jour, je dois me souvenir de vraiment t'écouter et d'essayer de comprendre ton point de vue, de découvrir aussi la façon la moins menaçante de te donner mon point de vue à moi, en me rappelant que nous grandissons et changeons tous deux d'une centaine de façons différentes. Chaque jour, je dois me rappeler que je suis un être humain et que, tant que je ne serai pas parfait moi-même, je n'exigerai pas de toi la perfection.

(Alors, vous voyez, vous ne risquez rien.)

Chaque jour, je dois m'efforcer d'être plus conscient des merveilles de ce monde.

Je sais bien que la laideur existe. Mais il y a aussi la beauté. Et ne vous laissez pas convaincre du contraire. Je regarderai les fleurs. Je regarderai les oiseaux. Je regarderai les enfants. Je sentirai la fraîcheur de la brise. Je mangerai de la bonne nourriture et j'adorerai ça. Et je partagerai ces choses avec vous. Une des plus grandes faveurs que l'on puisse faire à quelqu'un, c'est de lui dire: "Regardez ce coucher de soleil."

Chaque jour, je dois me rappeler de tendre la main et de te toucher doucement, du bout des doigts. Parce que je ne veux pas manquer la chance de te sentir. Chaque jour, je veux me vouer encore à la tâche d'être une personne qui aime, et voir ensuite ce qui en résulte.

Vous savez, je suis vraiment convaincu que s'il fallait définir l'amour, le seul mot qui serait assez vaste pour tout récupérer, ce serait "vie". L'amour, c'est la vie sous tous ses aspects. Et si vous manquez l'amour, vous manquez la vie. Je vous en prie, ne manquez pas ça.

Ensemble
avec Leo Buscaglia

J'aimerais vous parler d'une chose qui veut dire beaucoup pour moi: l'idée d'être ensemble, d'être proches. Je suis vraiment préoccupé de voir à quel point nous pouvons être séparés.

Tout le monde semble vivre ce dont parlait Schweitzer il y a bien des années lorsqu'il disait que nous sommes les uns sur les autres et que, pourtant, nous crevons tous de solitude. Tout se passe comme si nous ne savions plus nous toucher les uns les autres, nous étreindre, nous appeler, bâtir des ponts entre nous. Alors, j'aimerais vous parler de notre façon d'être ensemble, d'être proches, vous et moi, et vous livrer quelques idées folles sur la façon de bâtir quelques-uns de ces ponts qui pourront nous rapprocher.

Je crois que cette séparation, cette solitude, ce désespoir sont bien représentés par ce qui m'est arrivé récemment alors que je voyageais aux quatre coins du pays. Il arrive tellement de choses dans les avions. J'adore tout simplement les avions. Vous y rencontrez de vieux amis que vous n'avez jamais vus, vous vous faites de nouveaux amis parce que les gens savent qu'il y a des chances que vous ne vous revoyiez plus jamais; c'est comme des vraies confessions. Ils vous parlent de leurs femmes et de leurs maris. J'adore les gens comme tout le monde, vous le savez, et j'aime entendre parler des femmes, des maris, des enfants, du triomphe, des larmes: toutes ces choses merveilleuses qui font de nous des humains.

Sur un 747, j'ai eu, avec un autre homme, la chance d'être dans une rangée où il n'y a que deux sièges. Du moins pensais-je, *moi*, lui, je lui ai dit: "Bonjour", comme je fais toujours, en pensant que nous pourrions amorcer une relation. Si l'on doit être ensemble pendant cinq heures, il vaut mieux dire "bonjour", même si certains ne répondent pas à ce salut. Je lui ai donc dit "bonjour" et il s'est écrié: "Oh, zut, j'espérais que ce siège allait rester libre et que j'allais pouvoir m'étendre un peu." Alors j'ai dit: "Oh, mais je vous promets que, dès que nous aurons décollé, si je trouve un siège libre, je le prendrai et je vous laisserai celui-là."

Je me suis assis à côté de lui, j'ai bouclé ma ceinture et une femme est arrivée près de nous avec un petit bébé. Je ne pouvais m'empêcher de penser: "Comme c'est heureux qu'il y ait des avions pour les femmes qui doivent voyager avec des bébés!" Je pensais à maman, traversant tout le pays avec le petit Vincenzo dans ses bras, alors qu'elle arrivait d'Italie, la première fois. Cela prenait sept jours! Et maintenant cette femme, elle, allait atteindre New York en seulement cinq ou six heures. Je pensais à toutes ces choses positives quand l'homme à côté de moi a dit: "Oh, zut alors! Regardez, une femme avec son bébé. Le bébé va hurler jusqu'à New York." Et de deux! Et nous n'avions même pas encore décollé! La troisième remarque négative est arrivée quand l'hôtesse a annoncé qu'il y avait une "section non-fumeurs". Il a dit: "On devrait fusiller les fumeurs!" Et j'ai demandé: "Tous les fumeurs? Je connais des fumeurs très gentils. Je n'en suis pas un moi-même, mais je ne voudrais pas qu'on les fusille tous." Puis, on nous a distribué le menu. N'est-il pas étonnant qu'on puisse traverser le pays en avion et que, non seulement on nous nourrisse, mais qu'on nous donne même un menu avec le choix entre trois entrées différentes? C'est phénoménal! Il a regardé le menu et il a dit: "Bon Dieu, il n'y a jamais rien de bon sur ces maudits avions." Imaginez un peu, nous n'avions toujours pas décollé encore. Puis l'hôtesse se leva et se mit à indiquer les sorties de secours à l'arrière de l'appareil et les deux qui sont à l'avant, vous savez comment elles font? Elles *doivent* le faire. Il a dit alors: "Regardez-moi ces imbéciles. Vous savez, elles ne font rien du tout. Elles sont simplement là pour rencontrer des hommes riches. Elles ne travaillent pas. Ce ne sont rien que des serveuses d'une classe supérieure." Et il n'arrêtait pas. Cela me sidérait; tout ça avant même que l'avion n'ait quitté le sol.

Quand nous avons été en l'air (je n'ai pas pu changer de place; j'étais coincé là; mais j'avais la ferme intention d'en faire une personne aimante avant que nous arrivions à New York), il s'est tourné vers moi et m'a demandé: "Qu'est ce que vous faites, dans la vie?" J'ai répondu: "J'enseigne à l'université." Il a demandé: "Qu'est-ce que vous enseignez?" Et j'ai répondu: "Des cours sur le travail de conseiller, sur l'amour des autres et sur les relations humaines." Il s'est alors exclamé: "Grâce à Dieu, il y a quelqu'un d'autre qui considère les gens autrement que comme je le fais, moi." Tout le monde se croit un être d'amour! Avant que nous arrivions à New York, j'ai appris que sa femme l'avait quitté et il avait défini ses enfants comme des "vauriens sans coeur". N'est-ce pas étonnant?

Tendez la main aux autres. Apprenez à le faire. Prêtez-vous l'oreille et écoutez le nombre de fois où vous vous dites: "Je suis un être d'amour." Ma question, c'est: combien de fois par jour vous entendez-vous dire: "J'adore" plutôt que "Je déteste, je déteste, je déteste". C'est un phénomène très intéressant. Je suis fatigué de la façon de voir la vie qui reste tellement centrée sur "je", "me", "moi". J'aimerais, pour faire changement, entendre les gens employer le "nous". N'est-ce pas formidable comme expression: "nous"? "Je" est important, d'accord, mais quelle force dans ce "nous"! Vous et moi ensemble sommes bien plus forts que vous ou moi seuls, et j'aime à penser que quand nous nous rapprochons je ne suis pas seulement en train de donner, je reçois également. À ce moment-là, j'ai quatre bras, les deux vôtres et les deux miens, deux têtes — ce qui veut dire que nous disposons de toutes sortes de nouvelles idées créatrices — et deux univers différents, le vôtre et le mien. Je veux donc vous inclure dans ma vie.

J'ai appris plusieurs choses intéressantes que je crois être le résultat de notre enfermement dans le "je" et le "moi". Cela vient d'un livre intitulé: *On an Average Day in America* (Un jour comme les autres, en Amérique). Écoutez ça: un jour comme les autres, en Amérique, il naît neuf mille soixante-dix-sept bébés et ça, c'est merveilleux. Mais, là-dessus, mille deux cent quatre-vingt-deux sont illégitimes et non voulus. Environ deux mille sept cent quarante enfants s'enfuient de la maison, chaque jour, en Amérique. Environ mille neuf cent quatre-vingt-six couples divorcent, chaque jour, en

Amérique. On estime à soixante-neuf, chaque jour, en Amérique, le nombre de gens merveilleux, extraordinaires, qui se suicident. Toutes les huit minutes, quelqu'un se fait violer. Toutes les vingt-sept minutes, quelqu'un se fait assassiner et toute les soixante-seize secondes, quelqu'un se fait voler. Un cambrioleur frappe toutes les dix secondes, une voiture est volée toutes les trente-trois secondes et la relation moyenne dure actuellement, en Amérique, trois mois seulement. Si ça ne vous fait pas frémir! Et c'est ça le monde que nous nous créons! C'est le monde du je et du moi. Et bien, je ne veux pas, moi, faire partie de ce monde. Je veux créer une autre sorte de monde — et ensemble, nous pouvons le faire. C'est ça qui est merveilleux.

Je n'ai vraiment rien à vendre; mais j'ai beaucoup à partager. Et, j'en suis absolument convaincu, si nous pouvons nous rejoindre, vous pourrez me donner des idées sur la façon dont nous pouvons renverser cette tendance en reconnaissant que nous ne pouvons survivre seuls et que la solitude et l'égoïsme conduisent à la mort et à la destruction.

Nous sommes également en train d'apprendre bien des choses sur l'apprentissage. Je suis un enseignant, je l'ai été toute ma vie et j'adore ça, mais il n'y a que fort peu de temps que je me suis rendu compte que je n'apprends rien à personne. Si vous croyez que vous pouvez apprendre quelque chose à quelqu'un, vous faites un "ego trip". Tout ce que je puis être, c'est, au mieux, un enthousiaste, un merveilleux, un magique facilitateur d'apprentissage. Je peux mettre la table, mais si vous ne voulez pas manger, je ne peux rien y faire. Mais j'ai aussi découvert que si je peux rendre tout ça attrayant et excitant, peut-être que quelques-uns vont se laisser prendre et s'interroger: "De quoi parle donc ce dingue? Peut-être que s'il est si fou de la vie, cela veut dire que la vie vaut la peine d'être vécue." Quand je danse au milieu des feuilles mortes, et ça m'arrive souvent, je découvre que d'autres gens se trouvent assez de courage pour aller danser eux aussi dans leurs feuilles. Et c'est bien. Je suis prêt à prendre le risque de me faire traiter de fou, si je parviens à apprendre à quelqu'un à danser dans les feuilles mortes. D'ailleurs, j'adore qu'on me traite de fou parce que, comme je l'ai déjà dit, être traité de fou, ça donne énormément de marge de manoeuvre dans le comportement. On peut faire à peu près n'importe quoi et tout le monde se contente de dire: "Oh, voilà ce dingue de Buscaglia qui danse encore dans les feuilles." Et moi j'ai du bon temps alors que tous les gens sensés s'ennuient à mourir.

Vous savez, ce dont nous avons vraiment besoin, tous les spécialistes du comportement nous le disent, c'est de bons *modèles*. Il nous faut des modèles d'amour, des gens qui puissent nous montrer. Ceux d'entre vous qui connaissent mon livre: *Love* (L'amour) savent que je l'ai dédié à mes parents, Tulio et Rosa Buscaglia, parce que ils ne m'ont pas appris à aimer, ils me l'ont *montré*. Et ils n'avaient pas la moindre idée de ce que peut être un modificateur de comportement. Mais des gens comme Bandura, à Stanford, nous montrent que la meilleure façon d'enseigner c'est d'être un modèle. Sans dire quoi que ce soit à quiconque, sans enseigner quoi que ce soit à quiconque, *soyez* ce que vous voulez que vos enfants soient et regardez-les grandir.

Beaucoup d'entre vous savent que j'ai grandi dans une grande famille italienne, une famille merveilleuse, fantastique, pleine d'amour et que j'ai grandi en santé et heureux avec de la *bagna calda*, de la *pasta fasule*, de la *polenta* et tous ces merveilleux plats. Mais j'ai aussi appris de ces modèles des tas d'autres choses, et la plupart sans m'en apercevoir. Une des choses qu'ils m'ont apprises, c'est que nous avons besoin d'être touchés, nous avons besoin d'être aimés. Et j'ai donc touché et aimé toute ma vie et j'ai pris un immense plaisir à toucher et à aimer. C'était si bien et je ne savais pas que, "dans le monde extérieur", on ne touche pas et on n'aime pas, en tout cas pas sans réserve. Le premier mot que j'aie jamais reçu d'un professeur, en Amérique, était adressé à maman. Vous pouvez imaginer à quel point cette dame pouvait être sensible pour écrire ce qui suit à une pauvre immigrante italienne qui parlait à peine l'anglais. "Chère madame Buscaglia. Votre fils Felice est trop *tactile*." Pouvez-vous croire ça? J'ai ramené ce billet à maman. Elle l'a lu et elle a demandé: "Hé, qu'est-ce que c'est un tactile? Felice, si tu as fait quelque chose de mal, je vais te chauffer les fesses." J'ai répondu: "Je ne sais pas ce que c'est tactile, maman, je te le jure, je ne sais pas ce que j'ai bien pu faire." Alors nous sommes allés voir dans le dictionnaire, ce qui nous arrivait souvent, et nous sommes tombés sur le mot: "tactile". Cela disait: qui sent, qui touche. Maman a dit: "Mais qu'est-ce qu'il y a de mal à ça?

C'est merveilleux. Ta maîtresse est folle." Je n'ai jamais eu de problème existentiel du genre: est-ce que j'existe ou non. Si je peux vous toucher et que vous puissiez me toucher, alors j'existe. Tant de gens crèvent de solitude parce qu'on ne les touche pas.

Ils m'ont aussi appris à partager. Nous avions une toute petite maison et une grande famille et, mon vieux, dans ces cas-là, on peut dire qu'on apprend à partager! Maintenant, nous avons d'immenses maisons: tout le monde peut s'y perdre. Mais nous étions très nombreux et il n'y avait rien qu'une toilette. Oh, tu parles si je m'en souviens! C'était le centre de la maison. Il y avait toujours quelqu'un qui entrait à la toilette ou en sortait et au moment même où vous y étiez, à vous asseoir et à relaxer pour trente secondes, ça y était: "Sors de là, c'est mon tour." Alors on apprenait à donner, on apprenait à partager, on apprenait à sortir de là, à faire vite et on apprenait à se servir du même évier et à dormir dans la même chambre. C'est une chose merveilleuse à apprendre. Je suis convaincu qu'une famille qui va ensemble à la toilette, reste ensemble, reste unie. Mais maintenant nous avons une toilette pour Mary, une pour Sally et une autre pour papa et une garde-robe pour maman. Mais nous n'avons que faire de tant d'espace. C'est drôle, mais nous nous faisons construire d'immenses maisons, nous travaillons comme des fous pour nous les construire et nous disons que c'est pour nos enfants. Mais, quand on y pense, nous installons nos enfants dans ces belles maisons, avec de beaux meubles et nous ne les laissons pas y vivre: "Ne touche pas à ci!, ne touche pas à ça!", "Tu vas casser ça." Au nom du ciel, c'est pour qui cette maison, pour les voisins? Ce n'était pas comme ça chez nous! La maison était là pour que nous y vivions.

Alors, j'ai appris à partager et j'ai appris de maman, qui était une dame plutôt rude, un merveilleux sens des responsabilités. Quand elle disait quelque chose, ça rentrait. Cela m'a toujours amusé, quand je suis allé à l'université et que j'ai étudié les théories du conseil et de l'encadrement et toutes ces affaires permissives. Maman était la conseillère la plus magnifiquement non directive, la plus permissive. Elle disait: "Silence!" et nous savions toujours ce que ça voulait dire. C'était un genre de relations extraordinaires avec la famille. Il n'est guère étonnant qu'aucun d'entre nous n'ait jamais eu de problème psychologique.

Je me souviens que, quand j'étais jeune, je voulais aller à Paris. Maman me disait: "Felice, tu es trop jeune pour voyager." "Mais, maman, je veux y aller." C'était l'époque où Jean-Paul Sartre et Simone de Beauvoir s'attachaient à définir le merveilleux concept d'existentialisme; et Felice voulait aller là, parce qu'il avait entendu dire que tout le monde y était dans les affres et qu'il voulait être malheureux, lui aussi, à Paris. Je voulais tout essayer. Maman a dit: "D'accord, vas-y, mais si tu fais ça c'est que tu te proclames adulte et ne viens pas me demander quoi que ce soit, après ça. Tu es un adulte. Tu es libre, vas-y."

Oh, ce fut épatant! Je n'avais pas beaucoup d'argent, mais j'en avais tout de même un petit peu et je suis allé là et j'ai vécu le rêve de tout le monde. J'avais un tout petit appartement d'où je pouvais voir tous les toits de Paris. J'allais m'asseoir aux pieds de gens comme Sartre et Beauvoir — je ne comprenais pas un traître mot de ce qu'ils disaient — et j'adorais chaque instant de cette vie. Et j'ai souffert, oh, si j'ai souffert! Et c'était merveilleux, au camembert et au vin français.

Mais très tôt, je n'ai plus eu d'argent. Je ne savais pas vraiment ce que c'était que l'argent. Je partageais avec tout le monde et j'ai été le dernier des grands dépensiers. J'avais toujours une bouteille de vin et tout le monde venait chez moi la partager. C'est comme ça que j'avais grandi, c'est le modèle que j'avais eu. Chez nous, quand le facteur passait, papa lui versait un verre de vin: "Ce pauvre homme qui travaille toute la journée. Il a besoin d'un bon verre de vin." Et nous disions: "Ne lui donne pas de vin, papa!" Cela nous tuait, quand la maîtresse venait voir nos parents et que papa lui offrait du vin. "La maîtresse ne boit pas de vin." Puis nous étions choqués parce que la maîtresse, au contraire, buvait effectivement du vin. Elle n'était pas folle, le vin était bon!

Mais, pour en revenir à Paris, je me souviens d'en être arrivé au point où il ne me restait que très peu d'argent, presque plus rien. J'ai pensé que je n'avais qu'à télégraphier à la maison. Je suis allé dans un bureau de poste, à Paris, et, pour épargner mon argent, je n'ai écrit que deux mots: "Faim. Stop. Felice." Un seul mot, même, mais plein de sens. Vingt-quatre heures plus tard, j'ai reçu un télégramme de maman qui disait, *lui:* "Continue!

219

Maman." C'était la minute de vérité! Enfin, j'étais un adulte. Mais qu'est-ce que j'allais bien pouvoir faire?

Je vais vous dire ce que ça m'a appris. Cela m'a appris la faim, cela m'a appris à quel point une chambre peut devenir froide et pas seulement physiquement, parce que quand la bouteille de vin n'est plus là, les gens qui se disent vos "amis" ne se montrent plus le nez. Cela m'a appris beaucoup et je n'aurais jamais appris tout ça si maman avait cédé et m'avait envoyé un chèque. Et j'ai réussi à tenir et à tenir, rien que pour lui montrer que j'étais capable. Quand je suis rentré à la maison, bien des mois plus tard, maman m'a dit un soir: "Ça a été la chose la plus dure que j'aie eue à faire de ma vie, mais si je ne l'avais pas faite, tu ne serais jamais devenu Felice." Et c'était vrai. C'est ainsi que, par leur modèle, ils m'en ont tant appris sur la vie et l'amour partagés.

On me demande souvent de participer à des émissions de ligne ouverte, à la radio. Cela m'intéresse toujours de constater que la plupart des appels, sinon tous, tournent autour de la solitude. "Qu'est-ce que je vais faire? J'ai été mariée, j'ai eu des enfants et maintenant je suis toute seule. Je vis seule dans une vieille maison de chambres. Qu'est-ce qui s'est passé? J'aimerais me faire des amis parmi mes voisins mais je n'ose pas frapper à leur porte." "Je me promène dans la rue et je vois des gens attrayants et j'essaie de leur sourire, mais j'ai peur." Nous enseignons à tous tout ce qu'on peut imaginer sauf l'essentiel, c'est-à-dire comment vivre dans la joie, dans le bonheur, comment avoir le sentiment de sa propre valeur et de sa propre dignité. Ces choses s'enseignent, et elles s'apprennent. Il nous faut plus de gens qui enseignent cette sorte de choses en le faisant, en prenant le risque, en disant: "Bonjour", en allant s'asseoir à côté de cet homme qui est là et en essayant de lui montrer que les hôtesses de l'air sont des personnes tout comme lui, que cette femme a un bébé et que c'est merveilleux.

Récemment, lors d'une ligne ouverte, j'ai entendu une femme dire une chose incroyable. Elle a dit: "Voyez-vous, j'ai passé les vingt dernières années à essayer de changer mon mari et je suis très déçue de lui. Il n'est plus l'homme que j'ai épousé." N'est-ce pas merveilleux?

Je ne sais combien d'entre vous connaissent Rodney Danger-field mais il dit les choses les plus folles. Et c'est le clou de ce dont je

220

vous parle. Il dit, par exemple: "Nous faisons chambre à part, nous dînons séparément, nous prenons nos vacances chacun séparément. Bref, nous faisons tout ce que nous pouvons pour garder notre couple uni." N'est-ce pas absolument dément? Et pourtant, c'est presque ce qui se passe.

Des relations aimantes, être ensemble, loin du "je" et du "moi", au coeur du "nous", c'est là qu'est vraiment la joie. Prendre un bon dîner seul, c'est bien, mais le partager avec cinq ou six personnes que vous aimez, c'est le paradis. Aller se promener au parc et regarder les arbres, tout seul, cela peut être agréable, mais avoir quelqu'un à votre bras qui vous dise: "Regarde ces feuilles pourpres" pendant que vous êtes en train d'en regarder des bleues, de façon à ne manquez ni les pourpres ni les bleues, ça, c'est extraordinaire! Ne laissez pas passer la possibilité d'être ensemble, parce que ça vous appartient et vous pouvez en jouir. Eric Fromm qui a écrit tant de belles choses à ce sujet, a dit: "Le besoin le plus profond de l'homme, c'est celui de surmonter son isolement. De quitter la prison qu'est la solitude. L'échec total de cette tentative veut dire la folie." Et il sait de quoi il parle, il est psychiatre!

Si vous pensez un peu aux gens qui sont malades mentalement, vous constatez que ce sont ceux qui se sont éloignés le plus possible des autres. Les gens sains plongent en pleine mêlée, peu importent les risques. Dans mon cours sur l'amour nous parlons de risquer, de sortir de soi et je demande: "Pourquoi ne le faites-vous pas?" "Oh, j'ai peur d'avoir mal." Dieu du ciel! Quelle attitude folle. Avoir mal de temps en temps, ça peut mettre un peu de piment dans votre vie. Quand on pleure, au moins c'est qu'on est en vie. La souffrance, c'est mieux que rien. Nous avons besoin de tendre la main, de prendre, mais nous n'avons pas besoin d'avoir peur. Les sciences biologiques nous le disent. J'ai lu quelque chose de très intéressant d'Ashley Montague: "Sans interdépendance, aucun groupe d'organismes ne pourrait survivre." Imaginez un peu, cela concerne *toute* forme de vie! "Et c'est en autant qu'un groupe d'organismes, quel qu'il soit, s'écarte de son fonctionnement, de ses exigences d'interdépendance, qu'il se détraque et devient inopérant." Mais il ajoute: "C'est quand des organismes sont en interaction de la façon qui leur est propre qu'ils se transmettent les uns aux autres des capacités de *survie*, qu'ils se donnent *la vie* les uns aux autres." Alors, je suis engagé dans le processus qui consiste à *donner la vie*. C'est le don le plus incroyable qui soit et c'est à vous de le prendre.

Puisque tout cela *s'apprend*, quelles sont quelques-unes des choses qu'il nous faut savoir sur le fait d'être ensemble, sur les relations humaines, sur le souci des autres, sur l'amour? La première est essentielle, parce qu'il existe dans notre culture une notion folle qui s'appelle l'amour romantique. C'est à cause d'elle que tant d'entre nous sont déçus! Nous croyons encore vraiment ce qu'on nous dit dans les comédies musicales, qu'on peut regarder dans une pièce noire de monde et y voir ces yeux particuliers qui nous attendaient depuis vingt ans. Vous êtes irrésistiblement attirés l'un vers l'autre, vous vous étreignez et vous sortez dans le coucher de soleil et vous n'avez jamais le moindre problème. Quelle honte! Et que dire de cette merveilleuse cour que vous lui faites, de ce temps où votre comportement est à son meilleur, ce temps où son comportement à elle est également à son meilleur. Elle a toujours l'air superbe quand vous vous présentez à sa porte. Et vous êtes toujours un galant hors pair. Vous lui offrez même des fleurs et des chocolats. Vous lui dites à quel point elle a l'air belle et puis vous vous mariez et le lendemain, vous lui dites: "Qui diable es-tu?" D'un seul coup elle apparaît en bigoudis. Et vous vous dites: "Mon Dieu! J'ai épousé une extra-terrestre!" Ne serait-ce pas bon, au moins une fois pendant vos fréquentations, d'ouvrir la porte en disant: "Écoute, j'ai mis mes bigoudis. Alors, si ça te dérange, tant pis." Pourquoi pas? Si nous nous montrons tels que nous sommes, nous prenons conscience qu'attendre d'une relation qu'elle soit une lune de miel perpétuelle de perfection, c'est courir à la déception.

Mais il existe bien des sortes de lunes de miel. J'adore parler aux personnes âgées parce qu'elles peuvent vous en apprendre long sur les changements de lunes de miel. Revenir en arrière, pour en tirer une leçon. Nous ne faisons pas ça, nous regardons toujours devant. Mais en jetant un regard en arrière, ils peuvent vous révéler tant de choses. Il y a certainement eu une lune de miel où l'on faisait connaissance. Puis il y a eu la lune de miel du premier appartement, avec tous ces meubles usagés et peut-être même des boîtes en guise de bibliothèque, mais dans ce temps-là qui s'en souciait? Vous étiez si heureux lors de cette lune de miel là. Puis il y a eu la lune de miel de votre premier emploi. La lune de miel de l'arrivée du premier enfant. La lune de miel où vous regardiez tout le monde grandir. À votre grande stupeur, ces douze ou quinze ans passent si vite et brusquement vous vous retrouvez là, avec toutes ces lunes de miel derrière vous. Elisabeth Kübler-Ross nous dit que même cette dernière lune de miel que l'on appelle "la mort" peut être une glorieuse expérience si nous la prenons comme nous avons pris toutes nos autres lunes de miel, sans rien en attendre. C'est là, c'est à moi de l'expérimenter et je veux connaître ça aussi, quand mon heure viendra. J'aimerais vivre de cette façon.

Je ne veux pas faire sonner les grandes orgues à propos de papa et maman, mais puisque ça me touche de si près... savez-vous que ma mère avait l'habitude de nous raconter qu'elle n'avait jamais vu mon père avant cinq jours après leur mariage? C'était un mariage arrangé et, en Italie, quand on arrange un mariage, l'homme vient à la maison de sa future femme et, bien sûr, toutes les femmes de la maison étaient là assises à la table et il est venu s'asseoir en face d'elles mais maman n'a pas osé le regarder. Elle a demandé à ses soeurs: "De quoi a-t-il l'air?" Et elles ont répondu: "Oooh, il est tellement bel homme. Tu vas vraiment le trouver épatant, celui-là." Elle n'avait pas osé le regarder, disait-elle. Pendant la cérémonie, elle avait toujours gardé les yeux baissés et, ce jour merveilleux, cinq jours après le mariage quand elle l'a vraiment regardé en face, elle a dit: "J'ai bien fait!" Il le savait déjà, lui. Mais n'est-ce pas étonnant que ces gens qui n'avaient pas connu cette période où l'on est supposé tomber follement amoureux l'un de l'autre, aient été capables de vivre une magnifique relation qui n'a cessé de grandir pendant cinquante-cinq ans? Si vous aviez vu comme ils étaient proches l'un de l'autre quand la mort les a séparés! On avait le sentiment que la mort n'allait pas vraiment les séparer, qu'il n'y aurait en quelque sorte qu'une période de transition et qu'ils devaient finir par être réunis à nouveau, sans l'ombre d'un doute. Alors souvenez-vous toujours que la chose essentielle dans une relation c'est que un plus un fassent toujours deux et que si vous voulez survivre dans cette relation, vous devez toujours rester vous-même et continuer à vous développer par le changement. Vous êtes deux individus merveilleux, magiques. Vous avez votre vie, il a la sienne et vous bâtissez des ponts l'un vers l'autre; mais vous maintenez toujours votre intégrité et votre dignité parce que toute relation, qu'elle soit magnifique, qu'elle dure même soixante ans, n'est jamais que temporaire et au bout du compte vous allez finir par vous retrouver face à vous-même encore. Une des choses les plus tristes qui soient c'est quand une personne qui a tout investi dans une relation se retrouve seule et doit se demander: "Qu'est-ce que je vais faire maintenant?" Si vous aimez quelqu'un, votre but doit être de vouloir que cette personne soit tout ce qu'elle peut être et vous l'y encouragerez à chaque instant du voyage. Chaque fois qu'elle fait quelque chose qui l'aide à croître ou qu'elle apprend quelque chose qui l'aide à devenir plus, dansez et célébrez cette occasion. Vous ne croissez pas séparés, vous croissez ensemble, mais la main dans la main et non fondus l'un dans l'autre. Vous êtes unique, il vous est impossible de vous fondre en quelqu'un d'autre.

Certains d'entre vous connaissent le magnifique poème de Gibran sur les relations. Je vais juste vous citer quelques phrases. C'est si beau. Il écrit: "Chantez et dansez ensemble et soyez joyeux mais laissez aussi l'autre être seul. Comme les cordes d'un luth sont séparées mais vibrent en harmonie sur la même musique." N'est-ce pas beau? Allez vers quelqu'un et dites-lui: "Je veux vibrer avec toi." Gibran poursuit: "Donnez vos coeurs mais ne les laissez pas à la garde de l'autre, car seule la main de Vie peut contenir vos coeurs. Soyez ensemble mais pas trop proches car les piliers du temple, pour pouvoir supporter le temple, doivent être séparés. Le chêne et le cyprès ne poussent pas dans l'ombre l'un de l'autre." Ne poussez jamais dans l'ombre de qui que ce soit, on ne peut *grandir* dans l'ombre de quelqu'un. Trouvez votre propre soleil et devenez aussi grand, aussi merveilleux, aussi glorieux que possible. Et partagez, en disant aux autres: "Communiquons, parlons, faisons que cela arrive." Mais ça n'arrive pas dans l'ombre d'un autre. Là, vous fanez, vous oubliez qui vous êtes, vous vous perdez et si vous vous perdez, vous aurez perdu la chose la plus essentielle que vous ayez. Alors, vous êtes un plus un mais vous êtes deux et vous êtes ensemble. Vous êtes un "je". Il est un "je" et ensemble vous êtes un "nous".

En second lieu, je pense que les relations d'amour et l'union viennent des cieux mais elles doivent *se pratiquer* sur la terre, et parfois c'est très difficile. En fait, je ne connais rien de plus difficile. Je suis en train, en ce moment, de préparer un livre sur les relations aimantes et j'ai fait énormément de recherches sur ce que je considère être l'aspect le plus dynamique du comportement humain — et je ne trouve pas grand-chose. Si vous voulez savoir ce que sont des relations aimantes, vous êtes sur la brèche. Bien sûr, de telles relations peuvent causer de la souffrance. Être ensemble et devoir donner quelque chose de vous-même peut causer de la souffrance. Mais on peut également apprendre de la souffrance. Cela m'ennuie vraiment de voir que, dans notre société, personne ne veut de la moindre souffrance. À l'instant où vous commencez à souffrir, vous vous mettez à vous gaver de pilules ou à vous noyer dans l'alcool, en ne voulant pas savoir que certaines des plus grandes leçons peuvent être tirées de la souffrance et du désespoir. La différence, c'est qu'il faut éprouver cela, pas s'y complaire. C'est malsain de se complaire dans le désespoir. Il faut l'éprouver et le *laisser filer*. Il y a des grands moments de désespoir dans nos vies à tous. Si vous y repensez et que vous les ayiez bien employés, vous vous apercevrez qu'ils vous ont aidé à croître et à devenir bien plus grand.

J'ai déjà dit combien nous sommes devenus étrangers les uns aux autres. Dans notre culture nous avons appris que la bonne façon de rencontrer les gens c'est de se lever et de dire: "Comment allez-vous?" Vous parlez d'un phénomène de distanciation! En effet, si vous êtes chanceux, la personne en question va vous tendre la main et vous dire: "Comment allez-vous?" à son tour. C'est habituellement très rapide. Pas étonnant que, bien que nous ayons absolument besoin l'un de l'autre, nous ne parvenions pas à nous atteindre, à nous toucher. Dans notre culture, vers l'âge de cinq ou six ans, un petit garçon se fait dire: "Cesse tes embrassades ridicules, tu es un homme maintenant et les hommes ne font pas ça." Je suis content d'avoir été élevé dans un foyer où les gens répliquaient: "Qui a dit ça?" Personne chez moi ne disait: "Comment vas-tu?" Quand la porte s'ouvrait et qu'arrivait quelqu'un, tout le monde s'embrassait. Tout le monde! Personne n'était oublié, on touchait tout le monde. Quelle merveilleuse expérience c'est d'être touché avec amour. Et il existe bien des façons de toucher. Connaissez-vous l'émerveillement d'entrer dans une pièce et de voir les gens heureux parce que vous êtes là? C'est une grande et belle chose. Au lieu d'une expression, sur les visages, qui signifie: "Oh mon Dieu, le voilà encore", un joyeux sourire se forme parce que vous êtes entré. Avec vous entre une aura qui illumine toute la maison. Vous connaissez ce sentiment? Ne le manquez pas.

Ce qui m'amuse, c'est que maintenant nous avons découvert de façon scientifique que le fait de toucher et d'être touché fait une différence dans nos vies, physiologiquement et psychologiquement. Il existe à la clinique de l'université de Californie à Los Angeles, un certain Dr Bresler. Il ne prescrit plus d'ordonnances classiques. À la place, il écrit des ordonnances qui disent: "Quatre embrassades par jour." Les gens vont dire que cet homme est fou. "Oh non, répond-il, embrassez une fois le matin, une fois avant le dîner, une fois le soir, et une fois au coucher et vous irez bien." Le Dr Harold Falk, psychiatre agrégé à la Fondation Menninger, a dit ceci: "L'embrassade peut combattre la dépression en permettant au système de défense du corps de se déclencher. Cela infuse une nouvelle vie dans les corps fatigués et vous fait sentir plus jeune et plus enthousiaste. Au foyer, cela peut renforcer les relations familiales et réduire les tensions de façon significative." Helen Colton, dans son livre: *Joy of Touching* (La joie de toucher) dit que l'hémoglobine du sang augmente quand on vous touche, qu'on vous caresse et qu'on vous étreint. L'hémoglobine c'est cette composante du sang qui fournit les éléments vitaux d'oxygène au coeur et au cerveau. Elle dit encore que si vous voulez être en santé, vous devez vous toucher les uns les autres, vous aimer les uns les autres, vous étreindre les uns les autres. Une des choses les plus tristes de notre culture, c'est l'importance disproportionnée que nous attachons à l'aspect sexuel d'une relation. C'est pitoyable, parce que dans ces choses nous oublions souvent la tendresse et la chaleur. Le baiser, quand on ne l'attend pas, la petite tape sur l'épaule au moment où on en a vraiment le plus besoin, c'est une gratification "sensuelle". Jim Sanderson, un chroniqueur à la pige qui écrit dans le *Los Angeles Times*, a reçu récemment une lettre que j'ai tout simplement adorée. Elle venait d'une dame qui signait seulement Margaret. Elle avait soixante et onze ans. Son fils est venu la voir un soir, en entrant sans frapper. Quel culot! Il est entré sans frapper et il est tombé sur Margaret se payant du bon temps au lit avec un de ses amis du troisième âge. Savez-vous que cet homme a été si horrifié de voir sa mère en train d'embrasser un homme dans son lit qu'il s'est détourné, et il a dit: "C'est dégoûtant" et est parti. Quel imbécile! Et la pauvre Margaret écrivait: "Est-ce que j'ai mal fait?" Et vous savez ce que Sanderson lui a répondu? Il faut que je vous lise ça, c'est trop bon. Il a écrit:

Dans la vie, Margaret, les meilleures choses durent toujours. Tout être humain a besoin de conversation et d'amitié. Mais pourquoi croyons-nous que les besoins des personnes âgées s'arrêtent là? Le corps peut bien craquer un peu mais il n'y a pas d'artériosclérose des émotions. Les personnes âgées ont littéralement faim d'affection et de contact physique, exactement comme tout le monde. Les enfants, adultes et les autres membres de la famille donnent rarement plus que des rations de famine: un petit baiser à l'occasion. Nous savons que le sexe est parfaitement viable à tout âge, pourvu qu'on soit en bonne santé mais même quand il ne semble pas recommandable pour diverses raisons, pourquoi n'y aurait-il pas un petit peu de romance tardive, un petit peu d'amour, un petit peu de contacts innocents, un baiser volé, un doux massage, une caresse sur la joue, une main qui joue avec une autre main? Bien des femmes de votre âge, Margaret, ressentent souvent d'étranges et alarmantes envies s'éveiller en elles, des sentiments qui peuvent ne pas avoir fait surface depuis des années. C'est la force vitale qui vient à votre secours pour vous rappeler que vous êtes un homme ou une femme et pas seulement un membre du troisième âge. Réjouissez-vous en, Margaret, des mauvaises nouvelles, vous en avez assez eues.

On ne cesse jamais d'avoir besoin d'être reconnu de mille et une façons différentes. Les relations et l'union doivent être vécues *au présent*. Il faut vivre *maintenant*, y prendre plaisir *maintenant*, faire quelque chose pour les gens *maintenant*. Une des choses les plus tristes dont j'aie entendu parler l'année dernière c'est l'histoire d'un collègue dont la femme est morte subitement, très jeune. La mort est une chose étonnamment démocratique: elle ne vous avertit jamais du moment où elle va venir. Nous savons seulement qu'un jour, croyez-le ou non, elle va *nous* arriver. Et quand on vit chaque instant de sa vie, on est prêt à la recevoir. Les seules personnes qui crient et hurlent au moment de la mort, ce sont celles qui n'ont jamais vécu du tout. Si vous vivez maintenant, quand la mort viendra, vous direz: "Allez, viens, je n'ai pas peur de toi." Pour en revenir à mon collègue, il m'a dit que sa femme avait toujours désiré une robe de satin rouge. Il a ajouté: "J'avais toujours trouvé ça vraiment stupide et de mauvais goût." Puis, les larmes aux yeux: "Penses-tu que ce serait bien de l'enterrer avec une robe de satin rouge?" J'ai eu envie de faire comme maman et de dire: "Stupido!"

Si votre femme veut une robe de satin rouge, donnez-la lui maintenant! N'attendez pas d'avoir à décorer son cercueil de roses. Rentrez un jour qu'elle est assise là vivante et inondez-la de roses. Lancez-les lui. Nous remettons toujours les choses à demain, en particulier avec les gens que nous aimons. Qu'est-ce que ça peut faire, ce que "les gens vont dire"? En fait, ils ne s'en soucient pas vraiment. "C'est ridicule que je lui dise que je l'aime, elle le sait bien." En êtes-vous bien sûr? Et se fatigue-t-on jamais d'entendre quelqu'un dire: "Je t'aime"? Se fatigue-t-on jamais de prendre sa tasse de café et de trouver dessous un petit mot qui dit: "Tu es incroyable"? Se fatigue-t-on jamais de recevoir une carte, non parce que c'est votre anniversaire ou la Saint-Valentin, mais une carte qui dit: "Ma vie est tellement plus riche depuis que tu y es entré." Le temps d'acheter la robe, c'est *maintenant*. Le temps d'offrir les fleurs, c'est *maintenant*. Le temps de téléphoner, c'est *maintenant*. Le temps d'écrire le petit mot, c'est *maintenant*. Le temps de tendre la main et de toucher, c'est *maintenant*. Le temps de dire: "Tu as de l'importance pour moi, parfois on dirait que je l'oublie, mais ce n'est pas le cas. Ma vie serait très vide sans toi", le temps de dire ça sans condition, c'est *maintenant*. Perdre un être aimé, c'est une façon très dure d'apprendre que l'amour se vit dans le présent. C'est une façon très dure d'apprendre qu'il faut acheter la robe ou écrire le billet maintenant. Mais nous, nous avons une autre chance. Ce mari, *non*.

Des relations aimantes dépendent d'une communication ouverte, honnête et belle. N'ayez jamais de courte discussion. Jamais! Le pire genre de discussion au monde, c'est quand vous arrivez en disant: "Qu'est-ce qui ne va pas, chéri?" "Rien." "Voyons donc, mais si, il y a quelque chose." "Non, il n'y a rien." J'ai trouvé un merveilleux moyen de faire de la prochaine discussion une discussion interminable; vous dites: "Oh, je suis ravi, il me semblait vraiment qu'il y avait quelque chose et je suis très heureux d'apprendre qu'il n'y a rien. Salut." La prochaine fois que vous demanderez: "Qu'est-ce qui ne va pas?", on vous le dira. Nous ne nous écoutons pas, nous n'écoutons pas ce que nous disons.

Il nous faut prêter attention à la façon dont nous disons les choses parce que ce sont les autres qui nous les ont apprises. C'est comme les professeurs qui disent aux enfants: "Je t'attends, Sally!" Pas étonnant que Sally dise: "Tu peux toujours attendre, vieille..." Mais nous disons des choses qui sont tout aussi odieuses. Vous vous entendez dire, par exemple: "Le malheur avec toi, c'est que..." Généralement, le malheur avec toi, c'est vous... "Un de ces jours, tu t'en repentiras." Oh, *non*. "Si je ne te l'ai pas répété des milliers de fois, je n'ai rien dit!" Mais alors, pourquoi diable me le répéter *une autre fois*? "Je t'ai donné les meilleures années de ma vie." Si c'étaient les meilleures, qu'est-ce que je peux bien attendre encore maintenant? "Fais ce que tu veux, c'est ta vie." Bon, et bien, si c'est vrai, vas-tu ME laisser la *vivre?*

Être ensemble. À partir d'un "je" et d'un "moi", vers un "nous". Vos relations seront aussi vitales et en vie que *vous* l'êtes. Si vous êtes mort, votre relation est morte. Et si vos relations sont ennuyeuses et peu satisfaisantes, c'est parce que *vous* êtes ennuyeux et peu satisfaisant. Réveillez-vous! Soyez conscient que le monde et les gens qui y sont n'ont pas été créés seulement pour vous. Essayez de mettre *quelqu'un d'autre* à son aise. Prenez pour acquis que les gens sont bons jusqu'à ce que vous appreniez le contraire *par les faits* et *avec précision*. Et même dans ce cas-là, sachez qu'ils ont le potentiel pour changer et que vous pouvez les y aider. Habituez-vous à penser en termes de "nous" plutôt qu'en termes de "je" et de "moi". Aimez beaucoup de choses avec intensité car votre mesure, en tant qu'être d'amour, dépend de la profondeur avec laquelle vous aimez et du nombre de choses que vous aimez. Souvenez-vous que tout *change*, en particulier les relations humaines, et que pour les maintenir, *nous* devons changer avec elles. Changez en croissant. Assurez-vous que vous changez constamment *ensemble* mais *séparément*. Recherchez les gens *sains*, dans votre vie, ceux qui savent encore rire, aimer, pleurer. Souvenez-vous que le malheur n'aime pas seulement la compagnie, il *l'exige*. Ne mangez pas de ce pain-là.

Et finalement, j'ai entendu l'an dernier le Dalaï Lama du Tibet dire une chose extrêmement poignante: "Nous vivons très près les uns des autres. Alors notre première fonction, dans la vie, c'est d'*aider* les autres." Puis il a eu un sourire indéfinissable et il a ajouté: "Et si vous ne pouvez pas les *aider*, au moins ne leur faites pas de *mal*." Comme ce serait magique si chacun d'entre nous se promettait à lui-même qu'en ce qui concerne les relations humaines et le fait d'être ensemble, il va se consacrer à aider les autres à grandir, et se faire lui-même aider des autres, et que, si ça n'est pas possible, il va au moins faire attention à ne pas faire mal aux autres. Un poète italien, Quasimodo, qui a reçu le prix Nobel pour ses poésies, a écrit un petit poème qui dit: "Chacun de nous se tient seul dans ce vaste monde, baigné momentanément d'un rayon de soleil. Et soudain, c'est la nuit." Ce poème s'intitule: *Ed e' subito sera* — Et soudain c'est la nuit. Si nous nous tenons ensemble, nous pourrons partager le soleil et, croyez-moi, la nuit ne paraîtra pas si effrayante.

L'arsenal de l'anti-moi: le moi qui se détruit lui-même

J'aimerais vous parler ce soir de quelque chose qui m'importe vraiment. Je rencontre constamment des gens, je travaille avec des gens, et je suis de plus en plus préoccupé parce que les gens que je rencontre ont peur de montrer leurs merveilles, peur de montrer leur beauté. Ils doutent sans cesse de leur beauté, de leurs merveilles. S'il nous reste quelque espoir, en tant que personnes aimantes, c'est à condition que nous nous assurions d'exprimer cet amour, ce souci des autres, de les amener au jour et de ne pas avoir peur. Alors, j'aimerais parler à ces gens qui ne sont pas encore tout à fait sûrs, qui sont encore un peu réticents à être tout ce qu'ils sont. J'ai intitulé cette causerie: *L'arsenal de l'anti-moi: le moi qui se détruit lui-même* et je vous l'offre avec amour.

C'est stupéfiant — peut-être ne le réalisez-vous pas — mais tant de choses que *vous n'êtes pas* sont là parce que, littéralement, vous vous barrez vous-même la route de votre devenir. Et ce que j'essaie de vous exhorter à faire, c'est de débarrasser le passage! Envolez-vous, la vie et l'amour vous sont disponibles! Et tout ce que vous avez à faire, c'est prendre votre responsabilité et les saisir. Mais tant de gens n'ont pas confiance en eux-mêmes. Ils ne croient pas en eux-mêmes. Ils ne s'*aiment* même pas eux-mêmes. J'étais dans mon bureau, récemment — beaucoup d'entre vous savent que dans mes cours il y a des tas de choses qui sont volontairement obligatoires et l'une d'elles c'est que tout le monde vienne me voir à mon bureau. Ce n'est pas trop demander, mais ce que je reçois, c'est des gens qui arrivent tout tremblants. Ce jour-là, une très jolie fille était assise en face de moi, dans mon bureau et je lui ai demandé: "Parlez-moi de vous. Nous allons passer seize semaines ensemble dans les cours et je ne veux pas que vous soyez pour moi une étrangère. Parlez-moi de vous et ensuite, ce sera mon tour, je vous parlerai de moi."

Et elle a répondu:

"Je n'ai rien à dire.

— Que voulez-vous dire par là? Parlez-moi de toutes vos merveilles.

— Merveilles?

Puis il y a eu une longue pause et elle a dit:

— Eh bien, je suis trop petite.

Savez-vous, ça ne m'avait jamais frappé avant qu'elle me le dise. Alors je me suis dit: bon, je vais contre-attaquer avec quelque chose de bon. J'ai dit:

— Oui, mais vous êtes une excellente étudiante. Savez-vous que vous avez obtenu "A" à l'examen de mi-session?

— C'est simplement de la chance.

Qu'est-ce que vous dites de ça? J'ai dit:

— Mais vous savez que vous êtes unique au monde...

— Pas moi! Je ne suis pas unique. Arrêtez votre charriage! Je sais que je ne suis pas très jolie. Peu de gens me recherchent. Et je suis seule très souvent."

Je me suis dit que si elle croyait vraiment qu'elle était trop petite, laide et stupide et qu'elle n'avait rien à apporter, pourquoi effectivement quelqu'un la rechercherait-il? Oh! Qu'est-ce que je m'en suis donné du mal, pour elle! Mais quand elle est sortie de mon bureau, elle mesurait quatre pouces de plus et si je la vois encore jamais penchée, elle va payer un sacré prix.

Jack Paar dit une chose merveilleuse: "Ma vie m'apparaît comme une longue course d'obstacles et l'obstacle le plus difficile, c'est moi." N'est-ce pas épatant? Et je veux vous lire quelque chose que j'adore et qui nous permettra de démarrer. C'est intitulé: *Enfermé* et ça a été écrit par un homme qui s'appelle Gustavson. Voici:

Toute ma vie, j'ai vécu dans une noix de coco. — N'est-ce pas un merveilleux endroit pour vivre? — C'était étroit et sombre, en particulier le matin quand il me fallait me raser. Mais ce qui me désolait le plus, c'est que je n'avais aucun moyen d'entrer en contact avec le monde extérieur. Si personne à l'extérieur ne tombait sur la noix de coco et l'ouvrait, j'étais condamné à vivre toute ma vie dans une noix de coco. Et même peut-être à y mourir.

Et j'y suis mort, dans cette noix de coco. Et, un ou deux ans plus tard, quelqu'un a trouvé la noix de coco et l'a ouverte et on m'a trouvé, tout sec et recroquevillé, à l'intérieur. "Quelle honte, a-t-il dit, si seulement je l'avais trouvée plus tôt, peut-être que j'aurais pu le sauver. Peut-être qu'il y en a d'autres qui sont enfermés comme lui dans une noix de coco."

Et il a cherché et il a ouvert toutes les autres noix à sa portée. Mais ça ne servait à rien, ça n'avait pas de sens, c'était une perte de temps. Une personne assez folle* pour choisir de vivre dans une noix de coco, il y en a une sur un million. Mais, vous savez, je n'étais plus là pour lui dire que j'ai un beau-frère qui vit dans un gland.

Ne vivons pas dans des noix de coco. Ne vivons pas dans des glands. Il y a, dehors, un monde à apprécier. Il y a des choses fantastiques à voir, à sentir, à désirer, à viser et à réussir. Vous êtes un don incroyable et vous êtes à vous! Vous n'avez pas été fait pour passer votre vie dans une noix de coco ou dans un gland. Ce serait le plus grand des péchés que d'expérimenter moins que ce que nous sommes.

J'adore *Souls on Fire* (Âmes en feu), un livre de Weisel, dans lequel on trouve cette merveilleuse chose: "Quand vous mourrez et irez rencontrer votre Créateur, on ne vous demandera pas pourquoi vous n'êtes pas devenu un messie, ou pourquoi vous n'avez pas trouvé le remède du cancer. Tout ce qu'on vous demandera, c'est pourquoi vous n'êtes pas devenu vous-même. Pourquoi vous n'êtes pas devenu *tout* ce que vous êtes."

---

* Jeu de mot intraduisible entre "nut" (fou) et "coco*nut*" (noix de coco). (N.d.t.)

Alors, arrêtez-moi cette folie d'autodestruction. Combien de fois vous êtes-vous entendu dire: "Je ne suis rien." Eh bien, en vérité, vous n'êtes rien si vous *pensez* que vous n'êtes rien.

Maman me prenait à part chaque soir pour me dire. "Felice, un jour tu deviendras un *grand* homme. " Vous savez, je la regardais et je disais: "Moi?" Et elle répondait: "Attends et tu verras." Elle faisait ça avec *tous* mes frères et soeurs. Parfois je deviens vraiment triste parce qu'au supermarché j'ai entendu une mère tenant son enfant par la main, dire à un voisin: "Celui-ci, c'est le *moins* brillant. Mais sa soeur, elle, on peut dire que c'est le génie de la famille."

Comme si l'enfant était sourd! C'est là une prophétie qui se réalise d'elle-même. Il écoute et qu'entend-il? Qu'il est stupide. On devient ce qu'on croit qu'on est. À la maison, moi, j'entendais toujours: "Qu'est-ce que ça veut dire: *je ne peux pas?* Vas-y et fais-le!" Et, d'une façon ou d'une autre, je trouvais moyen de le faire. Et je le fais encore! Parfois les gens me proposent des emplois du temps et je pense que je ne vais pas pouvoir les respecter. Mais, à la fin de la journée, je l'ai fait! C'est fait. Qu'est-ce que ça veut dire: *je ne peux pas?*

"Je ne le *ferai pas*." Ça, c'est une voie sans issue, "Je ne le ferai pas." Si nous voulions tâter de la main de papa, nous n'avions qu'à dire: "Je ne le ferai pas." Ah, tu ne le feras pas? VLAM!

J'adore le mot "oui". Avez-vous jamais pensé à quel point il est beau? Parfois, je demande aux gens: "Quel est le plus beau mot de la langue?" Pour moi, c'est "oui". C'est même un son continu. Il dure et dure. Ouuuiiii.

"Non", c'est la fin de la route. Quand vous dites "non", cela ferme les fenêtres, les portes et vous voilà dans votre noix de coco. Et si vous ne pouvez pas supporter "oui", si cela vous effraie trop, essayez donc "peut-être". Au moins, il reste une chance, il y a une possibilité! Mais "je ne le ferai pas", ça c'est triste. Et puis j'entends aussi: "C'est comme ça et il n'y a rien à y faire." Vous savez, *ce n'est pas* comme ça. Et il y a toujours quelque chose qu'on *peut* y faire. Mettez-vous-y seulement et essayez.

Oh, en voilà un que je déteste: "Je suis trop *vieux* pour ça." Combien de fois n'avez-vous pas entendu ce: je suis trop vieux pour aller au parc danser dans les feuilles mortes? Essayez rien qu'une fois et vous verrez comme vous êtes jeune! Nous avons un grand complexe en ce qui concerne l'âge. Je ne vais jamais dire mon âge à qui que ce soit. C'est vraiment un complexe. C'est malade, même! Parce que dès l'instant qu'on vous colle un âge, vous êtes censés vous conduire comme ça. Si vous avez soixante ans, vous n'allez pas danser au parc. Mais qui a dit ça? Et les journalistes me demandent toujours: "Quel âge avez-vous, Buscaglia?" Je réponds: "D'une certaine façon, je ne suis même pas encore né. Et, d'un autre côté, je suis un adolescent qui se bat, se révolte et déclenche des tempêtes. D'un autre côté encore, je suis un sage, j'ai cent quatre-vingt-dix ans. Alors, pourquoi me poser cette question? Qu'est-ce que les années peuvent bien avoir à voir avec mon âge?" Et quand vous vous entendez dire: "Je suis trop vieux pour ça", vous vous fermez des portes. On n'est jamais trop vieux pour quoi que ce soit! Parce que votre âge, il est dans votre tête, pas ailleurs.

J'adore vraiment la formule autodestructrice suivante: "Nous vivons dans un monde où les loups se dévorent entre eux." Je ne sais ce qu'il en est de vous, mais moi, je n'ai encore jamais vu un loup en dévorer un autre. S'apprécier? Oui. Se manger? Non.

Et celle-ci encore: "Je me suis déjà fait faire mal, et je ne ferai plus jamais confiance." Qu'est-ce que c'est qu'un petit bobo? On peut apprendre de la souffrance. Quel monde stupide que le nôtre, un monde où l'on croit que tout doit tout le temps se situer à un haut niveau de plaisir. Cela me tue. Nous apprenons ça des médias. Nous ouvrons notre télévision et nous voyons des gens qui s'envoient en l'air avec des cornflakes. C'est vraiment un pied extraordinaire! J'ai vu une annonce l'autre jour, je n'arrivais pas à y croire. Il y avait là une femme — et je trouve ça dégradant pour les femmes — qui perdait littéralement la tête à cause d'un nouveau produit appelé *A Thousand Flushes* (Tirer la chaîne un millier de fois). Elle était à la toilette et elle disait: "Oh, j'adore ce produit!" et "Ma vie est enfin complète!" Dieu du ciel!, si votre joie dépend d'un produit qui permet de tirer la chaîne des milliers de fois, vous êtes vraiment malade!

Mais nous nous posons tous la question: si ces gens sont tellement en extase devant des choses aussi simples qu'un nettoyeur de toilettes, qu'est-ce qui ne va pas chez moi? Je devrais, moi aussi, être heureux tout le temps. Il n'y a rien de mal dans un peu de souffrance. J'ai appris tellement de choses merveilleuses, au fil des ans, dans des situations douloureuses. En fait, parfois cela nous prend même la mort pour nous apprendre la vie; cela nous prend le malheur pour nous apprendre la joie. Alors, prenez ça quand ça vient. Dites-vous que ça fait partie de la vie. Entourez-le de vos bras. Faites en l'expérience! Apprenez à le sentir à nouveau. Ne le refusez pas. Peut-être que ça fait mal, en effet. Mais dites-vous que c'est normal. Criez, hurlez, mordez les murs. Faites l'expérience de la douleur. Pleurez. Tapez sur la table! Mettez-vous en colère! Laissez sortir tout ça. Et puis *oubliez-le*. Sans ça, vous allez emmagasiner ça en vous pour toujours. Et vous savez ce qui se produit quand on emmagasine la souffrance? Elle prélève son tribut sur *vous*. C'est vous qui avez les ulcères et les migraines.

Mais où prenons-nous ces idées autodestructrices, ces idées qui nous limitent, qui nous rendent solitaires? Les idées qui nous maintiennent dans un perpétuel ennui? Les idées qui tuent la spontanéité et la surprise? Elles sont anti-vie. Elles sont anti-croissance et anti-changement. Alors, envoyons-les promener. Mais où les prenons-nous?

Parfois, nous les apprenons des gens que nous aimons le plus. De notre famille. Si vous devez apprendre le développement personnel et la dignité, il n'y a pas de meilleur point de départ que votre foyer. Parfois, c'est aux gens que nous aimons le plus que nous témoignons le moins d'amour. Nous faisons des compliments aux gens qui travaillent avec nous au bureau, mais nous n'en faisons jamais à nos propres enfants, à notre femme, à notre mari. Ne laissez pas passer un seul jour sans relever quelque chose de bien dans les gens qui vous entourent. Et dites-le leur! Peut-être que, ce jour-là, ça sera difficile. Peut-être qu'il vous faudra vraiment chercher. Mais trouvez absolument *quelque chose* de bien et dites: "C'était très bien, vraiment." "C'était très bien fait."

Je dis toujours aux professeurs qu'il est impossible aux enfants de se faire à l'idée que, sur cinquante réponses, ils en ont quarante-neuf de fausses. Pourquoi ne pas leur dire plutôt: "Johnny, tu as *une* bonne réponse! Bravo! Demain, ce sera *deux*, tu vas voir!" Souvenez-vous que grand-mère disait: "On n'attrape pas les mouches avec du vinaigre." Alors pourquoi insister tout le temps sur le vinaigre? Ce qu'on *devrait* être. Ce qu'on *devrait* faire. Et toujours sous ce prétexte: "Je te dis ça parce que je t'aime." Cette critique perpétuelle, c'est pour votre bien. Mais les compliments aussi, ce serait pour votre bien! Si vous m'aimez, dites-moi quelque chose de gentil. D'accord, je suis un monstre. D'accord, je suis stupide. Mais n'y-a-t-il pas *quelque chose* en moi qui ne soit *pas si mal?* Pensez-y. C'est une dynamique très curieuse et pourtant réelle. Les gens que nous devrions encourager le plus parce que nous les aimons tant, ce sont souvent les gens auxquels nous en disons le moins. Et c'est pitoyable. Alors, c'est à la maison qu'on commence par installer cette atmosphère de dignité personnelle. J'ai reçu récemment une lettre d'une femme qui avait été avec moi à l'école élémentaire. Elle m'avait vu à une émission de télévision. C'est ça qui est merveilleux quand vous passez à la télévision, tous vos vieux amis se manifestent. Elle m'a écrit en commençant sa lettre par: "Il ne peut vraiment y avoir qu'un seul fou comme toi." Et "Même enfant, tu étais fou et maintenant je vois bien que l'adulte n'a pas perdu ça. Et il n'y a qu'une seule personne au monde pour porter un nom comme Felice Leonardo Buscaglia. Tu sais ce que je me rappelle de toi, Felice?" Et elle a fait ressurgir du passé quelque chose dont je ne me souvenais plus du tout. "Je me souviens du jour où tout le monde t'avait entouré et se moquait de toi parce que tu portais le manteau de ta soeur. C'était l'hiver et tu portais le manteau de ta soeur."

Soudain la mémoire m'est revenue et je me suis souvenu à quel point nous étions pauvres. Et je me souviens qu'il faisait très froid, ce jour-là, et que maman avait sorti le manteau de ma soeur. Il avait un petit col de fourrure et il se boutonnait du mauvais côté. Elle me l'avait mis et j'avais dit: "Maman, je ne veux pas..." Vous savez, ma mère, je vous l'ai dit, était une merveilleuse conseillère non directive.

"Tais-toi! dit-elle, tu seras bien content d'avoir quelque chose pour te tenir chaud. Et ceux qui n'ont même pas de manteau pour se tenir chaud? Qu'est-ce que ça peut faire que ce soit le manteau de ta soeur? Si tu le portes avec fierté, tu auras de l'allure."

Et bien, ça n'a pas marché. Mais j'avais oublié cet épisode. Et en y revenant, ce qui me semblait si merveilleux ce n'était pas le manteau ou la peine de m'être fait moquer de moi — "T'as un manteau de fille" — vous savez, ce genre de choses. Non, la chose dont je me souviens le plus, c'est de maman disant: "Si tu le portes avec fierté..." et "il y a des gens qui n'ont même pas de manteau à se mettre". C'était apprendre là quelque chose d'essentiel et de positif pour la vie, voyez-vous. Et c'est ça qu'il nous faut faire, parce que ce sont surtout les gens qui nous entourent qui nous font. Nous nous faisons les uns les autres, chaque jour. Je dis constamment ça aux gens. Et ils répondent: "Oh, c'est tellement difficile d'aimer." Et je leur dis: "Ne voyez-vous pas à quel point c'est facile, au contraire? Aimer, c'est simple. C'est nous qui sommes compliqués." Aimer, c'est offrir à la serveuse débordée un "Merci, c'était délicieux." J'ai mangé récemment dans une gargotte qui puait la graisse, en Arizona. C'était un de ces endroits où, quand vous rentrez, l'odeur suffit. Même les rats l'avaient déserté. Mais on y mangeait vraiment bien. J'avais commandé des côtes de porc et quelqu'un avait alors dit. "Vous êtes fou. Vous allez y laisser votre peau! Personne n'irait manger des côtes de porc dans un endroit pareil."

Et j'ai dit: "Mais elles sentent tellement bon!" Et quelqu'un d'autre en mangeait dans la salle et le plat était énorme! Ces côtes de porc étaient monstrueuses! Alors j'ai commandé mes côtes de porc: elles étaient magnifiques. Quand j'ai eu fini, j'ai dit à la serveuse: "J'aimerais bien parler au chef." Et elle a dit: "Il y a quelque chose qui n'allait pas?" "Non, je veux seulement lui dire à quel point c'était délicieux."

Et elle s'est exclamé: "Oh, mon Dieu! Personne n'a jamais dit ça." Nous sommes allés dans la cuisine et le chef était là, suant comme un damné. C'était un gros homme.

Il a dit: "Qu'est-ce qu'y a?"

J'ai répondu: "Rien! Mais ces côtes de porc étaient tout simplement excellentes. Quant aux pommes de terre! Elles étaient vraiment merveilleuses. J'ai déjà mangé dans quelques-uns des meilleurs restaurants du monde et ici c'est aussi bon."

Il m'a regardé comme s'il pensait: "Dieu du ciel! cet homme a perdu l'esprit." Et puis, savez-vous ce qu'il a dit? (parce que c'était tellement bizarre pour lui de recevoir un compliment). Il a dit: "En voulez-vous encore?" N'est-ce pas merveilleux? C'est ça, l'amour. C'est tout ce que ça veut dire. Cela veut dire partager sa joie avec les gens. Cela veut dire, quand vous voyez quelque chose de superbe, d'aller vers ceux qui l'on fait et de le leur dire. Quand vous voyez quelqu'un de bien, dites-le lui. Puis, sauvez-vous vite. Parce que ça va l'effrayer à mort.

Une des expériences les plus amusantes que j'aie jamais eues — peut-être que je l'ai même déjà racontée à certains de vous — mais elle me revient à l'instant, et c'est un magnifique exemple. J'ai vu cette jolie fille sur le campus. Elle avait des cheveux d'or et ils ondulaient dans le soleil. C'était vraiment spécial. Je l'ai dépassée et il y a eu un éclair dans ma tête: quels magnifiques cheveux elle a. Et, en continuant à marcher, je me disais que je devrais le lui dire. Alors je me suis retourné et je suis revenu sur elle au pas de charge. Et elle m'a senti venir, vous savez, comme cela arrive parfois. Elle s'est retournée, l'air paniqué. Et je lui ai dit: "N'ayez pas peur. Je veux seulement vous dire que vous avez des cheveux superbes. Avec le soleil dessus, c'est un spectacle fabuleux. Je les ai *vraiment* trouvés très beaux. Merci beaucoup."

Et je me suis éloigné parce que je connais les conditions psychologiques de l'approche et de son évitement. Vous savez, s'éloigner le plus possible de l'objet craint? Alors je me suis éloigné lentement, et plus je m'éloignais, plus elle commençait à réaliser que quelqu'un venait de lui faire un compliment. Et elle a commencé à sourire. Et quand je suis arrivé à l'entrée de l'université, elle m'a même fait un signe de la main en me criant "merci". Il m'a semblé, en la voyant partir, qu'elle se tenait encore plus droite, ce qui la rapprochait du soleil.

Qu'y a-t-il de si difficile là-dedans? Nous avons, tous les jours de notre vie, des possibilités de ce genre mais nous ne les saisissons pas. Commençons donc avec ceux qui nous entourent. Enseignons-leur le respect de soi-même et assurons-nous que ce jour-là, tout le monde repart avec son beau compliment. Les gens disent: "Mais c'est artificiel, ça, Buscaglia." Ce n'est pas artificiel quand vous le croyez vraiment. Ne venez pas me dire que les gens qui vous entourent ne méritent pas un compliment de temps en temps. Qu'est-ce qu'il y a d'artificiel là-dedans?

Je me souviens que maman adorait qu'on vante ses plats. Et nous disions tous en coeur: "Oh, maman, c'est délicieux!" Elle répondait alors: "Je sais, je sais, pas besoin de me le dire." Mais si nous ne le lui avions pas dit, alors là...

Et cela ne fait jamais de mal à personne de se faire dire qu'il est aimé ou de dire à quelqu'un: "Je t'aime." Les gens disent — et c'est tout particulièrement vrai des hommes — "Oh, elle le sait bien que je l'aime. Je n'ai pas besoin de le lui dire." Vraiment? Quand elle sera partie, peut-être vous demanderez-vous pourquoi elle est partie. C'est une chose très simple à dire: "Je t'aime." Et si vous n'arrivez pas à le dire, écrivez-le donc. Si vous n'arrivez pas à l'écrire, dansez-le. Mais dites-le! Et dites-le *souvent*. On ne s'en lasse jamais. On va peut-être vous dire: "Oh, ne te fatigue pas à me le dire, je le sais..." Mais c'est si plaisant à entendre.

Outre dans nos maisons, nous apprenons aussi des idées auto-destructrices à l'école. Je peux en témoigner, et vous aussi. J'ai parlé récemment à un petit garçon et nous avons eu le dialogue suivant:

"Je ne suis pas capable de faire ça.
— Qu'est-ce que tu en sais?
— Pasque j'suis borné.
— Comment le sais-tu que tu es borné?
— Pasque la maîtresse m'a dit que je l'étais."

Quel espoir peut-on bien encore avoir quand les professeurs viennent vous dire que vous êtes borné? Il me semble que nous devons bien commencer quelque part en disant: "Tu as le potentiel. Il y a quelque chose en toi. Nous allons le trouver ensemble."

Notre civilisation nous apprend constamment à être méfiants. À ne pas faire confiance. À ne pas croire. À avoir peur de tout! Ce que nous faisons en fin de compte, c'est que nous construisons des murs de plus en plus hauts pour nous protéger les uns des autres! Je ne veux pas être protégé contre *vous*. Je ne veux, au contraire, que plonger en plein milieu de vous. Je veux faire l'expérience de vous. Je ne veux pas être protégé contre vous. Je vous ferai confiance. Et si, en cours de route, il y en a un ou deux parmi vous qui me frappent, tant pis, ça ne fait rien. Mais je ne veux pas vous manquer. Jamais. C'est ça qui m'effraie le plus. Mais notre civilisation n'arrête pas de nous dire des choses comme: "On ne peut pas faire confiance à la personne d'à côté." Nous ne connaissons même pas nos voisins. Et c'est une honte. Parce que, qu'est-ce que nous faisons ainsi? Nous disons à nos enfants aussi qu'ils ne doivent pas faire confiance. Et nous devenons de plus en plus séparés les uns des autres. Il est temps que nous commencions à construire des petits ponts.

Il y a bien des années, j'ai décidé que je voulais voir à quoi ressemblait le reste du monde. Alors, j'ai tout vendu. Toutes les choses que les gens considèrent comme essentielles: ma voiture, mes vêtements, tout ce qui pouvait me rapporter de l'argent, pour pouvoir aller en Asie voir l'autre moitié du monde dont je ne connaissais rien. Est-ce que là-bas les gens pleuraient? Est-ce qu'ils s'étreignaient? Est-ce qu'ils étaient comme moi? J'avais besoin de savoir. J'éprouvais vraiment un désir irrésistible d'aller là-bas m'asseoir dans un petit buri, quelque part en Indonésie. Je voulais escalader un sommet du Népal. Alors, même si tout le monde disait que j'étais fou et que, à mon retour, je ne retrouverais pas de travail et que je serais en chômage et ainsi de suite et ainsi de suite, j'ai répondu: "Et après? Je survivrai bien toujours." Et j'ai survécu. Vous voyez?

Je me suis promené dans des endroits comme Bali. Je me souviens de mon arrivée à Bali. Parlez-moi des merveilleux messages culturels qui y étaient émis! Je n'étais pas installé dans ma petite maison depuis plus de deux heures qu'au moins sept ou huit personnes s'étaient pointées. Elles m'apportaient des présents: une pièce de batik, des fleurs pour rendre ma maison plus belle. Des cadeaux! Et moi, je n'avais rien à leur donner. Et, bien sûr, comme j'appartiens à notre culture, j'ai pensé qu'il fallait que je rende cadeau pour cadeau. Il ne me venait pas à l'esprit que le fait d'offrir le cadeau pouvait suffire à ces gens. Je leur ai donné mes sous-vêtements et mes T-shirts. Quand j'y repense, je me dis "Pauvre imbécile, aller donner des T-shirts à ces personnes magnifiques dans leurs batiks indonésiens!" De plus, ils m'ont dit que tous les soirs, vers six ou sept heures, tout le village descendait à la rivière où tout le monde se baignait ensemble. C'était l'heure communale. Grand-maman et grand-papa et les petits bébés. Tout le monde dans la rivière, à barbotter. Savez-vous quelle était la seule personne à qui tout ça causait un problème? Moi! J'étais assis là, bien embarrassé. *Votre soeur vient-elle se baigner?* Ils me regardaient, l'air de dire: "Qu'est-ce qui ne va pas chez toi? Pourquoi pas?"

241

Je me souviens aussi du soir de Noël. La plupart d'entre eux n'avaient jamais entendu l'histoire de Noël. J'ai pensé que ce serait bien de la leur raconter. J'ai dit: "Aujourd'hui, c'est la nuit de Noël." Et ils ont demandé: "Qu'est-ce que c'est, la nuit de Noël?"

Alors, je leur ai raconté l'histoire de Noël. Quand vous êtes dans un pays qui n'est pas chrétien et que vous racontez cette histoire, c'est encore plus spécial. Ils ont écouté intensément et ils ont adoré ça. Ils pensaient: "C'est magnifique!" Mais il y avait une chose qu'ils n'arrivaient pas à comprendre et vous allez voir que ça ne manque pas d'intérêt.

"Comment ça, on ne voulait pas laisser entrer Marie à l'auberge?

— Et bien, mais, parce qu'il n'y avait pas de *place* à l'auberge.

— Mais qu'est-ce que ça a à voir avec ça? Quelle place peut bien occuper une femme? Il y a *toujours* de la place dans une auberge."

Essayez d'expliquer ça un de ces jours! Il a fallu qu'elle accouche dans une étable. En vérité, la dernière chose que m'ait dite un des enfants, alors qu'ils étaient venus m'accompagner à l'autobus pour Djakarta, ce fut: "Je ne comprends toujours pas pourquoi ils ne l'ont pas laissée rentrer."

Il y a des gens qui ne connaissent pas leurs voisins. Et ils vivent là depuis douze ans. Quelqu'un vient sonner à notre porte, et nous avons peur d'ouvrir. Qu'est-ce qui nous arrive? Le plus triste, dans tout ça, c'est que, une fois que nous avons adopté ces habitudes et ces croyances, tout ce que nous apprenons ensuite de nouveau, nous le filtrons à travers ces croyances de suspicion et de peur et nous ne changeons pas. Elles nous empêchent de devenir tout ce que nous sommes. Tout ce que je vous dis, c'est de les laisser tomber parce que sinon votre monde sera très limité, plein de suspicion et de laideur.

Je me souviens que, quand j'étais adolescent, comme j'étais bilingue, j'accompagnais des touristes américains en Italie. C'est de cette façon que je pouvais visiter ma famille tout en étant payé pour ça. Alors je me baladais dans des endroits comme Venise. C'était superbe! Ne manquez pas ça. Je les emmenais dans les endroits que j'aimais, pas seulement le Grand Canal, mais des petits canaux reculés. Il y a, à Venise, une magnifique petite île où l'on va par vaporetto. Ne prenez pas de gondole. C'est trop cher. Le petit vaporetto est comme un autobus marin qui va à l'île en faisant teuf! teuf! J'avais l'habitude de les amener à cette île et ils se promenaient, un peu mal à l'aise, en regardant partout. Savez-vous ce que l'un d'eux m'a dit? "Ce dont Venise a besoin, c'est d'un bon coup de *pinceau*." Savez-vous comment les Italiens appellent cette île? L'île des arcs-en-ciel. La peinture y est toute délavée. Elle est en train de devenir pastel et elle s'écaille sur les murs. Mais elle se reflète dans l'eau dans des tons de pourpre, de jaune et de vert. Ces gens-là n'étaient pas près à voir la beauté. Tout ce qu'ils pouvaient voir, c'est que Venise avait besoin d'un bon coup de pinceau.

En Italie du Sud, il y a un endroit appelé Positano qui possède un immense escalier. On l'appelle Scalinatella. N'est-ce pas superbe? Grand et long escalier! Il y avait des milliers de marches que j'aimais toujours leur faire descendre. C'était tellement beau. Ils descendaient clopin-clopant. Puis, arrivés à peu près au milieu, ils disaient: "Qu'est-ce qui ne va pas chez ces gens? Tout ce qu'il leur faudrait, c'est un bon ascenceur." Nous devons faire attention de ne pas transporter nos idées préconçues avec nous et de ne voir rien d'autre que de la laideur. Nous filtrons notre laideur et nous ne voyons pas ce qui *est*. Nous ne voyons que ce que *nous* projetons là. Alors, partout où nous regardons, nous nous méfions, nous avons peur. Et que faisons-nous? Nous nous privons de la beauté et de la vie. Arrêtez de travailler contre vous-même. Sortez de ce moi gelé. Souvenez-vous que vous êtes une chose simple.

Vous êtes le don de Dieu. Alors, donnez-vous naissance à vous-même. Laissez-vous sortir. Débarrassez-vous de toutes ces idées autodestructrices à propos d'autrui: elles nous empêchent vous et moi d'être réunis. Apprenez à faire à nouveau confiance. Apprenez à pardonner. Apprenez à croire que je suis plus semblable à vous que différent.

Je ne sais où vous me placez, mais, croyez-moi, je ne suis nulle part ailleurs que là où vous êtes. Je suis tout aussi mêlé, tout aussi seul. Je me désespère tout autant que vous. Je pleure tout aussi souvent. Je n'ai pas plus de réponses que vous. J'ai seulement arrêté de poser les questions. Je suis seulement impliqué dans le processus. Je ne demande même plus de réponses. Je pense simplement que je suis une chose merveilleuse. Et les gens m'écrivent des lettres et ils disent: "Pourquoi la mort? Pourquoi la souffrance? Pourquoi faut-il que des enfants meurent? Pourquoi faut-il que nous nous désespérions, etc." Je leur réponds "Comment diable pourrais-je le savoir?" Des hommes plus grands que moi posent ces questions depuis des siècles. Je ne sais pas pourquoi. Mais je me souviens qu'il y a bien des années, quelqu'un a dit que parfois nous sommes tellement impliqués dans les questions que nous n'aimons pas les réponses. Je suis très activement engagé dans la vie. Je veux tout expérimenter! Je veux tout connaître. Tout ce qu'est la vie, je veux en faire l'expérience. Je n'ai pas peur de vous. Parce que je sais que derrière ce vernis que vous vous êtes donné (ce vernis auto-destructeur) se trouve une personne comme moi, une personne qui s'interroge, qui a peur, qui est seule, qui souffre de cette solitude, qui est aussi joyeuse, qui veut vivre, qui veut se connaître elle-même avant de mourir.

Mais nous allons faisant semblant que tout nous paraît clair, que nous sommes sûrs de nous et du monde, que nous n'avons besoin de rien, alors qu'il serait tellement plus simple de pouvoir dire: "Je suis vulnérable, je commets des erreurs. Je suis imparfait. J'ai peur. En d'autres termes, je suis un être humain. Et c'est mon plus grand capital. C'est vraiment tout ce que je veux être."

Ce que je vais vous lire maintenant, c'est quelqu'un qui me l'a communiqué il y a quelques années et j'aime vraiment ça. Cela s'intitule: "Ne te laisse pas abuser par moi." Voici ce que ça dit:

Je veux que tu saches à quel point tu es important pour moi, à quel point tu peux, si tu le décides, être le créateur de la personne qui est en moi. Toi seul peux briser le mur derrière lequel je tremble. Toi seul peux percer mon masque. Toi seul peux me délivrer de mon monde sombre de panique, d'incertitude et de solitude. Alors, je t'en prie, ne passe pas sans me voir. Je sais que ce ne sera pas facile pour toi. C'est la conviction d'être sans valeur qui m'a fait construire ces murs épais et solides. Et plus tu t'approcheras de moi, plus j'aurai de chances de te frapper de façon aveugle. Tu vois, on dirait que je me bats contre la chose dont j'ai précisément le plus besoin. N'est-ce pas étonnant?

Mais on me dit que l'amour est plus fort que les murs et c'est dans cette force que repose mon seul espoir. Alors, fais tomber ces murs d'une main ferme mais douce, parce que l'enfant qui est en moi est très sensible et ne peut se développer derrière des murs. Alors, n'abandonne pas. J'ai besoin de toi.

Nous sommes plus semblables que différents. Tous, nous sentons ça. Il nous faut construire ces ponts entre vous et moi, parce que nous avons besoin l'un de l'autre. Et le véritable vous qui est à l'intérieur de vous ne peut vraiment croître que si sont intacts tous les ponts qui mènent à moi, à quelqu'un d'autre, à votre voisin. Tous, nous sentons la même chose. Et abandonnez cette manie de ne pas faire confiance aux autres. Bien sûr, c'est un pari. Mais tout est un pari! L'autre nuit, je quittais mon bureau et il y avait une femme dans le stationnement souterrain. Il s'est déjà passé des choses terribles dans ce stationnement. Cette femme, donc, était en train de jouer avec un pneu. J'ai vu ça et, déposant ma serviette dans ma voiture, je suis allé vers elle pour lui demander: "Est-ce que je peux vous aider?" Ce fut comme si quelqu'un allait la frapper! Elle a dit: "Non, non, je peux faire ça toute seule, merci."

J'ai insisté: "Mais j'aimerais vraiment vous aider." "Non. Merci. Non!" Et je me suis dit: mon Dieu, dans quel monde vivons-nous si quelqu'un vient vous demander: "Puis-je vous aider?" et que ça vous horrifie.

Nous devons nous débarrasser de ces idées autodestructrices qui nous disent que nous ne sommes pas assez sages pour savoir ce qui est bon pour nous. Réapprenez à écouter vos propres voix et à vous faire confiance. Personne ne sait mieux que vous ce qui est bon pour *vous*. Papa avait coutume de dire toujours: "Si tu ne mènes pas ta propre vie, Felice, quelqu'un va le faire pour toi." Et c'est vrai. Si, constamment, vous ne croyez pas avoir les moyens d'être le parfait vous-même, quelqu'un prendra le contrôle et alors vous allez vraiment vous perdre. Ne jouez pas à *Suivez le gourou*. Dieu sait si nous jouons souvent ce jeu: "Si je fais comme dit cette personne, cela me fera du bien." Savez-vous ce qui va se passer, si vous suivez cette personne? Vous allez devenir cette personne. Et elle seule peut être ce qu'elle est. Vous allez vous perdre *vous-même*. Les professeurs, les gourous peuvent être des guides, mais *vous* seul pouvez accomplir le voyage. Ces gens-là ne peuvent que vous donner des alternatives.

Et méfiez-vous de celui qui dit: "Voici la *seule* route possible." Il existe, en fait, *beaucoup* de routes. Et la vôtre est tout aussi valable que la mienne, pourvu qu'elles mènent toutes deux à la bonté, la gentillesse, la beauté, la joie, la croissance et non à la destruction. Écoutez-vous, faites-vous confiance. Il existe tellement de courriers des lecteurs auxquels on écrit pour demander quoi faire à propos de ci et de ça! Mais comment diable ces gens peuvent-ils savoir quoi vous répondre à *vous?* C'est amusant à lire, n'est-ce pas? Et vous pensez: "Écoute un peu ce conseil!" Chaque fois que quelqu'un m'écrit pour me demander: "Qu'est-ce que je dois faire?", je réponds: "Écoutez-vous. Les réponses qui vous conviennent sont en *vous.* Parce que vous êtes déjà le parfait vous-même. Et moi, je ne sais pas ce que c'est. Mais si vous parvenez à l'atteindre, *vous,* vous le saurez." Sachez ce que vous savez et écoutez ce que vous savez. Puis agissez à partir de ça.

Apprenez à faire confiance à vos propres voix. Apprenez à les réentendre. Apprenez à croire. Essayez! Vous ne saurez pas tant que vous n'aurez pas essayé. Mais quand vous l'aurez fait, vous saurez que vous êtes fidèle à vous-même et que ce que vous faites est bien pour vous. Ce n'est pas ce qu'Emily Post ou Ann Landers vous ont dit de faire. Elles sont vraiment drôles, ces braves dames. C'est comme lire *Peanuts.* Mais comme c'est triste de s'en remettre à *Peanuts.* À vrai dire, j'aimerais quand même bien mieux m'en remettre à *Peanuts* qu'à ces dames, parce qu'on y donne d'excellents conseils. Méfiez-vous des gens qui disent qu'ils ont les réponses qu'il vous faut. Personne n'a de réponse pour vous. Soyez heureux qu'ils possèdent les réponses qui leur conviennent à eux. Mais prenez toute la responsabilité de votre propre vie, et voyez ce qui en résulte. Ce qu'il y a de merveilleux là-dedans c'est que vous ne vous libérerez pas seulement vous-même mais vous permettrez aussi à tous les autres d'être libres, parce qu'alors vous serez responsable de tout ce que vous faites, de toutes les actions que vous entreprenez. Et n'ayez pas peur d'échouer. Nous vivons dans une société où le perfectionnisme est roi. Oubliez ça!

Je parle toujours de Julia Child. J'aime vraiment son attitude. *Voilà* quelqu'un à qui j'écrirais bien. Je regarde ses émissions parce qu'elle fait des choses merveilleuses: "Ce soir, nous allons faire un soufflé." Et elle bat ceci et elle mélange cela et elle fait tomber des choses par terre. Elle s'essuie le visage avec son tablier et toutes ces merveilleuses choses spécifiquement humaines. Puis elle prend son soufflé et le met au four et vous parle un peu. Puis elle dit: "Bon, il y en a un de prêt." Quand elle ouvre le four, son soufflé s'effondre. Et savez-vous ce qu'elle fait? Elle ne se tue pas pour ça. Elle ne se fait pas hara-kiri avec son couteau de cuisine. Elle dit seulement: "Bon, eh bien, on ne peut pas réussir à tous les coups. Bon appétit!" J'adore ça! C'est comme ça qu'il nous faut mener notre vie. On ne peut pas réussir à tous les coups vous savez. "Bon appétit et asseyez-vous!"

Mais je connais des gens qui sont encore à se flageller pour des erreurs commises il y a vingt ans. "J'aurais dû faire ci" et "J'aurais dû faire ça". Eh bien, tant pis pour vous si vous ne l'avez pas fait. Mais qui sait quelles surprises nous réserve demain? Apprenez à dire: "Bon appétit." Asseyez-vous et gavez-vous d'aujourd'hui! La vie est un pique-nique. Et vous pouvez commettre quelques erreurs. Personne n'a jamais prétendu que vous étiez parfait. Et ça peut même être plus intéressant. Vous avez laissé brûler le dîner? Et bien, allez donc manger *dehors*.

Il y a aussi ces idées autodestructrices sur l'âge, ces idées folles! Vous savez, j'ai déjà fait divers commentaires sur la tristesse d'appartenir à une société qui confine vraiment l'âge à une place si étrange. Comme si, d'un seul coup, en atteignant un certain âge magique, vous n'étiez plus bon à rien. Ne vous laissez pas faire! Ne croyez pas cela. Vous voulez porter une robe rouge pleine de médailles et vous teindre les cheveux en pourpre, à quatre-vingt-sept ans? Et faire du patin à roulettes? Eh bien faites-le! Vous savez, je déteste les formules comme: "personnes âgées". Il vaut mieux se faire appeler "homme" et "femme", parce que c'est ça que vous êtes. Nous avons oublié que des gens comme Galilée, par exemple, ont écrit leur dernier livre à soixante-quatorze ans. Michel-Ange avait soixante et onze ans quand on l'a nommé responsable de la chapelle Sixtine, croyez-le ou non. Grand-maman Moses n'a même pas peint son premier tableau avant d'avoir soixante et onze ans. J'adore l'histoire qu'on rapporte sur Duke Ellington. Le jury du Prix Pulitzer l'avait négligé, alors qu'il avait soixante-six ans, et il a dit — j'adore ça — "Eh bien, Dieu n'a sans doute pas voulu que je devienne trop célèbre trop jeune." N'est-ce pas merveilleux? Il est mort à soixante-quinze ans. Pablo Casals a donné un concert à la Maison blanche à quatre-vingt-cinq ans. Susan B. Anthony, cette dame merveilleuse, est restée présidente des Suffragettes jusqu'à quatre-vingts ans, et elle allait encore manifester dans les rues en tapant sur son tambour. À cinquante-deux ans, elle a été arrêtée pour avoir voté. Elle est entrée dans l'isoloir en disant: "Je veux voter. Comment ça, une femme ne peut pas voter?" On lui a fait connaître une nouvelle expérience: la prison!

Il y a tant de choses que vous pouvez faire. J'aime l'idée que George Bernard Shaw se soit fracturé la jambe à quatre-vingt-seize ans. Et savez-vous comment? En tombant d'un arbre qu'il était en train d'émonder. Alors oubliez ça!

Vous pouvez dès ce soir prendre la décision de laisser tomber ces idées folles, ces idées autodestructrices, et d'être tout ce que Dieu a voulu que vous soyez, ce qui est la moindre des choses que vous puissiez faire pour Dieu. Comment osez-vous mourir sans être devenu tout ce que vous êtes! Et vous pouvez le faire, si vous en prenez la *décision*. C'est aussi simple que ça. C'est ainsi que se produit le changement et le changement demeure toujours possible. Cela me tue quand j'entends une autre de ces idées autodestructrices: "On n'apprend pas aux vieux singes à faire de nouvelles grimaces." J'ai appris des tas de nouvelles choses à des vieux singes. Mais vous avez le choix. La vie est un choix et c'est à *vous* de le faire. Vous pouvez la vivre dans le bonheur ou la tristesse. Vous pouvez être farfelu. Vous pouvez au contraire rester toujours très sérieux. Mais assumez la pleine responsabilité du choix que vous avez fait.

Si vous vous ennuyez, si vous avez peur, si vous n'aimez pas la pièce dans laquelle vous jouez, sortez-en donc! Qui a dit que vous deviez rester là? Tant que votre coeur et votre esprit fonctionnent et que votre moral est bon, vous pouvez jouer n'importe quel rôle. Vous pouvez choisir le vôtre propre. En inventer même un nouveau. À partir de demain, ça va être différent. Alors *faites-le ainsi*, parce que ça n'arrive qu'en action. Parler de quelque chose, ce n'est rien qu'un début. La prise de conscience n'est rien que la moitié de la solution. L'autre moitié consiste à sortir et à le *faire*.

Choisissez la route de la vie. Choisissez la route de l'amour. Choisissez la route du souci des autres. De l'espoir. De la croyance en demain. De la confiance. Choisissez la route de la bonté. C'est à vous de décider. C'est votre choix à vous. Vous pouvez aussi choisir le désespoir. Le malheur. Vous pouvez aussi choisir de rendre la vie impossible aux autres. Vous pouvez aussi choisir la bigoterie. Mais pourquoi? Cela n'a pas de sens. Ce n'est que de l'autoflagellation. Mais je vous préviens que si vous décidez de prendre la pleine responsabilité de votre vie, ce ne sera pas facile et il vous faudra apprendre à risquer à nouveau. Le risque: clé du changement.

Je veux vous lire ceci: "Rire, c'est risquer de passer pour un fou." Et après? Je dis souvent que les gens considèrent Buscaglia comme une sorte de dingue. Dingue, il l'est! Mais je m'envoie en l'air, quand la personne sensée, elle, s'ennuie à mourir.

"Pleurer, c'est risquer de passer pour un sentimental." Je n'ai pas peur de pleurer. Je pleure tout le temps. Je pleure de joie. Je pleure de désespoir. Parfois, en lisant les copies de mes étudiants, je les inonde de larmes. Je pleure quand je vois des gens heureux. Je pleure quand je vois des gens qui s'aiment. Je me fiche bien de passer pour un sentimental. Tant pis. J'aime ça. Cela nettoie mes prunelles.

"Tendre la main aux autres, c'est risquer d'être impliqué." Mais qu'y a-t-il dans la vie de plus important que ça? Je ne veux pas rester seul dans mon île. Le simple fait que vous et moi soyons ensemble veut dire que nous sommes faits pour ça. Trouvons des moyens d'en faire quelque chose de joyeux.

"Montrer ses sentiments, c'est risquer de laisser paraître son humanité." Eh bien, je suis heureux de montrer mon humanité. Il y aurait bien d'autres choses pires à révéler que mon humanité.

"Mettre ses idées et ses rêves sur la place publique, c'est risquer de les perdre." Ce n'est pas grave. On ne peut pas toujours gagner. Et on ne peut pas être aimé de tous. Il va toujours y avoir quelqu'un pour dire: "C'est un dingue. Viens, Mabel, on en a assez entendu. Rentrons à la maison." Et, vous savez, c'est bien et c'est juste. On ne peut être aimé de tous, c'est sûr.

Je raconte toujours ça, j'écris là-dessus et beaucoup d'entre vous ont entendu ça des milliers de fois, mais je l'adore. Alors, voici, une fois de plus. Un soir, dans mon cours sur l'amour, une jeune fille a dit: "Je sais pourquoi je me désespère tout le temps.

C'est parce que je veux que tout le monde m'aime et c'est humainement impossible. Je pourrais bien être la plus délectable, la plus délicieuse, la plus merveilleuse pêche au monde et m'offrir à tout le monde. Mais il y a des gens qui sont allergiques aux pêches. Et ceux-là voudraient peut-être que je sois une banane." Et très souvent nous devenons des bananes pour ceux qui veulent des pêches. Quelle salade de fruits! Ne serait-ce pas mieux de leur dire: "Je suis désolé de ne pouvoir être une banane. J'adorerais ça, être une banane, si je pouvais le faire pour vous. Mais je suis une *pêche*." Et vous savez quoi? Si vous savez attendre, vous finirez bien par trouver un amateur de pêches. Et alors, vous pourrez vivre votre vie de pêche. Vous n'aurez pas à essayer de vivre comme une banane. Toutes ces énergies perdues à se faire banane, quand on est une pêche!

"Aimer, c'est risquer de ne pas être aimé en retour." Et ce n'est pas grave, ça non plus. On aime pour *aimer*, pas pour avoir quelque chose en échange. Ou alors, ce n'est pas de l'amour.

"Espérer, c'est risquer la souffrance" et "Essayer, c'est risquer l'échec." Mais il faut prendre des risques, parce que le plus grand risque, dans la vie, c'est de ne *rien* risquer. Qui ne risque rien ne fait rien, n'a rien et n'est rien. Il peut bien échapper à la souffrance et au chagrin, mais il ne peut tout simplement pas apprendre, sentir, changer, croître, vivre, ou aimer. Enchaîné par ses certitudes ou ses manies, c'est un esclave. Il a abandonné son essence: sa liberté individuelle. Seul celui qui risque est libre.

Rester caché, se perdre soi-même à cause d'idées autodestructrices, c'est mourir. Ne laissez pas ça se produire. Votre plus grande responsabilité, c'est de devenir tout ce que vous êtes, pas seulement pour votre plus grand bien mais aussi pour le mien.

Table des matières

Ouvrages parus dans la
COLLECTION **VIVRE SON CORPS**

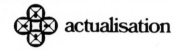

*Lithographié au Canada
sur les presses de
Métropole Litho Inc.*

Ouvrages parus chez

 le jour,
éditeur

sans * pour l'Amérique du Nord seulement
* pour l'Europe et l'Amérique du Nord
** pour l'Europe seulement

COLLECTION BEST-SELLERS

* **Comment aimer vivre seul,** Lynn Shahan
* **Comment faire l'amour à une femme,** Michael Morgenstern
* **Comment faire l'amour à un homme,** Alexandra Penney

* **Grand livre des horoscopes chinois, Le,** Theodora Lau
Maîtriser la douleur, Meg Bogin
Personne n'est parfait, Dr H. Weisinger, N.M. Lobsenz

COLLECTION ACTUALISATION

* **Agressivité créatrice, L',** Dr G.R. Bach, Dr H. Goldberg
* **Aider les jeunes à choisir,** Dr S.B. Simon, S. Wendkos Olds
Au centre de soi, Dr Eugene T. Gendlin
Clefs de la confiance, Les, Dr Jack Gibb
* **Enseignants efficaces,** Dr Thomas Gordon
États d'esprit, Dr William Glasser

* **Être homme,** Dr Herb Goldberg
* **Jouer le tout pour le tout,** Carl Frederick
* **Mangez ce qui vous chante,** Dr L. Pearson, Dr L. Dangott, K. Saekel
* **Parents efficaces,** Dr Thomas Gordon
* **Partenaires,** Dr G.R. Bach, R.M. Deutsch
Secrets de la communication, Les, R. Bandler, J. Grinder

COLLECTION VIVRE

* **Auto-hypnose, L',** Leslie M. LeCron
Chemin infaillible du succès, Le, W. Clement Stone
* **Comment dominer et influencer les autres,** H.W. Gabriel
Contrôle de soi par la relaxation, Le, Claude Marcotte
Découvrez l'inconscient par la parapsychologie, Milan Ryzl
Espaces intérieurs, Les, Dr Howard Eisenberg

Être efficace, Marc Hanot
Fabriquer sa chance, Bernard Gittelson
Harmonie, une poursuite du succès, L', Raymond Vincent
* **Miracle de votre esprit, Le,** Dr Joseph Murphy
* **Négocier, entre vaincre et convaincre,** Dr Tessa Albert Warschaw

COLLECTION VIVRE SON CORPS

COLLECTION IDÉELLES

HORS-COLLECTION

Autres ouvrages parus aux Éditions du Jour

ALIMENTATION ET SANTÉ

ART CULINAIRE

DOCUMENTS ET BIOGRAPHIES

ENFANCE ET MATERNITÉ

Enfants du divorce se racontent, Les,
Bonnie Robson

Famille moderne et son avenir, La,
Lynn Richards

ENTREPRISE ET CORPORATISME

Administration et la prise, L', P. Filia-
trault, Y.G. Perreault
Administration, développement,
M. Laflamme, A. Roy
Assemblées délibérantes, Claude
Béland
Assoiffés du crédit, Les, Fédération
des A.C.E.F. du Québec

Coopératives d'habitation, Les, Mu-
rielle Leduc
Mouvement coopératif québécois,
Gaston Deschênes
Stratégie et organisation, J.G. Des-
forges, C. Vianney
Vers un monde coopératif, Georges
Davidovic

GUIDES PRATIQUES

550 métiers et professions, Françoise
Charneux Helmy
Astrologie et vous, L', André-Pierre
Boucher
Backgammon, Denis Lesage
Bridge, notions de base, Denis
Lesage
Choisir sa carrière, Françoise Char-
neux Helmy
Croyances et pratiques populaires,
Pierre Desruisseaux
Décoration, La, D. Carrier, N. Houle
Des mots et des phrases, T. I, Gérard
Dagenais
Des mots et des phrases, T. II,
Gérard Dagenais
Diagrammes de courtepointes, Lu-
cille Faucher

Dis papa, c'est encore loin?, Francis
Corpatnauy
Douze cents nouveaux trucs, Jeanne
Grisé-Allard
Encore des trucs, Jeanne Grisé-
Allard
Graphologie, La, Anne-Marie Cob-
baert
Greffe des cheveux vivants, La,
Dr Guy, Dr B. Blanchard
Guide de l'aventure, N. et D. Bertolino
Guide du chat et de son maître, Dr L.
Laliberté-Robert, Dr J.P. Robert
Guide du chien et de son maître, Dr L.
Laliberté-Robert, Dr J.P. Robert
Macramé-patrons, Paulette Hervieux
Mille trucs, madame, Jeanne Grisé-
Allard

Monsieur Bricole, André Daveluy

Petite encyclopédie du bricoleur, André Daveluy

Parapsychologie, La, Dr Milan Ryzl

Poissons de nos eaux, Les, Claude Melançon

Psychologie de l'adolescent, La, Françoise Cholette-Pérusse

Psychologie du suicide chez l'adolescent, La, Brenda Rapkin

Qui êtes-vous? L'astrologie répond, Tiphaine

Régulation naturelle des naissances, La, Art Rosenblum

Sexualité expliquée aux enfants, La, Françoise Cholette-Pérusse

Techniques du macramé, Paulette Hervieux

Toujours des trucs, Jeanne Grisé-Allard

Toutes les races de chats, Dr Louise Laliberté-Robert

Vivre en amour, Isabelle Lapierre-Delisle

LITTÉRATURE

À la mort de mes vingt ans, P.O. Gagnon

Ah! mes aïeux, Jacques Hébert

Bois brûlé, Jean-Louis Roux

C't'a ton tour, Laura Cadieux, Michel Tremblay

Coeur de la baleine bleue, (poche), Jacques Poulin

Coffret Petit Jour, Abbé J. Martucci, P. Baillargeon, J. Poulin, M. Tremblay

Colin-maillard, Louis Hémon

Contes pour buveurs attardés, Michel Tremblay

Contes érotiques indiens, Herbert T. Schwartz

De Z à A, Serge Losique

Deux millième étage, Roch Carrier

Le dragon d'eau, R.F. Holland

Éternellement vôtre, Claude Péloquin

Femme qu'il aimait, La, Martin Ralph

Filles de joie et filles du roi, Gustave Lanctôt

Floralie, où es-tu?, Roch Carrier

Fou, Le, Pierre Châtillon

Il est par là le soleil, Roch Carrier

J'ai le goût de vivre, Isabelle Delisle

J'avais oublié que l'amour fût si beau, Yvette Doré-Joyal

Jean-Paul ou les hasards de la vie, Marcel Bellier

Jérémie et Barabas, F. Gertel

Johnny Bungalow, Paul Villeneuve

Jolis deuils, Roch Carrier

Lapokalipso, Raoul Duguay

Lettre à un Français qui veut émigrer au Québec, Carl Dubuc

Lettres d'amour, Maurice Champagne

Une lune de trop, Alphonse Gagnon

Ma chienne de vie, Jean-Guy Labrosse

Manifeste de l'infonie, Raoul Duguay

Marche du bonheur, La, Gilbert Normand

Meilleurs d'entre nous, Les, Henri Lamoureux

Mémoires d'un Esquimau, Maurice Métayer

Mon cheval pour un royaume, Jacques Poulin

N'Tsuk, Yves Thériault

Neige et le feu, La, (poche), Pierre Baillargeon

Obscénité et liberté, Jacques Hébert
Oslovik fait la bombe, Oslovik
Parlez-moi d'humour, Normand Hudon
Scandale est nécessaire, Le, Pierre Baillargeon

Trois jours en prison, Jacques Hébert
Voyage à Terre-Neuve, Comte de Gébineau

SPORTS

Baseball-Montréal, Bertrand B. Leblanc
Chasse au Québec, La, Serge Deyglun
Exercices physiques pour tous, Guy Bohémier
Grande forme, Brigitte Baer
Guide des sentiers de raquette, Guy Côté
Guide des rivières du Québec, F.W.C.C.
Hébertisme au Québec, L', Daniel A. Bellemare
Lecture de cartes et orientation en forêt, Serge Godin
Nutrition de l'athlète, La, Jean-Marc Brunet
Offensive rouge, L', G. Bonhomme, J. Caron, C. Pelchat

Pêche sportive au Québec, La, Serge Deyglun
Raquette, La, Gérard Lortie
Ski de randonnée — Cantons de l'Est, Guy Côté
Ski de randonnée — Lanaudière, Guy Côté
Ski de randonnée — Laurentides, Guy Côté
Ski de randonnée — Montréal, Guy Côté
Ski nordique de randonnée et ski de fond, Michael Brady
Technique canadienne de ski, Lorne Oakie O'Connor
Truite, la pêche à la mouche, Jeannot Ruel
La voile, un jeu d'enfant, Mario Brunet

Imprimé au Canada/Printed in Canada